KB184792

이 책을 읽는 동안 당신은
있는 그대로의 자신을 더 사랑하게 될 것입니다.

이 세상에서 가장 소중한 _____님께

이 책을 마음의 선물로 드립니다.

_____드림

오제은 교수의
자기 사랑 노트

오제은 교수의 자기 사랑 노트

개정판 1쇄 발행 2022년 7월 7일
개정판 4쇄 발행 2024년 6월 10일

지은이 오제은
기획 이홍용, 박정은
편집 박선아, 김재환, 문유라, 양정화
디자인 새와 나무
일러스트 권유숙
마케팅 문유하
등록번호 제2018-000016호   펴낸곳 달빛북스
주소 경남 김해시 식만로 348번길 42
전화 055-311-1584
전자우편 dalbitbooks@gmail.com

ⓒ 오제은, 2009
이 책은 저작권법에 따라 보호받는 저작물이므로 무단 전재와 복제를 금합니다.
책 판권은 오제은 교수에게 있으며 달빛북스를 통해서 보급되고 있습니다.

※ 이 책을 통한 저자 수익금 일부는 무료 상담을 위한 후원금으로 쓰입니다.

오제은 교수의
자기 사랑 노트

오제은 지음

 달빛북스

치유 나무

healing tree

200년 전에도 이 나무는 여기에 서 있었다.
200년 후에도 여기에 서 있을 이 나무를 기억하라!

Imagine being here 200 years ago.
Imagine being here in another 200 years.

가장 소중한 '나'를 만나러 가는 여행

저는 3년 반 동안이나 자살 충동에 시달렸던 대인기피증 환자였습니다. 게다가 사춘기 이후 거의 20년 동안 아버지에 대한 미움과 분노를 품고 살아왔고, 아내와 자녀, 다른 사람들과의 관계 또한 힘들다 못해 최악의 상태로 곤두박질치는 등 아픔과 상처로 가득한 인생이었습니다.

고통에서 벗어나고자 상담 치유 프로그램을 찾아다녔고, 누군가 "내가 당신 맘 다 알아. 그래서 이런 거지?" 하고 내 마음을 좀 알아주기를 간절히 바랐습니다. 외롭고 힘들었습니다. 내 자신이 미워 견딜 수가 없었습니다. 그러던 제가 이제는 "내가 나인 것이 그냥 좋다"고 말할 수 있게 되었습니다. 더 이상 나를 야단치지도, 어떤 잣대를 들이대거나 괴롭히지도 않습니다. 이제 나는 '나'를 진심으로 사랑합니다.

나는 '나'를 참 잘못 알고 있었습니다. 내가 진정 누구인지, 내가 나를 어떻게 돌봐야 하는지, 어떻게 사랑해야 하는지도 잘 몰랐습니다. 남들이 말하는 내가 나인 줄 알았고, 다른 사람들이 원하는 사람이 되려고 애쓰며 살았습니다. 그래서 진짜 '나'는 내팽개친 채로 남의 기대와 평가, 눈치와 체면에 맞춰 살려고, 내가 아닌 '역할'로 살려고 애썼고, 그런 꼭두각시 같은 삶을 아주 오랫동안 살았습니다. 그러는 동안 '나'를 돌보기는커녕 미워하고 야단치고 판단하고 해석하고 자학했습니다. 그리고 그게 올바른 삶이고 잘사는 삶인 줄로 착각했습니다. 그런데 거기엔 진정한 기쁨이 없었습니다. 다른 것은 다 있는데 정작 '나'는 없었습니다. 그래서 늘 허전하고 외로웠습니다.

이 책은 제가 죽이고 싶을 만큼 미워했던 '내 자신'을 이 세상 그 무엇보다도 소중히 여기고 사랑할 수 있게 되기까지의 '자기 사랑' 이야기를 담은 책입니다. 이 이야기가 저만의 이야기가 아니라 바로 여러분 자신의 이야기가 되었으면 하는 바람이 이 책을 쓰게 했습니다. 그런 바람 때문에 이 책 각 장의 마지막 부분을 독자 여러분이 자신의 이야기를 채워 넣어 마무리할 수 있도록 구성했으며, 그래서 이 책의 제목도 《자기사랑노트》라고 정했습니다.

이 책의 각 장은 크게 네 가지 이야기로 이루어져 있습니다. 첫 번째 부분은 지나온 삶의 여정에서 제가 경험한 고난과 치유에 대한 고백입니다. 죽음의 문턱까지 갔던 제가 그 고통의 터널로부터 어떻게 빠져나올 수 있었는지, 그리고 그런 상처와 치유의 경험을 통해서 '나'의 무엇이 어떻게 달라졌는지를 솔직하게 적었습니다. 그래야만 여러분이 저의 경험을 여러분 자신의 것과 일치시킬 수 있을 테니까요. 또한 이렇게 저의 산 경험을 최대한 진실하게 나누는 것만이 아직도 고통 속에서 힘들어하는 이들과 함께 치유의 길로 나아갈 수 있는 길이라고 믿기 때문입니다.

두 번째 부분은 저의 치유 여정 가운데 제 자신조차 '이해할 수 없었던 나'를 이해해 주고 가슴 아파하며 부둥켜안고 함께 울어주신 선생님들을 만난 이야기입니다. 이 책에서 저는 이 부분이 가장 마음에 듭니다. 그래서 저는 지금도 이 대목을 읽을 때마다 눈시울이 뜨거워지곤 합니다. 그렇게 좋은 선생님들을 만났다는 것에 참으로 감사를 드리지 않을 수 없습니다.

혹시 우리가 캄캄한 밤에 산중에서 길을 잃었다 하더라도 천만다행으로 그 산길을 잘 아는 분을 만난다면, 어둠과 고통 속에 밤새 헤매었을지도 모를 그 산행이 오히려 멋진 경험이 될 수 있습니다. 바로 그와 같은 일이 저에게 일어난 것입니다. 제가 확실히 깨닫게 된 것은 우리가 이 세상에 온 이유 중 하나가 바로 이런 선생님을 만나러 왔다는 사실입니다. 그리고 그 길을 가보지 않는 한 결단코 다른 사람을 같은 길로 안내할 수가 없다는 사실입니다. 즉 선생님이란 바로 나보다 먼저 그 길을 가본 사람, 그래서 길을 아는 사람입니다. 저는 제가 만난 선생님들을 여러분도 이 책을 통해서 만나볼 수 있기를 바랍니다. 그래서 이 책이 여러분 삶의 여정을 안내하는 길잡이가 될 수 있기를 바랍니다.

세 번째 부분은 제 자신이 그런 고통과 아픔을 겪어본 덕에 저를 찾아온 다른 사람들의 아픔을 더 잘 이해할 수 있었다는 이야기, 그들의 아픔을 내 아픔처럼 끌어안고 진심으로 함께 아파할 수 있었던, 곧 '상처 입은 치유자'로서의 만남과 치유에 관한 이야기입니다. 우리에게 비록 아픔과 상처가 있지만, 그러한 고통이 도리어 나를 성장시키고, 인생의 참 깊은 곳까지 나를 안내해 줄 뿐 아니라, 더 나아가 다른 사람의 고통까지도 공감하고 그 사람의 치유를 도울 수 있다는, 고통의 역설성과 치유의 신비에 대한 이야기이기도 합니다. 나중에야 깨닫게 된 중요한 사실은 이렇게 아픔과 상처를 지닌 그 분들이야말로 저를 깨우쳐주고 흔들어주었으며, 제 삶의 의미를 알게 해준 인생 최고의 선생님들이었다는 것입니다.

마지막 네 번째 부분은 바로 독자 여러분 자신의 것입니다. 이 책은 사실 이 부분을 위해 썼다고도 말할 수 있습니다. 이 네 번째 부분인 '자기사랑노트'에 여러분 자신의 이야기를 직접 써 넣음으로써만 이 책이 마무리될 수 있습니다. 그러므로 이 책은 《오제은의 자기사랑노트》일 뿐 아니라, 독자 여러분의 이름으로 된 《○○○의 자기사랑노트》이기도 합니다. 그러니까 이 책은 여러분과 제가 공저자인 셈이지요.

이 책을 통해 우리에게 고통이 있는 진짜 이유가 무엇인지, 어떻게 하면 그 고통을 치유할 수 있는지 알게 되기를, 또한 '고난과 치유, 그리고 만남의 원리'를 여러분의 삶에 직접 적용하여 자신의 '미해결 과제'를 풀고 치유해 갈 수 있기를 바랍니다.

이 치유 작업은 자신 외에는 그 누구도 대신할 수 없습니다. 분명한 것은 어떤 상처도 반드시 치유될 수 있다는 사실입니다. 그러므로 여러분이 아무리 힘든 고통을 겪고 있다 하더라도 지금 이 순간 홀홀 다 털어버리고 여러분 있는 모습 그대로를 이《자기사랑노트》에 허심탄회하게 써 내려가시기 바랍니다. 이 과정을 통해서 여러분 안에서 아직도 누군가가 자신을 찾아와 주기만을 간절히 기다리고 있는 '상처받은 내면아이'를 만나고, 함께 충분히 슬퍼하며, 내적인 모든 장애물을 제거하고, 여러분 자신만의 고유한 '마음의 장단'을 찾아 멋지게 한바탕 춤을 추는, 아름다운 자기 실현의 삶을 살아가시기를 진심으로 기원합니다.

이 책이 나오기까지 무려 7년이란 세월이 걸렸습니다. 사실 저로서는 이 책을 세상에 내놓는다는 것이 너무 두려워서 이미 3년 전에 탈고를 했음에도, 밤새 낑낑 앓다가 그다음 날 새벽녘에 책을 출간하지 않기로 최종 결정을 내린 적이 있습니다. 그런데도 이 책을 다시 내기로 마음을 바꾼 이유는 '영성과 내면아이 치유' 집단에 참가한 수많은 참가자들과 상담실에서 만난 내담자들 때문입니다. '영성과 내면아이 치유'라는 이름으로 인도해 온 집단 상담이 벌써 250회나 되었습니다. 그동안 참가한 수많은 참가자들의 눈물과 한, 웃음과 춤, 그리고 삶을 향한 꺾이지 않는 사랑과 열정, 어둠 속에서도 초롱초롱 빛나던 그 눈빛들, 바로 그런 것들이 이 책이 세상 밖으로 나올 수 있도록 용기를 주었습니다. 이 책은 이 '영성과 내면아이 치유' 집단 상담 내용에 대한 일종의 워크북이라고 할 수 있습니다.

사실 많이 떨립니다. 입이나 머리가 아닌 눈으로, 가슴으로, 영성으로 말하려고 애썼으나 그럼에도 많은 부분 부족함을 느낍니다. 특히 저를 만나주셨던 선생님들을 생각하면 더욱 그렇습니다. 다만, 이 부족함을 드러냄으로써 한 발 더 내디딜 수 있는 계기가 되기를 바라며 이 책을 조심스레 여러분 앞에 내어놓습니다. 여기에 어떤 실수나 부족한 점은 전적으로 저의 책임이라는 것을 밝혀둡니다.

이 책이 출간되기까지 수고해 주신 샨티출판사의 두 분 공동대표님과 직원들께 깊이 감사드립니다. 그리고 맨 처음 이 책을 집필하도록 동기를 부여해 주고 여러모로 도와주신 삼인출판사의 홍승권 사장님과 김진아 작가님께 특별히 감사드립니다. 지금까지 '영성과 내면아이 치유' 집단을 도와주신 수많은 자원봉사자들과 코워커Co-Worker들인 기쁨, 떵용, 룰루랄라, 아침 그리고 (사)한국가족상담협회와 한국가족상담센터의 강유리, 이지현, 차윤경 님과 김창호, 김순초 님께도 감사드립니다. 또 숭실대학교 동료 교수님들과 이하나 조교, 지금까지 저의 강의를 들어준 모든 학생들, 청중들께도 고마움을 전하고 싶습니다.

그리고 특별히 이 책의 초고를 읽고 기꺼이 추천문을 써주신 이 시대 최고 명강의 교수이신 조벽 박사님과 국내 유일의 가트맨 부부 치료 전문가이신 최성애 박사님, 한국의 대표적인 목회자요 명설교자이신 이동원 목사님, 모든 이에게 사랑과 희망의 '밥을 퍼' 주시는 최일도 목사님, 가장 멋진 연기자이며 무조건적인 사랑을 삶 속에서 실천하시는 정애리 선생님께 깊은 감사를 드립니다. 그리고 나의 사랑, 나의 하나님께 감사드리며, 사랑하는 가족과 이 기쁨을 함께 나누고 싶습니다. 마지막으로 이 책을 지금까지 저를 가슴으로 만나주신 모든 선생님들께 헌정하고 싶습니다.

이제,
가장 소중한 '나'를 만나러 가는 여행을
떠나실래요?

2009년 1월, 깊은 산골짜기 새벽
오제은

치유란,
진짜 내가 누구인지를 기억해 내는 것이다.

- 무명의 영성가 -

모든 아픔과 상처는 치유를 향하고 있습니다.
그러므로 우리가 해야 할 일은,
무의식(우리가 아직 깨닫지 못한 것)이
치유를 향한 자신의 임무를 다 할 수 있도록,
최선을 다해 의식적으로 깨어 있어,
거기에 협조하는 것입니다.

그런데 많은 사람들은
이 사실(무의식의 치유적 기능과 역할)을 잘 깨닫지 못한 채,
감정적으로 맞대응을 하거나, 절망하고, 방어적이 되고,
또 부정적인 태도로
치유의 방향에 역행하는 삶을 살아갑니다.

저는 독자 여러분이
여러분의 무의식을 신뢰할 수 있기를 바랍니다.

 오디오 QR 🎧
개정판 프롤로그

제가 한국을 떠나 미국에 살다가

약 4년 만에 다시 한국에 방문했을 때 있었던 일입니다.

지금의 (사)한국부부가족상담협회(그전의 명칭은 한국가족상담협회)에서,

1년에 한 번씩 주최하는 협회 컨퍼런스에

강사로 초청이 되어 갔는데,

강의 도중 잠깐 쉬는 시간에 복도에서 마주친 어떤 힐머니가,

저의 등짝을 냅다 내리치시면서,

"아니, 도대체 어디를 갔다 이제 왔어?"라고

같은 말씀을 몇 번이나 반복하시는 거예요.

그런데 저는 그 당시엔 그분이 무슨 뜻으로 그런 말씀을 하시고,

제게 왜 그러시는 건지 도무지 이해를 못 해 무척 당황했었습니다.

사실 저는 그분이 누구신지 그분 얼굴도 잘 기억이 안 나고,

성함도 잘 모르겠는데, 그분은 저를 잘 아시는 것 같아서…

제가 마음이 좀 이상했었습니다.

제가 한국을 떠나 있었던 적지 않은 세월 동안,

저는 저 나름대로 좀 여러 가지 힘든 일들도 겪어야만 했고,

그래서 사실

정말 오랜만에 고향 땅을 밟는, 그런 심정이었는데,

그 할머님이 저를 반겨 주시는 것 같긴 한데도,

제가 거기에 어떻게 반응해야 할지 잘 몰라,

거의 얼이 빠져 있었습니다.

그 협회 컨퍼런스에서

저는 다른 동료 교수님과 함께 주 강사로서 특강을 진행했는데,

동료 교수님의 차례가 되어 그분 혼자서 강의를 진행하는 동안,

아까 그 백발의 할머니가 하신 말씀이

계속해서 저의 귀를 때리는 거예요.

"아니 내가 얼마나 찾았는데… 도대체 어디를 갔다 이제 온 거야!" 하고

마치 야단을 치시는 것처럼

크게 소리쳐 말씀하시던 그 말씀이…

저의 귓가에 계속 쟁쟁거리는 바람에,

이제 저의 순서가 되어서, 제가 강의를 진행해야 하는데,

집중이 잘 안되는 거예요.

그 할머니가 어디쯤 계신지 궁금해져서,

동료 교수님이 강의하는 내내 그분의 모습을 찾아

두리번 두리번거리다가,

쉬는 시간에 직접 그분을 찾아보려고 여기저기 다녀보았지만,

결국 다시는 그분을 뵐 수가 없었어요.

아직도 그분의 표정과 그 말씀이 귓가에 생생합니다.

"내가 오 교수가 보고 싶어서…

그동안 해마다 한번도 빠지지 않고

여길(협회 컨퍼런스를 매년마다) 왔는데…

그런데 (네가) 없어서…

지난 몇 년 동안이나 계속 오 교수를 볼 수가 없어서…

참 그랬다(속상했다)."라고 하시면서,

오 교수 같은 사람이 우리나라에 꼭 있어야만 한다고 하시면서,

내가 참 보고 싶었다고 반복해서 하시던 그 말씀에……

그 당시엔 그 말이 잘 와닿지가 않았는데…

시간이 조금 지나고 난 후에야,

비로소 그분의 그런 진심이 느껴져서,

강의를 진행하고 있던 중에 그만 저도 모르게

울컥하고 말았습니다.

제가 너무 보고 싶었다고

야단치듯 말씀해 주시던 그 말씀을 들은 후에,

얼마나 제 가슴이 방망이질을 해대며 요동을 치던지…

더 이상 제가 강의를 진행할 수 없는 지경까지 되어버린 겁니다.

그 강의가 다 끝나고 난 뒤, 나중에 그 일을 곰곰이 되새기면서,

그때 제가 왜 그렇게까지 울컥하게 되었는지

그 진짜 이유를 알아차릴 수가 있었습니다.

그분이 그때 제게 해주었던 그 말씀이,

'사실은 내가 누군가로부터 꼭 듣고 싶어 했던 말이었구나!' 하고

알아차리게 된 것이죠.

아주 힘든 일을 겪고 느닷없이 떠나갔던 나의 조국에서,

오랜만에 다시 어렵게 돌아와 마주한 나의 고향 땅에서,

누군가가 그런 나를 잊지 않고

너를 기다리고 있었노라고 내게 말해주면서,

내게로 막 달려와 두 팔을 크게 벌리고

나를 아주 반갑게 끌어안고서,

"도대체 그동안 어디를 갔다가 이제 온 거야!"라고,

그렇게 내게 막 큰소리로 야단이라도 치면서,

정말 내가 보고 싶었다고

내게 큰 소리로 말을 해 주고,

여기 한국 이곳, 내 조국에서 내가 정말 꼭 필요한 사람이라고…,

그렇게 나의 존재를 기억해 주고

내가 누구인지를

나에게 다시 확인시켜 주었으면…,

나를 좀 알아봐 줬으면 하는,

그런 바람이 내 안에 있었던 거구나!

내가 그런 말을 정말 듣고 싶어 했던 거구나!' 하는 깨달음이 오면서,

제 안에서 뜨거운 눈물이 터지며

가슴이 뭉클해졌습니다.

그날 그 할머님은

진짜 내가 누구인지를

저에게 다시 기억시켜 주신 것입니다.

저에게 너무나도 꼭 필요했던 그 순간

(진짜 내가 누구인지를 거의 잊어버리고 살고 있었고,

 그것을 다시 기억해 내야만 했던 바로 그 순간에),

갑자기

천사처럼 나타나서,

마치 저의 가슴에 정통으로 비수를 꽂는 것처럼,

"넌 참 소중한 사람이야!"라고,

제가 결코 다시는 잊어버릴 수 없을 만큼,

너무나도 강렬하게,

그동안 잊고 있었던

진짜 나를 일깨워 준 것입니다.

그 후로부터 나는

내가 정말 얼마나 소중한 사람인지를,

내가 참으로 중요한 사람이라는 사실을

다시 기억해 낼 수 있게 되었습니다.

우리는 모두 매 순간순간,

진짜 내가 누구인지를

잘 기억해 내야만 합니다.

저는 저의 온 마음을 다해 진심으로,

지금 이 책을 읽고 계신

독자 여러분 한 분 한 분께서,

지금 이 순간

여러분이 정말 얼마나 소중한 사람인지,

얼마나 중요한 분인지를

기억해 내는

치유의 시간(Healing Time 힐링 타임)이 되면

좋겠습니다.

이 책이, 그 할머님이 저에게 그렇게 일깨워 주셨던 것처럼,

여러분께도

'아! 내가 참 소중한 사람이구나!

내가 정말 중요한 사람이구나!'라고

기억해 낼수 있는,

진짜로 깨달을 수 있는,

그런 놀라운 치유경험을 할 수 있게끔

도와드릴 수 있다면,

저는 더 이상 바랄 게 없을 것입니다.

마지막으로, 어떤 무명의 영성가가 말했던 것처럼,

"치유란,
진짜 내가 누구인지를
기억해 내는 것"
입니다.

여러분 사랑합니다!

독자 여러분을
너무나 만나 보고 싶고,
여러분을 만나게 되면
두 팔을 번쩍 쳐들고 막 달려가
반갑게 부둥켜안으며
등짝이라도 내려치면서,
도대체 어디 갔다 이제 왔느냐고
막 큰소리라도
지르고 싶은…

"한 번에 한 사람과의 관계를 가장 소중하게 여기는" 데이브레이크대학교에서
새벽을 기다리는 어린 왕자(별칭)

오제은 드림

여기에 수록된 자기 사랑 한마디는
몇천 년 동안, 아니 그보다 더 오래 전
우리보다 먼저 이 세상을 살다간
영성가들과 치유자들이
처절한 고통과 아픔 가운데 있을 때
그들의 인생을 완전히 바꿔놓은
깨달음의 한마디입니다.
이 자기 사랑 한마디를 나의 가슴속에
깊이 받아들이고 귀하게 여기면
나를 살리는 말이 될 것입니다.

자 기 사 랑 하 나

머리가 아닌
가슴으로 살아라

진짜 사는 것

한 어머니가 있었습니다.
어머니는 단 하나밖에 없는 아들(딸)을 먼 이국땅으로 떠나보내야만 합니다.
아들(딸)은 이제 떠나면 언제 돌아올지 모릅니다.
살아서 돌아올지, 아니면 이것이 마지막이 될지조차 모릅니다.
이제 그 아들(딸)을 멀리 떠나보내야 하는 열차 앞에서
어머니는 마지막 유언처럼 자식에게 뭔가 한마디 해줍니다.
할 수만 있다면 아들(딸)을 위해 대신이라도 죽고 싶은 심정으로,
자식을 향한 무한한 안타까움과 사랑이 가득한
어머니의 애틋한 심정으로 아들(딸)의 두 손을 꼭 잡고
어머니는 이렇게 말합니다.
"아들(딸)아, 머리가 아닌 가슴으로 살아라,
가슴으로. 꼭 그렇게 살아야 한다.
그게 진짜 사는 거란다. 그것만이 진실이다.
그것만이 사람이 살아야 할 길이다."

세상에서 가장 긴 여행

 어느 날, 갓난아기를 둔 엄마 앞에 천사가 나타났다. 깜짝 놀라는 엄마에게 천사는 "당신의 요청에 응답하기 위해 왔다"고 한다.

"요청이라뇨?"

엄마가 하늘에 대고 요청한 것이 무엇인지 잘 기억나지 않는다고 하자 "당신 아들의 눈을 깊숙이 들여다보며 뭐라고 했죠? '우리가 서로 이야기를 나눌 수 있다면 얼마나 좋을까!' 라고 혼잣말을 하지 않았나요? 내일 저녁 바로 그 소원이 이루어질 거예요"라고 말한 후 천사는 사라졌다.

엄마는 제대로 잠을 이루지 못했다. 태어난 지 6개월밖에 안 된 아들이 말을 할 수 있게 되다니 생각만 해도 흥분되는 일이었다.

'아들에게 무슨 말을 할까? 조심해야 할 것? 아니, 상처 입은 마음을 어떻게 위로해야 하는지를 이야기해 주어야지. 과속하는 것도 습관이 되니 늘 조심해야 한다는 것도! 오, 이런! 해줄 이야기가 너무 많잖아?'

이러저러한 생각을 하며 엄마는 행복한 미소를 지었다.

다음 날 저녁, 마침내 신비의 그 시간이 다가왔고, 천사가 다시 모습을 드러냈다.

"대화를 나누는 데는 지켜야 할 규칙이 있습니다. 어머니는 단지 대답만 할 수 있고, 아드님은 세 가지 질문만 할 수 있습니다."

그 말과 함께 천사는 사라졌다. 그 순간 아이가 입을 열었다.

"내가 이렇게 엄마하고 이야기를 나눌 수 있다니 정말 기뻐요. 난 알고 싶은 게 너무 많아요."

엄마가 그 기적 같은 상황을 소화하려고 애쓰는 동안, 아들은 골똘히 생각한 뒤 첫 번째 질문을 던졌다.

"엄마, 유모차에 실린 채로 외출했을 때 전 하늘을 보고 정말 감탄했어요. 하늘은 왜 그렇게 푸른 거죠?"

엄마는 외마디 비명을 질렀다.

'고작 그게 첫 번째 질문이라니! 하늘이 왜 푸른지, 그게 왜 궁금할까?'

엄마는 다소 실망했지만, 나름대로 성실하게 설명했다. 그녀는 조심스럽게 두 번째 질문을 기다렸다. '다음번 질문은 그래도 더 낫겠지' 생각하면서. 인생에 대한 진지한 질문, 예를 들면 어떤 친구를 사귀는 것이 좋은지, 인생에 실패하지 않으려면 어떤 자세로 살아야 하는지 이런 질문들을 하지 않을까 기대하고 있었다.

"엄마, 두 번째 질문이 생각났어요. 날씨가 때로는 덥고 때로는 춥던데 왜 그런 거죠?"

아뿔싸, 엄마는 너무 속이 상했다. 아들에게는 궁금할 수 있는 거였겠지만 엄마는 이렇게 속절없이 시간을 보내는 게 안타까웠다. 그래도 엄마는 사랑의 마음으로 성실하게 답해 주었다. 이제 마지막 하나의 질문밖엔 남지 않았다.

"나는 엄마가 좋아요. 그런데 엄마가 내 진짜 엄마라는 걸 어떻게 알 수 있죠? 증거가 있나요?"

엄마는 슬픔에 잠긴 목소리로 "내 손톱을 봐라. 네 손톱하고 꼭 닮았지? 네 발과 네 얼굴은 또 어떻고? 빼닮지 않았니? 사랑을 느낄 때나 웃을 때의 표정도 우리 둘은 영락없이 닮은꼴이야. 눈도 똑같고, 입도 똑같아. 자, 봐!"

세 가지 질문에 대한 답을 모두 들은 아기는 만족한 듯 웃으며 이내 잠이 들었지만, 사랑하는 아들과 의미 있는 대화라고는 한마디도 나누지 못한 엄마는 끝내 안타까운 마음이었다.

상상 속에서나 있을 법한 이야기지만, 나는 이 이야기를 통해 중요한 사실 하나를 깨달았다. 우리를 아기에게, 엄마를 신에게 비교해 보자. 엄마가 들려주고 싶은 이야기가 많았던 것처럼, 아마도 신은 우리를 향해 끊임없이 들려주고 싶은 이야기가 있을 것이다. 그렇다면 신에게 무엇을 물어보면 좋을까? 내 삶에 뭔가 근본적인 변화를 가져오고 우리를 극적으로 바꿀 수 있는 질문이란 오직 한 가지가 아닐까?

"사랑의 신이시여, 당신은 내가 무엇을 알기를 바랍니까?"

이보다 더 좋은 질문은 없을 것이다. 아이가 엄마에게 "엄마는 내가 무엇을 알기를 바라나요?" 이렇게 물었다면, 엄마는 그렇게 아쉽게 대화를 끝내지 않아도 되었을 것이다. 성장함에 따라 아이의 지혜도 자랄 것이고, 그러면 엄마의 이야기도 그만큼 깊어지면서 그 모자의 대화는 끊이지 않을 수 있었을 것이다.

만약 이와 같은 일이 당신에게 일어난다면 당신은 아이에게 가장 먼저 무슨 말을 해주고 싶은가? 또 단 한 가지 삶의 지혜만을 전해줄 수 있다면 무어라 답하고 싶은가? 만약 나라면 주저하지 않고 이렇게 말할 것이다.

"머리가 아닌 가슴으로 살아라."

이 세상에서 가장 긴 여행은 머리부터 가슴까지의 여행이라고 한다. 머리로는 이미 그리고 충분히 이해하고 있는 것들도 가슴까지 전달되는 데는 실로 장구한 세월을 필요로 하는 것이다. 많은 사람들이 '머리부터 가슴까지' 다다르는 데 거의 한평생을 보내고 나서야 가능했노라 고백하는 경우를 종종 본다. 어쩌면 그나마도 다행이지 싶다. 끝내 가슴으로 사는 삶이 어떤 것인지, 어떨 때 가슴이 뛰는지조차 모르고 가는 사람들도 많으니 말이다.

나는 강연을 꽤 많이 하는 편이다. 대학에서 하는 강의 외에도, 방송이나 집단 상담 프로그램 등을 통해 많은 사람들을 접하는데, 강연을 듣고 난 뒤 사람들 반응이 즉각 오는 때도 있고 그렇지 않은 때도 있다. 그런데 언제부터인가 나는 사람들의 반응보다 더 중요하게 생각하는 것이 생겼다. 바로 내 가슴속으로부터의 반응이다. 내 가슴속에서 "제은아, 너 오늘 강연 정말 멋졌어. 최고야"라는 말이 울리느냐 그렇지 않느냐 하는 것이다. 나의 내면아이가 엄지손가락을 힘껏 치켜세우며 나에게 이런 말을 해줄 때 나는 뛸 듯이 기쁘다. 무슨 말을 어떻게 하느냐보다, 무슨 일을 얼마나 하느냐보다 더 중요한 것은 그것을 내 가슴이 어떻게 느끼느냐이다.

지금 성인이 된 사람들 가운데 부모로부터 "가슴 뛰는 삶을 살아라"는 말을 듣고 자란 이가 과연 몇이나 될까? 오히려 가슴이 하는 말을 듣기보다 머리로, 이성적으로, 사회가 요구하는 관습대로 살기를 더 강요당하며 살지 않았는가?

나 역시 그랬다. 특히나 아버지의 보수적인 신앙 안에서 나는 길들여지고, 그 안에 맞추어 살 것을 요구받았다. 성장한 뒤에도 나 스스로 만들어놓은 규제 속에 내 자신이 갇혀 살았다. 나를 가둔 것은 바로 '나' 자신이었다. 금욕해야 하고, 절제해야 하고, 엄숙해야 하고, 정직해야 하고, 친절해야 하고…… 그래야만 하나님이 "너 괜찮다" 하실 것 같았다. 그 잣대에 맞추어 나를 감시하고 억압하고, 그것이 안 될 때는 스스로 부끄러워하고 자신을 야단치고 자책하는 것이 참된 신앙인의 자세라고 믿었다. 좋아하는 커피도 마시지 않았고 듣고 싶은 유행가도 부르지 않고 듣지도 않았다. 보고 싶은 영화를 보고 나면 왠지 부끄러운 마음까지 생겼다. 캐나다의 어느 누추한 월세방에서 자살을 시도하다가 "네 가슴이 뛸 때 내 가슴도 뛴다"는 그 음성 하나를 듣기 전까지 나는 그렇게 살아왔다.

나는 아버지의 경제력 안에서, 아버지의 가치관 속에서 유년 시절을 보냈다. 외곬으로 치달은 아버지의 신앙심 때문에 엄청나던 재산은 하루아침에 사라지고, 나는 몰락한 집안에서 어려운 사춘기를 보냈다. 아버지를 증오하면서. 그런데도 난 아버지의 유언대로 신학을 했고, 결국 아버지를 벗어나고자 유학길에 올랐다. 학교도, 결혼 생활도, 목회도 내 뜻대로 된 일이 하나도 없었을 때 나는 자살을 시도했고 그때 바로 이 한마디를 들었던 것이다.

"제은아, 네가 기쁘면 나도 기쁘고, 네가 슬프면 나도 슬프다. 네 가슴이 뛸 때 내 가슴도 뛴단다."

하나님의 목소리였는지 내 내면 깊은 곳에서 울려나온 목소리였는지 알 수 없지만 생을 포기하려던 절박한 상황에서 들었던 그 한마디는 나를 위로하고, 나에게 살아갈 힘을 주었다. 어쩌면 신은 늘 내 곁에서 한결같은 목소리로 그렇게 얘기하고 있었는지도 모를 일이다. 내가 진정으로 "사랑의 신이시여, 당신은 내가 무엇을 알기를 바랍니까?"라고 묻지 않았기 때문에, 아니 내가 진정으로 귀를 열고 듣고자 하지 않았기 때문에 듣지 못했을 뿐.

남을 기쁘게 하기 위해, 돈을 벌기 위해, 사회적으로 인정받기 위해, 권력을 위해 물불 안 가리고 온 정열을 다해 바쁘게 뛰어다니지만 정작 자신의 가슴 깊은 곳에서 울려오는 내면의 소리를 놓치고 만다면, 그것만큼 슬픈 일이 또 있을까 싶다. 사실 우리가 맞닥뜨리는 여러 가지 문제는 거기로부터 비롯된다. 나 역시 '머리가 아닌 가슴으로 사는 법'을 알고 있었더라면 자살 직전에 이르지도 않았으리라.

가슴의 소리를 듣는 일이야말로 신의 음성을 가장 잘 이해하는 길이다. 가슴이 기뻐하는 일, 그것을 하기 위해서 우리가 이 땅에 온 것이라고 나는 믿는다. 글을 쓰는 일이 기쁘다면 그 일을 하자. 노래하는 일이 가슴을 벅차게 한다면 그 일을 하고, 농사짓는 일이 가슴을 뛰게 한다면 그 일을 하자. 자신이 좋아하는 일을 하는 사람들이 행복한 것은 당연한 일이다. 그것이 긍정 에너지가 지닌 힘이다.

나를 다시 살게 했던 그 한마디를 모든 사람들에게 선물로 주고 싶었다. 눈치 보지 말고, 반응에 반응하지 말고, 내 가슴이 외쳐대는 그 소리를 밖으로 드러내보라고, 머리가 아닌 가슴으로 살라고. 물론 한 순간 가슴의 소리대로 산다고 해서 머리부터 가슴까지의 그 긴 여행이 끝나는 건 아니다. 우리의 여행은 계속되며, 그래서 매순간 가슴에 대고 묻는 연습이 필요하다. '이 순간 진정으로 원하는 게 뭐지? 가슴아, 내게 그걸 말해 주겠니? 그러면 네가 원하는 그것을 위해 내가 최선을 다할게.'

부부간에, 부모와 자녀 간에도 대화가 통하지 않고 사랑하는 사람과의 관계에도 문제가 생기는 이유는 서로 간에 가슴이 통하지 않고 있기 때문이다. 사랑하는 그 사람의 가슴 위에 손을 얹고, 당신의 가슴 위에 그 사람의 손을 얹고, 가슴으로 말하라. 머리가 아닌 가슴으로 살지 못한다는 데 모든 문제가 있다. 머리가 아닌 가슴으로 살아라, 가슴으로! 오늘도 가슴을 따라가는 이 아름다운 여행을 느긋하게 즐길 수 있길 바란다. 우주는 내 가슴이 진정으로 원하는 것이 무엇인지 이미 알고 있다.

그냥 들어주는 일

 사람들은 이 넓은 세상에서 자신의 마음을 진정으로 나눌 이가 단 한 사람도 없다고, 그래서 외롭다고 호소한다. 그것은 서로의 마음을 알아주지 못하고 나누지 못하기 때문이다.

다른 사람과 연결될 수 있는 가장 기본적이고 효과적인 방법은 '그냥 들어주는 것just listening' 이다. '그냥 들어주는 것' 이야말로 다른 사람을 향해 가슴 깊은 곳으로부터 보여주는 가장 큰 관심의 표현이다.

말을 하고 있는 사람은 누구나 자신의 말이 잘 받아들여지기를 원한다. 이는 다른 어떤 것보다도 우선적인 것이다. 그 사람 자신이 받아들여진다는 것, 그가 말하는 것을 다른 사람이 듣고 있다는 것, 또 자신이 다른 사람에게 중요하게 여겨지고 세심하고 주의 깊게 받아들여진다는 것, 그것은 '이해되는 일' 보다도 훨씬 중요하다.

들음으로써 우리는 서로를 연결시킬 수 있다. 따라서 듣는 사람은 말하고 있는 사람에게 그가 하는 말을 잘 듣고 있다고 알려줘야 한다. 듣는 것의 초점은 말하는 '그 사람' 자신이다. 잘 들어주면 상대방은 자신이 중요하게 받아들여지고 있음을 알게 된다.

실제로 대부분의 사람들은 자신의 얘기를 누군가 들어주는 것만으로도 고통이 크게 줄었다고 고백한다. 비록 우리에게 닥치는 불행과 아픔을 막을 수는 없을지라도 그로 인한 고통을 어떻게 받아들이느냐에 따라 그 결과는 크게 다르다.

나는 울고 있는 사람에게 화장지를 건네주는 일조차 그 사람의 아픔과 고통이 터져 나오는 중요한 순간을 방해하는 것이 될 수 있다는 것을 깨달은 뒤로는 그저 듣는 것에만 집중한다. 이처럼 '그냥 함께 있어주는 일' 이야말로 사랑한다고 수백 번 고백하는 것보다도 더욱 가치 있는 일이다. 고통 가운데 있는 사람이 가장 듣고 싶은 말은 "당신을 위해 제가 여기 있어요" 하는 말이다. 그리고 중요한 것은 그 사람에게 "고통이 있음을 알아주는 일"이다. 고통은 누군가가 그것을 알아주기만 하면 전혀 다른 모습, 다른 의미가 된다.

온 마음과 정신을 집중해서 마음의 소리를 듣는 훈련을 계속하면 다른 사람의 고통을 알아차릴 수 있다. 또 무엇을 어떻게 해주어야 할지도 알 수 있다. 만일 어떤 사람이 고통에 신음하고 있는데도 그 누구도 그 사람의 고통을 진정으로 알아주고 들어주지 못했다면, 바로 그 이유 때문에 그 고통이 계속되고 있는 것이다. 그러나 만일 어떤 사람이, 그 사람이 누구든, 그의 고통의 소리를 들어주고 진정으로 이해해 주기만 한다면, 그 사람은 바로 그 순간에 자신을 억누르고 있는 고통의 무게가 푹 내려앉는 경험을 하게 될 것이다.

안타까운 점은 우리 대부분이 자기 자신의 진정한 가치와 사랑의 위력을 과소평가하거나 아예 모르고 있다는 것이다. 다른 사람이 고통스러워할 때 "참 힘드셨겠어요. 그 말을 들으니 나도 마음이 아파요"라고 건네는 말 한마디의 위력이 얼마나 대단한지 우리는 대부분 깨닫지 못한다. 고통받는 이를 판단하거나 해석하거나 가르치려 하지 않고, 단순히 그 사람의 고통이 덜어졌으면 하는, 순수한 의도와 사랑 가득한 가슴으로 그 고통을 알아주고 들어준다면 거기에서는 반드시 치유가 일어난다.

지금까지 상담을 할 때마다 실천하고 있는 일이 하나 있는데, 그것은 적어도 상담 약속 시간 10분 전에 도착하여 내담자를 기다리면서 내 가슴 위에 두 손을 얹고 '상담하게 될 내담자의 고통을 나의 심정으로 느끼게 해달라'고 기도하는 일이다. 내가 분명히 확신하는 것은 그 사람의 고통을 내가 함께 느껴보기 전에는 그 사람을 도울 수도 없고 진정한 치유도 불가능하다는 사실이다.

상담에서 가장 중요한 일은 고통의 소리를 들어주는 일이고, 그것을 알아주는 일이다. 고통 가운데 있는 사람이 가장 듣고 싶어 하는 말은, "내가 당신 곁에 있어요. 당신의 고통을 덜 수 있는 일이라면 무슨 일이든 할 것입니다. 당신은 참으로 소중한 사람입니다"라는 그 한마디이다.

그러나 매우 간단해 보이는 이 일을 배우기가 나로서도 결코 쉽지만은 않았다. 이것은 내가 배워온 대부분의 지식들과는 반대였다. 한때 나는 그냥 듣기만 하는 사람은 말하는 데 자신이 없거나 대답해야 할 말을 몰라서 그러는 것이라고 생각했다. 하지만 따뜻한 사랑으로 침묵하며 들어준다면 그것은 청산유수의 말보다도 훨씬 큰 치유의 힘을 발휘할 뿐만 아니라 서로를 깊이 연결시켜 준다.

놀라운 치유의 경험

 나에게도 내 자신을 사랑하지 못하고 야단치며 자학하던 때가 있었다. 그때 나의 이야기를 '그냥 들어주신' 선생님 한 분이 있다. 있는 그대로의 '나'를 받아들이고 사랑할 수 있도록, 나에게 당면한 문제를 객관화해서 바라볼 수 있도록 시각을 교정해 준 사람은 미국의 보스턴 칼리지에서 '영성과 심리 치료Spirituality and Psychotherapy'를 가르치는 존 맥다르John Mcdargh 교수였다.

그분은 영성과 심리 치료 분야에서 거의 독보적인 존재로 명성을 떨치던 학자였다. 영성이나 신학 분야와 심리 치료 혹은 심리학, 정신분석학의 분야를 통합적으로 연구하고 임상적으로 적용하려는 시도는 역사적으로나 학문적으로 계속 있어왔지만 아직도 제대로 발전되어 있지 않은 미개척 분야나 다름이 없다. 그럼에도 이 두 분야에 대한 통합적 연구와 임상적 적용에 대한 관심은 세계적인 추세로, 하버드대학교에서 '의학에서의 영성과 치유Spirituality & Healing in Medicine'라는 주제의 학술 대회가 매년 개최되는 것도 그 한 예라 할 수 있다. 신학대학원이나 심리학과가 아닌 의과대학에서 개최하는 이 학술대회는 미국 내는 물론 전 세계적으로 큰 주목을 받고 있다.

존 맥다르 교수는 이미 정신분석학의 대상관계이론object relations theory 분야에서 널리 알려진 세계적인 학자인데, 내가 알기로는 그 당시로선 거의 유일하게 '영성과 심리 치료'라는 제목으로 강의를 하고 있었다. 특히 정신분석학 가운데에서도 부모와의 관계 경험이 배우자 및 자녀와의 관계에 어떤 영향을 미치는지에 관한 대상관계이론에 정통한 학자로 알려져 있어 이 분야에 관심 있는 사람이라면 누구라도 그의 강의를 듣길 원했다. 나 역시 그중 한 사람이었다.

당시 나는 하버드대학교에 재학 중이었지만 교환 학점을 신청하면 다른 대학 강의도 들을 수 있었기 때문에 일찌감치 신청을 해둔 상태였다. 그런데 신청자는 많고 강의 참석 인원은 열다섯 명(집단 상담을 할 경우에도 주로 열다섯 명으로 참석 인원을 제한한다. 그것은 프로그램을 이끄는 인도자가 참석자 모두와 자연스럽게 눈을 맞출 수 있는 최대 인원이 약 열다섯 명이기 때문이다)으로 제한되어 있어 그 교수의 강의를 듣기란 하늘의 별 따기였다. 신청자들은 누구나 강의 참석 사유를 작성해 제출해야 했고, 1차 합격자에 한해 교수와 특별 면담을 한 뒤 참석 여부를 결정했다.

나도 사유서를 적어내긴 했지만 채택되리라는 확신도 없고 마냥 기다리고 있을 수만도 없어 무작정 그분의 연구실을 찾아갔다. 한참을 기다린 뒤 강의를 마치고 연구실로 들어오는 그를 만날 수 있었다. 어떻게 하면 잠시나마 개별 면담을 할 기회를 가질 수 있을까 골똘히 생각하다가 떠올린 말이 '소수 인종에 대한 배려'였다. 그 당시 미국의 각 대학에서는 소수 인종에 대한 인권 문제가 심각한 이슈로 떠올랐고, 교수들은 어떤 이유에서든 인종 차별자라는 이미지를 갖고 싶지 않았기 때문에, 이 얘기를 하면 꼼짝없이 나를 강의에 참석시켜 주리라 생각했던 것이다.

나는 교수에게 "아시아인 중에 강의 신청자가 몇이나 되느냐?"고 물었다. "아무도 없다"는 대답을 듣고는 속으로 쾌재를 불렀다. "교수님의 강의를 아시아인이 한 명도 듣지 않는다면 그건 유감입니다. 다양한 인종과 다양한 경험을 가진 사람들이 모여 영성과 심리 치료에 관해 토론하고 경험한다면 학문적으로도 그렇고 강의를 듣는 학생에게도 유익할 거라고 생각합니다. 아시아인으로서 유일하게 이 강의를 신청한 제게 수강할 수 있는 기회를 주셨으면 좋겠습니다. 교수님의 배려를 부탁드립니다."

준비한 말들을 청산유수로 떠들던 내게 교수는 시간을 내주기로 약속했다. 신이 난 나는 며칠 동안 면접에서 받을 예상 질문을 체크하며 임상과 학문에 관련된 구술 문제를 읽고 정리했다. 그런데 막상 약속한 날 찾아갔을 때 교수가 던진 질문은 의외의 것이었다.

"자네 인생에서 가장 힘들고 가슴 아팠던 일이 무엇인지 그것을 내게 들려줄 수 있겠나? 무엇이 자네를 가장 힘들게 했나? 삶을 포기하고 싶을 만큼 자네를 힘들게 한, 그런 '밑바닥' 경험 말일세."

"글쎄요…… 그런 얘길 하자면 한 3박 4일쯤 날을 잡아야 하지 않을까 싶은데요."

곤란한 표정을 지으며 대답하자, 그래도 염려 말고 그냥 한번 이야기해 보라고 격려를 해주었다.

제일 먼저 개척 교회 목회를 하던 당시 나를 열성적으로 도와주던 교인에게 오해를 받아 억울하게 멱살을 붙잡힌, 초라하고 비참한 내 모습이 떠올랐다. 연이어 닥친 가정적인 불화 얘기를 하면서는 나도 모르게 목이 메었다. 그와 동시에 '강의 허락 하나를 받기 위해 내 치부를 이렇게까지 드러내야 하다니…… 참, 하나님도 너무 하십니다 정말' 하는 서러운 생각이 들어 나도 모르게 눈물이 터졌다. 그렇게 한참을 정신없이 울다가 정신을 차렸다. 아차 싶었다.

'아, 이제 이 강의를 듣기는 다 틀렸구나! 이 교수님은 영성과 심리 치료 분야의 세계적 지도자들을 길러내려는 입장에서 자기가 가르칠 학생들이 얼마나 치유되었나 확인하려고 그런 질문을 했을 텐데 난 실패한 모습만 떠들어댔으니……'

그런 생각과 함께 고개를 든 순간, 나는 이 세상에서 지금까지 내가 본 얼굴 중 가장 아름다운 얼굴을 보았다. 내 이야기를 듣고 있던 맥다르 교수의 눈이 발갛게 물들어 있고, 얼굴은 온통 눈물범벅이었던 것이다. 그런 그가 의자를 끌어당겨 가까이 다가오더니 내 손을 따뜻하게 어루만지며 목이 멘 소리로 말했다.

"참 힘든 시간을 보냈구나. 그래, 그동안 얼마나 힘들었나? 자네 말을 들으니 나도 가슴이 아파. 그런데 자네가 하나님에 대해 그렇게 불평을 늘어놓는데…… 사실 자네 얘기를 들으면서 난 자네가 하나님을 얼마나 사랑하고 있는지, 하나님을 향한 자네의 열정과 사랑이 얼마나 뜨거운지 느낄 수 있었다네."

그는 계속 말을 이었다.

"나는 그 엄청난 고난들을 통해서, 앞으로 하나님께서 자네를 통해 도대체 어떤 일을 하시려고 하는지, 하나님께서 자네를 통해 기대하고 이루시려는 그 일들이 무엇인지 궁금해 견딜 수가 없네. 정말 무척이나 기대가 돼."

그 순간 나는 뒤통수를 쿵하고 얻어맞은 것 같은 큰 충격을 받았다. 자신의 눈시울을 붉혀가면서까지 내 얘기를 들어준 그분이 하는 말이라서 더욱 큰 위안이 되었다. 그뿐 아니라 그동안 한 번도 내 고난을 통해서 보지 못했던 것을 그 교수 덕분에 바라볼 수 있게 되었다.

나는 고통이 사랑의 징표이기는커녕 잘못과 죄의 대가이며 내 부족함의 결과라고 생각해 왔다. 내 고통을 바라보면서 입에 늘 불평을 달고 다녔다. 그리고 고통 앞에서 내 자신을 야단치고 혹독하게 채찍

질해 댔다. "나 같은 건 죽어버려야 돼. 모든 문제의 원인은 나야. 나만 죽어 없어지면 끝이야. 목회고 뭐고 다 때려치우면 될 거 아냐?" 이런 식이었다. '고난'이나 '고통'이라는 글자가 들어간 책이란 책은 눈에 닥치는 대로 읽어댔지만 내게 닥친 고통으로부터 빠져나갈 길을 찾을 수가 없었다.

그런데 이분은 고통을 바라보는 시각이 나와는 전혀 달랐다. 고통은 죄의 결과도 아니고, 이유 없는 극기 훈련도 아니었다. 고통의 자리는 곧 치유와 성장의 자리였다.

맥다르 교수를 통해 나는 고통이야말로 하나님을 새롭게 경험할 수 있는 통로라는 진리를 깨달았다. 단지 내 얘기를 들어주고 함께 가슴 아파해 주었을 뿐이지만, 고통을 바라보는 내 시각이 새로운 차원으로 완전히 바뀌어버린 것이다. 하나님과 같은 안타까운 심정으로 그 사람의 이야기를 '그냥 들어줄 때' 고통은 전혀 다른 의미와 빛깔이 된다는 그 놀라운 치유의 경험이 나에게도 일어난 것이다.

어떠한 상처와 고통에도 불구하고 우리는 여전히 신의 형상대로 창조된 고귀하고 소중하며 특별한 존재임을 잊지 않는 것이 중요하다. 신 외에는 그 어떤 것도 인간의 존재론적인 변화를 가능하게 할 수 없기 때문이다. 우리 모두는 신의 형상대로 지음받은 신의 아이들이다. 우리는 스스로에 대해 의심이나 미움을 품을 수 있지만, 신은 결코 우리의 결점을 보지 않는다. 이런 '신의 시각'으로 다른 사람도 바라볼 수 있어야 한다.

문제 그 자체만 바라보아서는 아무런 해결책도 찾을 수 없다. 그 문제 이면에는 전혀 새로운 차원의 가능성과 창조적인 변화가 기다리고 있다. 어떤 문제든 그 뒷면에는 '신의 사용법'이 적혀 있게 마련이다. 한 발자국만 눈을 돌려 그 뒷면을 바라보면 놀라운 차원이 나타날 것이다. 맥다르 교수의 말처럼 "고통 속에 있던 나를 통해 하나님께서 이루실 그 아름다운 일들을 기대"하는 차원으로 넘어설 수 있게 되는 것이다.

우리가 이 세상에 온 목적 중 하나는 '선생님'을 만나러 온 것이라고 생각한다. 선생님이란 인생의 길을 아는 분이다. 나를 붙들고 통곡해 준 맥다르 교수는 내가 만난 최고의 선생님이었다.

상처 입은 치유자

 자신의 상처와 분노를 치유한 경험이 있는 사람이라면, 상담사가 아니더라도 다른 사람의 아픔을 자신의 것처럼 느낄 수가 있다. 자살 기도까지 할 만큼 힘들고 끝이 없어만 보이던 고통의 터널을 헤어 나온 뒤 나에게 찾아온 극적인 사건이 있었다. 그것은 존과의 만남이었다.

죽음 직전까지 갔던 고통 속에서 헤어 나와 이제 살아야겠다고 마음을 고쳐먹은 뒤 가장 시급했던 일은 약해질 대로 약해져 있는 몸과 마음을 추스르는 것이었다. 그 당시 할 수 있는 유일한 일은 될 수 있는 한 많이 걷는 거였는데, 그날도 나는 따뜻한 햇살에 이끌려서 내가 살던 아파트 앞 공원을 산책하고 있었다. 말이 산책이지 사실은 그동안 나빠질 대로 나빠진 건강 때문에 제대로 걸을 수도 없어서 주위에 있는 나무나 다른 어떤 것에 의지해서야 겨우 한 걸음 한 걸음 간신히 움직일 수 있었다.

그날도 따뜻한 오후 햇살에 이끌려 또다시 공원을 걷고 있었는데, 갑자기 승용차 한 대가 질주하듯 공원 안으로 달려 들어왔다. 공원 안에서는 차량 속도가 엄격하게 제한되어 있기 때문에 이런 경우는 처음이라 나는 깜짝 놀라 발걸음을 멈추었다. 승용차는 나와 얼마 떨어지지 않은 곳에 '끼익' 소리를 내며 요란스럽게 멈춰 섰다.

시동도 끄지 않은 상태에서 문이 벌컥 열리더니 차를 몰던 백인 남자가 뛰어나왔다. 그는 발로 땅바닥을 쾅쾅 밟아대고 돌멩이를 마구 걷어차며 욕설을 퍼붓다가 벤치에 주저앉아 두 주먹으로 힘껏 머리와 얼굴을 쥐어박았다. 다른 누구에게가 아니라 자기 자신에게 욕을 퍼붓고 매질을 하는 것이었다. 머리카락은 엉망이고 넥타이도 풀어 헤쳐져 있어 마치 어디선가 탈출한 사람처럼 보였다.

이전의 나라면 그냥 못 본 척하고 지나쳤을 터였지만 쇠약한 몸 때문에 천천히 걷고 있던 나는 그의 행동을 마치 슬로우 비디오를 보듯 찬찬히 지켜보게 되었다. 얼마나 괴로워하는지 그 고통이 내게도 그대로 전달되는 듯했다. 얼마 전까지의 내 모습이 저러했을 거라는 생각이 늘자 차마 그냥 지나칠 수가 없었다.

나는 그의 맞은편 벤치에 조용히 앉았다. 그리고 그를 물끄러미 바라보았다. 한참 동안 주먹으로 자기 머리를 쥐어박고 뺨을 후려치던 그가 갑자기 나를 발견하고는 대뜸 욕을 해댔다.

"야! 너 무슨 구경거리 났냐? 나한테 용건 있어? 왜 사람을 그렇게 빤히 쳐다보는 거야? 저리 꺼져!"

욕설을 듣고 나서도 나는 엉거주춤 다른 데를 보는 척하다가 그냥 그대로 다시 앉았다. 내 마음에는 더 깊은 연민과 아픔이 번져가고 있었다. 또다시 나와 눈이 마주치자 그는 더 이상 못 참겠다는 표정으로 대들었다.

"야! 꺼져버리라고! 너, 내 말이 안 들려?"

가슴이 아파 나는 도저히 그 자리를 그냥 뜰 수가 없었다. 그의 아픔으로 슬퍼하고 계실 하나님의 슬픔까지 합쳐져 내 안에 두 배의 슬픔과 연민이 밀어닥치는 것 같았다. 하지만 그런 강렬한 슬픔을 느끼면서도 마음은 이상하리만치 평온하고 침착했다.

결국 그가 벌떡 일어나 나에게로 다가왔다. 덩치가 내 두 배는 될 것 같았다. 당장이라도 칠 것처럼 주먹을 쥔 채 배로 나를 밀어붙이며 말했다.

"야! 왜 날 그렇게 쳐다보는 거야? 네 눈엔 내가 그렇게 우스워 보이냐? 너, 뭐 하는 놈이야? 미친놈이야? 나 알아?"

하도 무섭게 다그치는 바람에 나도 모르게 "난 당신이 누군지 모른다"고 대답을 했다. 그 대답을 듣고 그는 화가 더 난 것 같았다.

"그런데 왜 그렇게 쳐다보고 있어, 임마! 꺼져, 자식아! 빨리 내 눈앞에서 사라지란 말야."

"그래. 나도 그냥 갈 수 있으면 좋겠는데, 그런데……"

"그런데 뭐? 뭐야, 도대체? 왜 날 이렇게 귀찮게 하냔 말야?"

"난…… 그냥 갈 수가 없었어."

그의 목소리는 점점 커졌다. 머리끝까지 화가 나서 금방이라도 폭발할 것 같았다. 그는 더욱 거칠게 몸 전체를 나에게 들이밀었다.

"왜 그냥 갈 수가 없다는 거야? 말을 해봐, 말을!"

"나는 너를 몰라. 하지만 네 마음을 이해할 수는 있어."

"뭐라고? 내 마음을 이해한다고? 완전히 미친놈이구만. 돌았냐? 너 나 모른다며? 알지도 못하는 놈이 내 마음을 안다고? 쓸데없는 소리랑 집어치우고 어서 내 눈앞에서 사라져줘. 날 좀 혼자 내버려두란 말이야."

한참 동안 그렇게 정신없이 화를 내고 소리를 지르던 그는 그마저도 귀찮다는 듯 다시 벤치에 털썩 주저앉았다.

나한테 화를 내느라 맥이 풀린 건지, 아니면 자기 생각에 지친 건지, 그는 고개를 푹 숙인 채 한동안 아무 말도 하지 않고 묵묵히 땅바닥만 바라보고 있었다. 좀 진정이 되었나 싶어 그 사람 옆으로 다가가서는 이렇게 말했다.

"나도 그냥 지나가고 싶었어. 내가 그러지 못한 건…… 너의 모습이 바로 얼마 전 내 모습 같았기 때문이야. 나도 얼마 전에 바로 이 공원에서 너와 똑같은 행동을 하고 있었거든. 나 역시 나를 저주하고 죽이고 싶었어. 난 네가 누군지 모르지만, 너의 아픔이 내게 느껴져 마음이 너무 아파서 도저히 그냥 지나칠 수가 없었어. 어떻게든 위로해 주고 싶었어. 그것뿐이야. 귀찮게 했다면 정말 미안해."

한참이 지난 뒤 막 그 자리를 뜨려고 하는데 아무 말도 없던 그가 갑자기 머리를 감싸 쥐더니 어깨를 들썩이며 흐느껴 울기 시작했다. 너무도 의외의 반응이라 나는 잠시 우두커니 서 있다가 곁에 살며시 다가가 앉았다. 서럽게 우는 모습이 너무 측은해서 손으로 어깨를 살짝 토닥거려 주자 그는 마치 어미에게 안겨드는 새끼처럼 나를 힘껏 끌어안고는 소리 내어 엉엉 울었다. 그의 아픔과 설움이 한꺼번에 밀려와 어느새 내 눈에서도 눈물이 흘렀다. 다 큰 두 남자가 서로 끌어안고 통곡하는 모습이 이상했는지, 길 가던 사람들이 힐끔힐끔 쳐다보았다.

그날 이후 우리는 거의 매일 그 공원에서 만났다. 존은 나와 친밀한 사이가 되고서도 한동안은 자신이 그날 왜 그렇게 서럽게 울었는지에 대해서는 일체 입을 열지 않았다. 나도 굳이 묻지 않았다.

나중에서야 존은 나지막이 털어놓았다. 그날 가장 친한 친구가 자기 아내와 부정을 저지르는 장면을 목격하고 오는 길이었노라고. 그날 존의 차 트렁크 속에는 총이 들어 있었다고 했다. 그 총으로 아내와 친구를 죽인 뒤 자신도 자살할 결심을 하고 그 공원에 왔던 것이다. 존에게는 아이 두 명이 있었지만 전혀 안중에 없었다. 가족이 전부였던 존에게 아내의 부정은 인생의 의미가 전부 사라지는 것을 뜻하는 일이었기 때문이다. 게다가 다른 사람도 아닌 자신의 가장 절친한 친구와 그런 짓을 저지르다니…… 자신이 지키고 사랑하던 삶의 가치들이 모두 쓰레기가 된 기분이었다.

일 년여의 시간이 흐르고 존은 결국 아내와 이혼을 했다. 숱한 어려움을 딛고 이제는 두 아들과 함께 평화를 되찾기 시작했다. 얼마 전 성탄절 카드에 존은 "나는 이제 정말 소중한 것이 무엇인지 알고 산다. 나는 지금 두 아들과 행복하다"라고 써서 보내왔다. 그리고 이런 말도 덧붙였다.

"내 인생에서 가장 아름다운 일은 그 벤치에서 너를 만난 일이다. 너는 내 기억 속에서 가장 소중하고 고마운 사람이다."

그 카드 한 장, 아니 존의 그 마음은 나에게도 가장 멋진 크리스마스 선물이었다.

다른 이의 아픔을 나누는 일은, 주는 쪽이든 받는 쪽이든 똑같이 치유의 기쁨을 얻는다. 그 가운데서도 진정으로 치유받는 쪽은 오히려 그 아픔을 함께 느끼는 사람인지도 모른다.

치유되지 않은 상처와 분노는 반드시 누군가에게 전달되게 마련이다. 다른 사람이나 주위 환경에 분노를 쏟아 붓는 사람이 있는가 하면, 존처럼 자기 자신한테 분노를 쏟아 붓는 사람도 있다. 화가 나는 원인과 그 해결 방법을 자기 밖에서 찾는 사람들은 "바로 당신 때문에" 혹은 "정부의 잘못된 정책 때문에" 자기가 상처 받았고 화가 났다고 말한다. 이런 경우엔 특히 배우자나 자녀, 부모 또는 친구, 직장 동료 같은 가까운 사람들이 화풀이 대상이 된다. 이들은 문제의 원인이라고 믿는 사람을 자신에게 맞추도록 하기 위해 회유를 하기도 하고 협박을 하기도 한다. 그런가 하면 존의 경우처럼 분노를 자신한테 돌리는 사람은 스스로를 괴롭히며 자책을 하거나 자해를 하기도 하고 자살을 시도하기까지 한다.

그러나 그 어느 쪽도 상처와 분노를 치유하는 올바른 방법이 아니다. 상처와 분노를 치유하려면 무엇보다도 자기 내면의 소리에 귀 기울일 줄 알아야 한다. 내면에 있는 분노의 뿌리, 곧 아직 치유되지 않은 상처를 세심히 살펴야 한다.

상담사는 그 뿌리를 잘 살피도록 도와주는 사람이다. 어머니가 한없는 자비와 사랑, 연민의 마음으로 우는 아기를 달래고 병든 아기를 보살피듯 그 상처와 분노를 감싸 안고 달래주는 사람이기도 하다. 분노의 존재를 알아주고 무조건적인 사랑으로 보살펴주면 그 분노의 에너지는 창조적이고 긍정적인 에너지로 바뀔 수 있다.

나는 존과의 경험을 통해 상처와 고통이 많은 사람일수록 남의 고통을 자신의 것처럼 느끼고 함께 아파할 수 있으며, 나아가 치유의 통로가 될 수 있다는 고난의 역설성을 알게 되었다. 나는 더 이상 내 상처를 부끄러워하지 않는다. 오히려 상처가 많은 사람을 만나면 금방 마음을 터놓고 무엇이든 나누는 친구가 될 수 있다. 그런 뜻에서 나는 헨리 나우웬의 '상처 입은 치유자The Wounded Healer'라는 말을 좋아한다.

아들아, 넌 엄마와 너의 관계가
몇 점쯤 된다고 생각해?

 초등학교 4학년 아들을 둔 엄마가, 아들 때문에 너무 힘들다면서, 내게 수퍼비전(상담사 훈련)을 받고 있는 상담사 선생님께 상담 요청을 해왔다.

"어머님, 아들 때문에 왜 그렇게 힘이 드세요?"라고 상담사가 물었다.

"정말 꼴도 보기 싫어요. 너무 미워요. 정말 너무너무 미운 짓만 골라서 하거든요."

"아드님의 어떤 점이 그렇게도 미우세요?"

"글쎄, 학교에서 선생님한테 전화가 왔어요. 제 아들이 너무 정신이 산만한 데다 수업 중에 어찌나 여기저길 막 돌아다니는지, 도무지 수업을 정상적으로 할 수가 없다면서, 글쎄, 저보고 애를 빨리 정신과 병원 같은 델 데려가 보라는 거예요. 저는 여성으로서 정말 어렵게 다른 동기 남자들이 다 부러워하는 대기업에 잘 다니고 있었고, 또 업무도 잘해서 초고속 승진 중이었거든요. 그런데 이 녀석의 이런저런 문제 때문에, 그 좋은 직장까지 다 때려치우고, 이렇게 상담이나 받으러 다니는 처지가 된 거예요."

상담사 선생님의 생각에는, 그 아이가 그저 에너지가 좀 많은 아이인 정도로만 보였는데, 엄마는 이 아들이 자신의 발목을 붙잡는다고 믿는 것 같았다. 상담사 선생님은 속으로, '아들 때문에 자신이 불행해졌다고 믿고 있는, 이 엄마가 어떻게 하면 좀 다른 시각으로 아들

을 바라볼 수 있게 도와줄 수 있을까?'라고 생각했다.

상담사 선생님이 말했다.

"저기 어머님! '관계점수'라는 게 있는데요. 이 관계점수는 우리가 얼마만큼 행복한지를 말해주는 행복점수와도 아주 밀접하게 연관이 있다고 해요. 만약에 어머님께서 현재 아드님과의 관계를 점수로 매기신다면 몇 점이나 된다고 생각하세요?"

그렇게, 그날 상담을 마치고 집에 돌아간 엄마가 아들에게 물었다.

"아들아, 네 생각엔 엄마와 너의 관계가 몇 점쯤 되는 거 같아? 그러니까 말이야. 만약에 0점부터 100점까지 점수가 있어. 그러면 네가 생각하기에, 너와 엄마의 관계를 점수로 한번 말해 보란 말이야."

그러자 아이는 아무런 망설임도 없이 그저 무심하게, "무한~대요. 무한대!"라고 장난스럽게 대답을 하는 것이다. 그러자 갑자기 엄마가 갑자기 너무 화가 올라온 나머지, 아들의 머리를 한 대 콱 쥐어박으며 꽥 소리를 질러 댔다.

"야! 너 엄마가 너 땜에 정말 얼마나 힘든 줄이나 알아? 내가 툭하면 너 땜에 학교 가서 선생님께 빌고 응? 그리고 상담받으러 다니느라 정말 힘들어 죽겠어. 너 땜에⋯. 아니, 엄마가 이렇게 너 땜에, 얼마나 힘든데⋯. 응? 엄마가 뭘 좀 물어보면, 좀 성의 있게 대답을 할 것이지. 응? 엄마가 몇 점이냐고 물었으면, '몇 점이요!' 하고 구체적으로 점수를 얘기할 것이지? 아니 무한대가 뭐야? 무한대! 응? 네가 지금 엄마를 무시하는 거야?"

다음 상담 시간에 엄마가 호소하듯, 상담사에게 그 이야기를 늘어놓았다.

"아이구, 글쎄, 선생님, 애가 뭐라고 했는지 아세요? 제가 하는 말은 하나도 제대로 듣지 않고, 엄마와의 관계점수가 '무한대요!'라면서 장난만 치는 거예요. 어디서 그런 말은 또 배워왔는지 쯧쯧…. 그러니 내가 아무리 애를 위해서 이렇게 상담도 받고 좀 잘해 보려고 해도, 애가 이 모양이라서 정말…."

여기까지의 이야기가, 아들과의 어려움 때문에 자신에게 상담을 받고 있는 상담사례라면서, 나에게 상담전문가 훈련을 받고 있는 선생님이, 자신의 상담사례에 대한 임상지도를 받기 위해, 내게 들려준 내용이다.

상담을 요청해 온 내담자에게 좀 더 좋은 상담을 제공하고, 상담사가 좀 더 실력 있는 상담전문가가 되려면, 자신이 맡고 있는 상담 사례들을, 자신보다 실력이 뛰어나고, 경험이 아주 많은, 공인된 수련감독자Approved Supervisor로부터, 필수적으로 임상사례 지도, 즉 수퍼비전(Supervision: 상담사의 상담사례에 대한 임상지도를 말한다)을 정기적으로 받아야 한다. 그렇게 수퍼바이저와 수퍼바이지(Supervisee: 상담사례 지도를 받는 수련 상담사)가 한 팀이 되어, 내담자에게 최고의 상담을 제공하기 위해 서로 최대한 협력함으로써, 최상의 효과를 가져오게 할 수 있는 것이다.

"교수님, 저는 이 엄마와 아이를 잘 도와주고 싶은데, 다음 상담 시간에 이 엄마에게 무슨 말을 해줘야 할지 잘 모르겠어요."라고 상담사 선생님이 내게 말했다.

그 말을 가만히 듣고 있던, 내가 말했다.

"그런데요 선생님, 아이가 엄마의 말을 잘못 알아들은 게 아닌 것 같은데요? 아이는, 자신이 생각하는 엄마와의 관계를 나름 표현하지 않았나요? 자신과 엄마와의 관계점수가 0점부터 100점 사이에는 없는 것 같고…, 흠… 그러니까, 무한대라는 거잖아요. 아이가 아마도 학교에서 무한대라는 게 무슨 뜻인지를 배워온 것 같아요. 무한대. 그래서 자신과 엄마와의 관계를 무한대라고 말한 것 같은데요. 그 뜻을 정확히 알고…. 그렇지 않은가요? 제 생각엔 아이는 엄마 질문에 자신의 대답을 정확히 한 것 같은데요? 그런데 도리어 엄마가 아이의 말을 잘못 알아들은 건 아닌가요? 그 어머님의 주장처럼, 아들이 정말 엄마를 화나게 하려고 일부러 거짓말을 했거나, 엄마를 놀리려고 그러는 건 아닌 것 같은데요? 아닌가요?"

그래서 상담사와 나는 다음 상담 시간에, 그 상담을 어떻게 진행할 것인지를 미리 연구하며, 치밀하게 작전을 짜고 계획하며 둘이서 열심히 연습까지 했다. 특별히 나는 상담사 선생님 자신이 직접, 그 어머니를 움직여서 상담사를 따라 할 수 있게 하기 위해, 꼼꼼히 시연까지 했다.

다음 상담 시간에, 상담사 선생님이, 수퍼비전 시간에 설명한 대로, 엄마에게 아이가 말한 "무한대요!"에 대한 이야기를 설명해주자, 그 말을 다 듣고 난 엄마의 표정이 좀 달라지기 시작했다.

그래서, 지난 수퍼비전 시간에, 상담사와 내가 함께 상담계획을 세우고, 연습 시연을 했던 그대로, 상담사 선생님이 이렇게 말했다.

"어머님, 잠시 여기 와서 이렇게 한번 서 보세요. 한번 이렇게 서서, 두 팔을 벌려서, 이렇게 소리 내어 외쳐 보세요. 내 아들! 내 아들은 나와의 관계가 무한대래요. 무한대! 내 아들은~ 나를 사랑하는, 나와의 사랑 관계가 무한대래요!"

"자, 두 팔을 앞으로 더 쭉 뻗으시고요, 저를 따라 한번 더 힘차게 외쳐 보세요! 더 크게요! 지금, 아들의 그 마음을 어머님의 가슴으로 한번 느껴 보세요! 내 아들은 나와의 관계가 무한대래요! 하고 크게 외치면서요!"

그러자 어리둥절하면서도 상담사의 말을 조금씩 따라 해 오던 어머니가 한참을 망설이다가, 자신의 입으로 "나와의 관계가 무한대…"라고 하며, "무한대"라는 말을 소리 내어 말하려고 하던 바로 그 순간에, 갑자기 '펑!'하고 그만 울음을 터트리고 말았다. 그러고는 주저앉아 하염없이 눈물을 흘리기 시작했다. 엄마는 자신이, 지금까지 아들의 말을 잘 듣지 못하고 있었다는 사실을, 그 순간 깨닫게 된 것이다. 그렇게 상담을 마치고 엄마는, 그 어느 때보다도 설레는 마음이 되어 집으로 돌아갔다.

그런데 집에 들어서 보니, 늘 그랬던 것처럼, 아들은 온 집 안을 난장판으로 만들어 놓고 있었다. 그런 광경을 다시 목격하자, 엄마의 다리가 풀리면서 그만 그 자리에 털썩 주저앉고 말았다.

하지만 평소 같았더라면, 바로 불처럼 화부터 냈을 텐데…, 방 한쪽 저 구석에서 등을 돌린 채 앉아서 혼자 놀고 있는 아들의 뒷모습이 눈에 들어와, 엄마는 한참 동안 아들의 뒷모습을 물끄러미 바라다보았다. 저렇게 혼자 외롭게 놀고 있는 아이를 보니, 여러 가지 생각이 떠올랐다. 처음으로 그런 아들이 좀 안타까워 보이기도 하고, 불쌍해 보이기도 했다.

엄마는 속으로 생각했다. '얼마나 외로웠으면 혼자 저러고 있을까? 그래서 그렇게 수업 시간에도 산만했던 것일까? 아들이 내게 뭔가를 부탁할 때마다, '엄마 너무 힘들어, 바빠, 저리 가.' 하면서 내가 아이를 귀찮아해서 애가 저렇게 된 걸까?'

그런데… 이전과는 달리 정말 이상한 것은, 엄마가 아이를 가만히 들여다보고 있는데, 아이가 하고 있는 행동이 어쩌면 그리도 예쁜지, 그렇게 예뻐 보일 수가 없는 것이다. 그리고 가만히 보니, 아이가 너무 잘생겨 보이고, 잘나 보이는 거다. 그렇게 아이를 바라보고 있는데, 엄마의 기분이 조금씩 좋아지고, 아이에게 미안한 마음에 눈물이 글썽거리기 시작했다.

아들은, 평소와는 달리 자신을 그렇게 바라보고 있는 엄마가 좀 이상해 보였나 보다. 평소 같으면 집에 들어오자마자 소리를 지르고 야단부터 쳤을 엄마가 갑자기 조용하더니, 천사 같은 표정으로 자기를 바라보면서, 부드러운 목소리로 말을 하니까, 그게 하도 이상해서, 아들이 물었다.

"엄마, 무슨 일 있어? 어디 아파? 괜찮아? 왜 그래?"

"아니야, 아들. 엄마 아무 일 없어. 엄마는 그냥 우리 아들이 너무 이뻐서… 그래서 너무 좋아서 그러는 거야."

그러자, 갑자기 아들이 "진짜?"라고 하면서, "엄마!" 하고 크게 부르며 와락 달려와, 엄마의 품에 꼭 안겼다. 아들은 난생처음으로, 이 세상에서 자신에게 가장 중요한 사람인 엄마로부터 직접, 자신이 반드시 들었어야만 했던 바로 그 말을 듣게 된 것이다. 그 순간, 엄마와 아들은 진짜 연결이 된 것이다. 진정한 연결이 이루어진 것이다.

우리는 어렸을 때, 우리가 무엇을 잘하든지 못하든지와는 전혀 상관없이, 우리가 아들이든 딸이든, 우리의 성별과 생김새와 외모와 상관없이, 우리의 부모님으로부터 반드시, 이 세상에서 내가 가장 예쁘고, 가장 중요하며, 너무나도 소중하고 중요한 사람이라는, 그런 말을 듣는 경험을, 그 말이 진짜로 믿어질 만큼 반복적으로 경험해야만 하는 것이다. 그래야만, 우리가 이 세상을 살아가면서 설령 좀 어렵고 힘든 일이 닥친다 하더라도, 이 험난하고 차가운 세상을 거뜬히 살아갈 수 있는, 그런 놀라운 힘이 내 안에 생겨나는 것이다.

그런데 안타깝게도, 만약에 우리가 어린 시절에 그런 사랑의 경험을 제대로 하지 못한 채 성인이 된다면, 우린 마치 우리의 가슴속 깊이 구멍이 뻥 뚫린 것처럼, 공허함과 배고픔과 갈증에 허덕이게 되고, 그 공허함을 다른 것들[돈, 음식, 관심 받음, 공부, 인정받음, 명예, 컴퓨터, 일, 술, 육체(외모) 가꾸기, 기계, 섹스, 흥분(특별한 감정들), 도박, 게임, 스포츠, 종교 등]로 대신 채우려고 발버둥 치다가, 결국엔 중독적(강박적)이 되는 정신 · 신체적인Psychosomatic 증상을 겪게 되는 것이다.

그리고 특히, 성인으로서 다른 사람과의 아주 친밀하고 신뢰하는 관계를 맺는 데 있어서, 특히 가장 중요한 부부관계와 자녀와의 관계를 형성하는 데 있어서, 아주 중대한 어려움이 발생하게 되는 것이다. 즉, 내가 나의 부모로부터 그런 조건 없는 사랑을 받아봤어야만, 내가 부모가 되어서 내 자녀들에게 그런 사랑을 해줄 수가 있는 것이다. 그런데 만약, 내가 그런 사랑을 받아보지 못했다면, 내가 받아보지도 못한 사랑을 줄 수는 없는 것이다.

그런데 다행히도, 이 아이는 이날, 자신의 엄마로부터 이런 말을 처음 들을 수 있게 된 것이다. 아이와 엄마가 꼭 부둥켜안자, 아이도 아이지만, 엄마도 아주 신기한 경험을 하게 되었다. 엄마를 지금까지 괴롭혀 왔던 고통이 다 달아나는 것만 같은 그런 느낌이 들고, 이전에는 단 한 번도 경험해 보지 못했던, 정말 뭐라고 설명할 수 없는 행복감이 저 가슴 깊숙이 밀려오는 체험을 하게 되었다.

"그래, 그래, 우리 아들. 아이구 우리 아들, 이 엄마가 미안해~ 정말 미안해. 엄마가 그동안… 직장 다니느라 우리 아들이 하는 말도 잘 들어주지 못하고, 엄마가 너랑 이야기도 많이 못 나눴어. 우리 아들이 이렇게 잘생긴 아들인데, 우리 아들이 이렇게 훌륭한 아들인데… 엄마가 그동안 잘 몰라줘서 정말 너무너무 미안해."

엄마와 아들이 난생처음으로 제대로 연결이 이루어진 것이다. 칼 로저스Carl Rogers 선생님이 강조하신, 참만남Encountering이 두 사람 사이에 이루어진 것이다. 그것도 이 세상에서 가장 중요한 엄마와 아들의 참 연결.

사람들은 누구나 이러한 연결을 원하고 있다. 진짜 연결 말이다. 우리는 모두 이런 진짜 연결을 해야만 이 세상을 살아갈 수가 있는 것이다. 이러한 참연결이 없으면, 우리는 살아도 사는 게 아니다. 진짜로 사는 것 같지가 않다. 정말 이 세상에 내 가슴이 사랑하는 사람의 가슴과 서로 잘 통하는 것, 진짜로 연결이 되는 것, 그것보다 더 중요한 게 뭐가 더 있을까? 칼 융Carl Jung 선생님의 말씀처럼, 만약에 "이 세상에 단 한 사람이라도, 내 마음을 진심으로 알아주는 사람이 있다면, 그 사람은 더 이상 정신병자가 아니다." 우리는 더 이상 외롭지 않을 것이다. 거기에서 바로 인간의 행복이 시작되는 것이다.

그런데도 대부분의 사람들은 다른 것들에 연결하느라, 진짜 연결이 되어야 하는 귀한 사람과의 소중한 관계를 잃어버리는 경우가 허다하다. 이 엄마는 아들 때문에 대기업의 커리어 등, 마치 자신의 모든 것들을 다 잃어버린 것처럼 생각했지만, 다행스럽게도 자신을 진심으로 행복하게 만들어주는 것이, 세상의 다른 것들이 아닌, 바로 아들과의 진짜 연결에 있다는 사실을 진정 깨닫게 되었고, 이제 그것을 시작할 수 있게 된 것이다.

엄마로서 아들과 진짜 연결이 되고 나니, 엄마는 너무너무 행복해졌다. 별다른 이유도 없이, 그냥 싱글벙글 웃음이 나오고, 그저 아들을 바라보기만 해도 저절로 행복감이 뭉클뭉클 샘솟는 것이다.

아들은, 이 세상에서 자신에게 가장 중요한 사람, 엄마와의 관계가 제대로 회복이 되자, 정말 기적 같은 일이 일어났다. 너무나 놀랍게도 학교에서 골치 아프던 문제들까지 모두 사라지게 되었다. 학교 선생님은 '도대체 어느 용한 병원에 다녀왔기에 이런 기적이 일어났느냐'고 묻는다고 한다. '맨날 친구와 심하게 싸우던 아이가 도대체 무슨 약을 먹었길래, 다른 애들과 전혀 싸우지도 않고… 갑자기 너무나 안정적이 된 데다, 어쩜 저렇게 눈빛이 초롱초롱해지고, 정말 완전히 달라졌다'면서 놀라워한다는 것이다.

독자 여러분도 지금, 잠시만 바쁜 것들을 옆으로 제쳐 놓고, 한번 깊이 생각해 보기 바란다.

'나는 지금 무엇과 연결하고 있는가?'

'나는 지금 어디를 향해 가고 있는가? 무엇을 위해서?'

'나는 나에게 가장 소중한 사람, 정말 내가 사랑하는 사람, 나의 가족과 제대로 연결하며 살고 있는가? 혹시 그보다 덜 중요한 것, 부수적인 것, 2차적이고, 3차적인 것들과 더 연결하며 살고 있는 건 아닌가?'하고 말이다.

만약 그렇다면, 우리가 그런 것들과의 연결을 아무리 많이 시도한다 하더라도, 우리의 마음은 여전히 공허하고 허전할 뿐인 것이다. 만약 내가 나의 가장 소중한 아내와 남편, 나의 자녀와 나의 부모님, 그리고 나의 소중한 친구들과의⋯ 진정한 연결이 되지 않은 채라면 말이다. 그것을 대신하여, 아무리 다른 것들로 그 구멍을 메꾸려 해도, 메꿔지지 않을 게 너무 뻔하기 때문이다.

그러므로, 먼저 가장 근본적인 연결부터 제대로 해야 한다. 우리에게 가장 중요한 연결은, 바로 가족이다. 나의 아내, 나의 남편, 나의 자녀, 그리고 나의 아버지, 어머니와의 진짜 연결이 가장 중요한 것이다. 사람은 이 중요한 연결이 제대로 되어 있을 때야 비로소 행복할 수 있다. 이 중요한 연결은 우리 모든 인간에게 아주 근본적인 것이기 때문이다.

우리의 출신이나 성별, 직업이나 종교, 재산이나 외모, 학력 등과는 아무런 상관없이, 사람에게 가장 중요한 것은, 우리가 이러한 근본적이고 진정한 연결, 참만남을 제대로 하고 있느냐에 달려있는 것이다. 이것이 핵심이다.

"One Relationship at a Time"

"한 번에 한 사람의 관계를 이 세상 그 어떤 것 보다 더 소중하게 여기는 것!"

이 사람의 아픔을 내 가슴으로
느낄 수 있게 해주세요

 부부로 10년, 20년을 살았다고 해도 과연 우리가 제대로 만난 적이 얼마나 될까? 내 몸을 통해 낳은 자식이긴 하지만 제대로 만난 적이 있기나 한 걸까?

어느 날 한 아주머니가 나를 찾아왔다. 주름이 조글조글한 얼굴이나 하얀 머리가 삐쳐 나온 흐트러진 모양만으로 보면 60대는 훨씬 넘어 보이는데 40대 중반이라고 해서 놀랐다. 할머니 같은 아주머니는 깊은 상심을 안고 왔다.

"제 남편이 알코올 중독자예요. 술만 먹으면 소리를 지르고 폭력도 쓰고 그래요. 남편이 술을 끊을 수 있게 해달라고 똑같은 기도를 10년째 하는데 소용이 없어요. 매일 새벽 기도를 다녀오면 남편은 그때까지도 술에 절어서 잠을 자고 있고…… 그걸 보면 속이 터져서 '알코올 귀신 물러가라!' 하고 소리도 질러보고, 자는 남편을 붙들고 울며 통성 기도도 해보았어요. 하지만 남편은 교회 이야기만 나오면 아주 끔찍해하고, 오기로 술을 더 마시네요. 어떻게 해야 할지 모르겠습니다."

내가 내린 처방은 아주 단순한 것이었다. 기도도 좋고 새벽 예배도 좋은데 10년을 그렇게 했어도 효과가 없으니 이제 그만 방법을 바꾸라는 것이었다. 새벽 기도에 다니느라 그동안 남편을 집 안에 혼자 남겨두는 일이 많았으니, 앞으로는 기도 시간을 반으로 줄여 남편과 시간을 함께 보내라고 했다. 그리고 기도 제목도 바꾸라고 했다.

"남편이 달라지게 해주세요"라고 기도하지 말고, "남편의 아픔을 내 가슴으로 느낄 수 있게 도와주세요"라고, 두 손을 가슴 위에 대고 기도하도록 했다. 그러다가 남편의 아픔이 정말 내 것처럼 느껴지면 그때 돌아가서 남편을 바라보라고 했다. 남편이 어떻게 해주어서 고마운 것이 아니라, 그의 단점과 고통을 이해하고 그 상처를 가슴 아파하게 될 때 새로운 관계가 열리게 될 것이라고 말해 주었다.

한참 시간이 지난 뒤, 그 아주머니를 다시 만나게 되었다. 아주머니는 기쁨의 눈물에 젖어 나를 찾아와 이야기했다. 내가 얘기한 대로 두 손을 가슴에 대고 남편의 아픔을 가슴으로 느끼게 해달라고 기도하는데, 정말 신기하게도 처음으로 남편의 아픔이 느껴지더라는 것이다. 그래서 그 느낌이 혹시라도 달아날까 봐 두 손을 가슴에 댄 채로 집으로 쏜살같이 달려가 술에 취해 잠들어 있는 남편의 모습을 들여다보는데 갑자기 눈물이 왈칵 쏟아졌단다. 자신이 교회에 가 있는 동안 남편이 느꼈을 소외감, 남편을 악마 취급하며 붙들고 기도하던 자신, 아내로부터 버림받았다는 느낌을 가졌을 남편의 배신감과 분노, 마음 터놓을 사람 하나 없어 느꼈을 외로움, 그런 모든 것이 아픔이 되어 가슴에 다가온 것이다.

부인은 남편을 깨우지도 못하고 혼자 절절히 눈물을 흘렸다고 한다. 그렇게 한참이 지나서야 부스스 눈을 뜬 남편이 오히려 당황해했다. 평소 같으면 '알코올 귀신 물러가라'고 소리 지르며 귀신을 쫓아내는 기도를 하고 있을 아내가 울고 있으니 말이다. 남편이 물었다.

"당신 새벽 기도 벌써 끝났어?"

"예……"

"그런데 이 여편네가 아침부터 왜 울어? 무슨 일 있어?"

"당신한테 너무 미안해서…… 당신이 너무 고마워서……"

남편은 더욱 황당해했다.

"이 여자가 돌았나? 새벽 기도 가서 뭐가 잘못된 거야?"

"아니에요. 그냥 당신에게 너무 미안해서요. 그리고 당신이 너무 사랑스러워서요."

아내의 거듭되는 사과와 사랑 고백에 남편의 말수가 점점 줄어들었다. 그리고 얼마 뒤 남편도 닭똥 같은 눈물을 뚝뚝 흘렸다.

"미안해. 내가 정말 나쁜 놈이야. 당신이 얼마나 고생하는지 내가 알아……"

그날 부부는 결혼 생활 17년 만에 처음으로 서로를 붙들고 오전 내

내 통곡을 했다고 했다.

중독은 상처로부터 비롯된다. 중독을 벗어나려면 그 상처를 먼저 치유해야 한다. 상처를 치유하는 데 가장 좋은 것은 한없는 사랑과 이해이다. 사랑과 믿음으로 서로의 상처를 쓰다듬어 줄 때 도저히 벗어날 수 없을 것만 같던 육체적 굴레도 어느새 사라지는 것을 우리는 경험할 수 있다.

어느 모임에서 목사님들과 함께 집단 영성 수련을 할 기회가 있었다. 다들 모처럼 갖는 휴식 시간이 즐거워 보였다. 그런데 저녁 늦은 시간의 세미나 자리에서 한 젊은 목사가 입을 열었다.

"전 목회도 잘되고 가족도 행복한데요, 딱 하나 문제가 있습니다."

"뭔데요?"

"제 아버지의 구원이 문제예요."

"아버지의 구원이요? 일 원 보태서 십 원을 드리면 되겠네요."

내가 농으로 받아넘기자 목사는 답답하다는 듯 말을 이었다.

"농담이 아니라 아버지가 교회를 안 다니시는 건 둘째 치고, 제가 목사 일 하는 걸 지금까지도 반대하십니다. 명절 같은 때 가서 예배라도 드리려고 하면 밖에 나갔다가 예배를 다 마친 뒤에 돌아오신다니까요. 여간 스트레스가 아니에요."

나는 가만히 듣다가 한마디 던졌다.

"참 안됐네요."

"그렇죠. 제가 참 안됐죠?"

자신을 이해해 주는 것이 고맙다는 듯이 그 목사가 말했다.

"아뇨. 제 말은 아버님이 참 안되셨다고요. 얼마나 외로우시겠어요? 목사 아들이 올 때마다 밖으로 나돌아야 하는 그 심정이 어땠을까요? 목사쯤 되셨으면 이제 그 외로운 아버지를 부둥켜안으셔야죠. 집안에서 왕따시킬 게 아니라."

그 목사는 의외라는 듯 나를 바라보았다.

"하나님이 당신을 목사 만들겠다고 얼마나 공을 많이 들였는데, 그래 목사님은 아버지 한 분을 못 모십니까?"

"못 모시는 게 아니라……"

"목사님, 아버님께 어떻게 대하십니까?"

"어떻게나마나 대화가 워낙 안 되니까 서로 별 말이 없는 편이죠."

"그럼, 아버지 모시고 목욕탕에 한번 가세요. 아무 소리 하지 말고! 가서 아버지 때라도 밀어드리세요. 아버지가 싫으세요? 그럼 하나님의 때를 미는 거라고 생각하고 해보세요. '죄송합니다, 사랑합니다' 중얼거리면서 영성 수련한다고 생각하시고 말이죠."

사람들은 흔히 하나님이 이 세상 너머 어딘가 먼 곳에 산다고 생각한다. 하지만 하나님은 지금 이 순간 바로 여기에 계신다. 내가 사람들 가운데 하나님을 만나고, 사람들이 나로 인해 하나님을 느낄 수 있어야 한다. 사람들 사이에서 행복하지 않다면 내가 만나야 할 하나님을 놓치고 마는 것이다.

평소 가깝게 지내는 선배 목사 역시 이런 비슷한 내용으로 전화를 걸어온 적이 있었다.

"오 교수, 나 좀 살려주라."

"무슨 소리예요, 형님?"

"아주 죽고 싶다."

사정을 들어보니 역시나 가족 관계 문제였다. '잘 나가는 목사'의 아내 된 죄로 20여 년을 고생만 하던 부인이 요즘에는 "나한테 해준 게 뭐가 있다고!" 하면서 매사에 싸우려고만 든다는 것이다. 게다가 아들도 "아빠는 알지도 못하잖아요. 아빠 몰라도 돼요" 하고는 따돌린단다. 어린 딸까지 아버지가 방에 들어가면 마루로 나가고, 마루로 나가면 방으로 들어가면서 도무지 얼굴조차 보여주지 않으니 아주 미칠 지경이라고 했다.

알 만한 사정이었다. 일 년 365일 어느 날도 가족과 함께 온전히 보내지 못한 아버지가 새삼 가장의 자리를 찾는다 한들 그 자리가 온전히 남아 있을 리 없다. 서로 벽을 쌓고 지내는 데 너무 익숙해진 것이다. 나는 선배에게 처방전을 일러주었다.

"형님, 집 안에서 목사 노릇은 그만하시고, 형수님께는 남편 노릇만 하고 아이들한테는 아빠 역할만 하세요. 눈감고 손을 가슴에 대고 딱 한 가지 제목으로만 기도해 보세요. 형수님을 생각하면서 '아내의 심정을 느끼게 해주세요' 하고 말예요."

상대방이 무엇을 생각하고, 무엇을 느끼며, 무엇을 좋아하고 싫어하는지도 모르면서 소통하겠다고 하는 건 욕심이다. 내 이야기를 하기 전에 상대방의 입장이 되어서 그 아픔을 느끼고 상처를 이해하는 것이 대화와 소통의 기본이다.

사랑하는 사람에게 가장 좋은 선물은 그 사람의 이야기를 들어주는 것이다. 그 사람의 눈을 바라보는 것이다. 텔레비전을 뚫어져라 바라볼 것이 아니라, 내 옆에 있는 가족, 친구, 이웃의 눈을 그렇게 들여다볼 때, 그 사람 마음속에 들어가 자리를 잡고 앉게 된다. 내가 상대방을 수용해 준 만큼 그 역시 나를 받아들이게 되어 있다.

진리에 가까울수록 단순하다는 말이 있다. 눈을 들여다보며 고개를 끄덕이며 들어주는 일, 그것 역시 우리가 지금 당장이라도 실천할 수 있는 아주 평범하고도 단순한 방법이다. 그러나 그만큼 서로를 연결해 주는 강력한 방법이기도 하다.

눈으로 말하기

사랑하는 사람의 눈을 바라본 때가 언제였나요? 아무 말 하지 않고 그
사람의 손을 꼭 잡고 그 눈을 깊이 바라본 적이 있습니까? 부부로 10년,
20년을 살았다고 하지만 제대로 눈을 마주치고 마음을 맞춘 적이 얼마
나 되었나요? 내 몸을 통해 낳은 자식이지만 그 아이의 눈을 제대로 들
여다본 적이 있습니까?

가슴으로 대화하는 가장 좋은 방법은 눈을 바라보는 것입니다. 마음의
채널을 맞추는 것은 눈을 바라보는 데서 시작합니다. 말로 표현할 수 없
는 수많은 것들이 눈에 담겨 있습니다. 그래서 진정한 만남은 상대방의
눈을 바라보는 데서 시작합니다. 눈을 들여다보면 '이 사람 참 외롭구
나, 슬프구나' 하고 느낄 수 있고, 그렇게 사람과 사람이 마음이 통하면
세상살이가 재미있어집니다.

그런 이유로 상담 프로그램을 진행할 때면 참가자들에게 둘씩 짝을 지
어 서로의 눈을 바라보는 훈련을 하게 합니다.

"자, 이제 1분 동안 여러분 앞에 있는 사람을 바라봐주세요."

대부분의 사람들은 그 1분이 어색해 몸을 다른 쪽으로 돌린 채 엉거주
춤 앉아 있습니다. 침묵이 부담스러워 이런저런 말들을 늘어놓기도 하
고, 아예 눈을 내리깔고 외면하기도 하지요. 애써 무표정하게 그냥 바라
보는 이들도 있습니다. 그러면서 사람들은 자신이 단 한 번도 진정으로
한 사람의 눈을 깊이 바라본 적이 없었다는 사실을 깨닫고 충격을 받습
니다.

그러나 서로를 응시하는 시간이 조금씩 흐를수록, 상대방의 눈동자 안

에 깊이 박힌 상처, 외로움, 그리움, 기쁨을 발견하게 됩니다. 상대를 겉모습이 아닌 한 사람의 상처받은 인간으로, 사랑을 갈구하는 아름다운 존재로 바라보게 됩니다. 침묵 속에서 내 앞에 서 있는 사람의 눈을 바라보았을 뿐인데 여기저기서 울음이 터지고 흐느낌이 흘러나옵니다.

이렇게 말로 표현할 수 있는 것 이상의 뭔가를 우리는 눈으로 말하고 있습니다. 눈으로 대화하는 짧은 시간을 가진 후, 참가자들에게 자신 앞에 앉아 있는 상대방에게 가장 하고 싶은 이야기를 귓속말로 전하게 합니다. 놀랍게도 많은 사람들이 그 순간 삶에서 가장 듣고 싶었던 말, 가장 필요했던 말을 들었노라고 고백하곤 합니다. 단지 눈을 바라보았을 뿐인데 가슴과 가슴이 만나고, 그 가운데 놀라운 치유가 일어난 것입니다.

사랑하는 사람에게 줄 수 있는 가장 좋은 선물은 그 사람의 이야기를 들어주고 그 사람의 눈을 바라보는 것입니다. 내 옆에 있는 가족, 친구, 이웃의 눈을 그렇게 들여다볼 때, 그 사람 마음속에 들어가 자리를 잡고 들어앉게 됩니다. 내가 상대방을 수용해 준 만큼 상대방 역시 나를 받아들여 줍니다.

자, 지금 당신 앞에 반가운 그 사람이 서 있습니다. 그 사람은 당신의 남편일 수도, 자녀일 수도, 이웃일 수도 있습니다. 당신은 지금 당신 앞에 있는 그 사람을 어떤 마음으로 바라보고 있나요? 이 세상에서 가장 반가운 사람을 대하듯이, 나를 위해 신이 보내주신 천사를 대하듯이, 그렇게 소중한 사람으로 바라보세요.

이제 그 사람을 바라보며, 그 사람의 눈을 바라보며 두 손을 앞으로 내밀고 이렇게 외쳐보세요. "얼마나 보고 싶었는지 몰라요." "저를 위해 이 세상에 이렇게 와주셔서 정말 감사합니다." "당신을 사랑하게 해주셔서 고맙습니다." "당신이 변하라고, 나한테 맞추라고 하지 않겠습니다."
"당신을 외모로 대하지 않겠습니다." "당신을 성적인 대상으로 대하지
않겠습니다." "돈으로 대하지 않겠습니다." "판단하지 않겠습니다." "추
측하거나 해석하지 않겠습니다." "가르치려고 들지 않겠습니다." "당신
이 나에게서 가장 편안하게 느끼도록 하겠습니다." "당신을 이 세상에서
가장 소중한 분으로 대하겠습니다."

몸과 대화하기

내 몸은 나의 모든 상처를 기억하고 있습니다. 몸의 구석구석에 손을 대면서 몸이 하는 말을 들어보고 나 또한 몸의 구석구석들에게 말을 걸어보는 것은 바로 이러한 상처를 드러내는 과정입니다. 우리는 몸의 에너지, 특히 부정적 감정인 슬픔, 두려움, 불안이나 분노 같은 것들과 성적 에너지를 억압하며 그 느낌을 무시하고 살아가기 쉽습니다. 가만히 몸이 하는 말을 들어봅니다. 혹시 몸이 이렇게 말하지는 않나요? "제발 나를 좀 쉬게 해줘." 만약 그 소리를 들어주지 않는다면 몸과 마음이 따로 놀 수밖에 없습니다.

내가 나를 돌보지 않으면 아무도 나를 돌보지 않습니다. 편안한 음악을 틀어놓고 음악을 향해 마음을 활짝 열고 음악이 내 몸과 하나가 되도록 한 다음, 자신의 몸 구석구석을 손으로 부드럽고 사랑스럽게 어루만지면서 몸이 하는 말을 들어봅니다. 분명 몸이 나에게 하고 싶은 이야기가 있을 것입니다.

먼저, 두 손을 가슴에 대어보세요. 나의 가슴속 깊은 곳에서 나에게 들려주고 싶은 메시지가 무엇인지 들어보세요. 혹 '나, 외로워' '힘들어' '답답해' '무서워' '싫어' '가슴이 아파' '화가 나' '소리 지르고 싶어'라고 하지는 않나요? 느껴지는 대로 소리내어 표현해 봅니다. "내가 이제부터 너의 소리를 들어줄게"라고 말해봅니다.

사랑스럽고 부드러운 손길로 가슴을 쓰다듬어 주며 알아줍니다. '그래, 외롭구나. 내가 널 알아줄게. 무시하지 않을게. 화내지 않을게.' 무엇보다도 자신을 야단치는 자세를 버려야 합니다. 그리고 그것이 무슨 외침이든 어떤 소리든, 내면으로부터 가슴의 소리를 들어주는 일이 가장 중요합니다.

　이제 손을 머리 쪽으로 가져가 봅니다. 그리고 메시지를 보냅니다. "널 사랑해. 널 아프게 해서 미안해"라고 말하며 얼굴을 어루만져줍니다. 맘에 안 든다고 찌푸렸던 얼굴, 찡그리고 화난 얼굴, 심각한 얼굴…… 등을 떠올리며 느끼는 것을 그대로 표현합니다. "예쁘지 않다고 널 구박해서 미안해"라고 말해봅니다.

　눈을 만집니다. 역시 "널 너무 피곤하게 해서 미안해"라고 말합니다. 입술을 만지면서 "네가 거기 있어줘서 고마워. 널 잘 돌봐줄게"라고 말합니다.

　목을 만지면서 "핏대를 세우며 화내느라 널 힘들게 해서 미안해"라고 말해줍니다. 어깨를 부드럽게 쓰다듬으며 "무거운 짐을 너무 많이 지워줬지. 널 힘들게 해서 미안해. 이젠 더 이상 너에게 무거운 짐을 지게 하지 않을게"라고 말합니다.

　이 세상에서 가장 소중한 것을 만지듯이 손을 만지면서 "너한테 만지기 싫은 것, 더러운 것, 나쁜 것을 만지게 해서 미안해. 널 잘 돌봐줄게"라고 말합니다.

　이번에는 배를 만지면서 말합니다. "배가 나온다고 구박해서 미안해. 소화가 잘 안되는 것, 좋지 않은 것을 너한테 너무 많이 집어넣었지. 잘 대해주지도 못하고 참으라고만 했지. 정말 미안해."

　자리에 앉은 다음, 눈을 감고 다리, 발, 발목, 발가락과 무릎을 차례로 만져주면서 말합니다. "다리야, 너무나 힘들고 어려운 길을 걸어왔지. 이제 내가 너한테 좋은 길을 안내해 줄게. 너를 정말 귀하게 대할게. 무룡아, 내가 너로 하여금 좌절하게 하고 자존심을 상하게 한 것 미안해.……"

이제 자신의 성기와 대화를 시작해 봅니다. "함부로 너(성적 에너지)를 남용해서 미안해." 혹은 "너(성적 에너지)를 억압하고 무시해서 화났지?"

마지막으로, 자기 이름을 부르면서 자신과 깊이 대화해 봅니다. "내가 너를 그동안 너무 함부로 대했지. 알아주지 않아서 미안해. 용서해 줘. 이제부터 널 귀하게 대할게. 널 잘 돌봐줄게."

대화를 할 때는 마음 깊은 곳에서부터 마음과 몸이 하나되는 깨달음이 있어야 합니다.

이제 천천히 일어난 다음 다시 춤을 추면서 온몸을 느껴봅니다. 몸과 완전히 하나가 된 춤동작을 표현해 봅니다. 한 동작에 머물지 말고 온몸을 다 사용해 갖가지로 춤을 춥니다. 음악이 가는 대로 손이 따라 가도록 놔두면서 음악 속으로 깊이 빠져들어 갑니다. 이렇듯 대화를 통해 몸이 기억하고 있는 과거의 상처들과 만날 때 우리는 치유를 경험하게 됩니다. 이제, 온몸으로, 몸의 각 부분들을 깊이 만나면서 이렇게 외쳐봅니다. "내 마음의 장단을 찾아라! 내 마음의 장단에 맞춰 춤춰라."

사물과 대화하기

몸과의 대화를 마쳤다면, 이제 사물과 대화를 해볼 차례입니다. 우주 안에 존재하는 모든 것은 서로 반응할 뿐 아니라 서로를 치유하는 힘을 지녔습니다. 존재하는 모든 것 속에는 그것을 만들어낸 하늘과 땅의 숨결이 들어 있기 때문입니다.

사물과의 대화도 기본적으로 몸의 대화와 다르지 않습니다. 사물을 바라보면서 "안녕? 만나서 반갑다"라고 인사를 합니다. 호흡을 의식하면서 사물을 향해 부드러운 미소를 보낸 다음 "널 사랑해"라고 말하는 것입니다. 이 세상에서 가장 경이롭고 신기한 것을 나 혼자 바라보고 있다고 생각합니다. '저기 나무가 서 있는 것이 기적이다. 내가 나무를 보고 있는 것이 기적이다'라고.

만약 자신이 지금 바닥을 밟고 있다면, 살아있는 생물을 대하듯이 바닥한테 말을 건넵니다. "바닥아, 네가 거기 있어 참 고맙다." 문고리를 붙잡을 때에도 문고리가 거기 있다는 것을 알아차리고 "문고리야, 반갑다" 하고 말을 건넵니다. 밖에 나가려고 신발을 신을 때도 아무 생각 없이 신고 나가던 지금까지와는 달리 신발의 존재를 알아차린 뒤 "신발아, 반갑다. 네가 있어서 내가 안전하게 걸을 수가 있구나"라고 말해봅니다. 이렇게 의식적으로 사물에게 말을 거는 것입니다.

밖에 나가서 길을 걸을 때 하늘을 보고 "하늘아 안녕!" 인사를 한 뒤 하늘이 뭐라고 대답하는지 들어봅니다. 마음에 쏙 들어오는 나무를 만나면 그 나무에게 가서 "야 참 잘생겼구나" 하고 칭찬의 말을 건네봅니다. 그리고 어떤 점이 맘에 드는지 말해봅니다. 가장 솔직하게 내 속에서 느끼는 대로 일치성을 갖고 말하는 것이 중요합니다. 대화를 하면서 그 나무를 꼭 부둥켜안아 보세요. "나무야, 춥지 않니?" 혹은 "외롭지 않니?" 물으면서 나무와 하나가 되는 느낌을 가져봅니다. 나무에게 자신의 고통과 상처를 이야기하는 것도 좋습니다. 그러고 나면 분명 나무가 들려주는 말이 있을 겁니다. 나무를 부둥켜안고 몇 분간이라도 대화를 나눠보세요.

정확한 느낌을 가지고 살아있는 생명을 대하듯이 침묵하며 자기 내면을 들여다보십시오. 이제 자신과 대화해 보세요. 잠들기 전에 베개, 이불, 세면대, 거울, 칫솔에게도 말을 건네보세요.

세수하면서 흐르는 물의 느낌을 만져보고, 자신의 얼굴과 볼을 만져보세요. 아침에 일어나자마자 숨을 의식하면서 기분 좋게, 마치 세상에서 가장 좋은 향기를 들이마시듯 숨을 들이마셔 보세요. 숨을 내쉴 때는 모든 부정적인 생각, 느낌, 감정 들을 함께 내보내세요. 그리고 자기의 이름을 부르며 이렇게 말해보세요.

"○○아, 난 그냥 네가 좋아."

"널 사랑해…… 널 축복해."

사람이든 사물이든 모든 존재는 소중하며, 우리는 하나로 연결되어 있습니다. 그런 점에서 만약 우리가 그 존재를 하찮게 본다면 그것은 곧 내 자신을 하찮게 보는 것과 다를 게 없습니다. 지극한 눈으로 나무를 바라보면서 거기에서 아름다움을 보는 것, 그것은 곧 우리 안에서 신의 형상을 보는 것이요 신으로부터 나를 향한 메시지를 듣는 것입니다. 그것은 나를 위한 사랑과 치유의 메시지입니다.

내 마음의 장단에
맞춰 춤춰라

세상 장단과의 이별

우리는 모두 태어날 때부터
자신만의 고유한 마음의 장단을 지니고 왔습니다.
그런데 그동안 우리는 세상 장단에 맞춰,
남의 장단에 맞춰 꼭두각시처럼 살아왔습니다.
그래서 나를 잃어버리게 되었고, 이젠 어디에도 내가 없습니다.
자신만의 춤을 추세요.
마치 아무도 당신을 지켜보지 않는 것처럼.
누구도 의식하지 말고 마음의 장단에 맞춰 춤을 추세요.
아버지의 장단이 아니고,
어머니의 장단도 아닌, 세상 장단이나
다른 사람들의 장단도 아닌,
바로 내 마음의 장단에 맞춰 추는 춤 말입니다.
바로 내 마음의 장단에 맞는 삶의 춤……
당신의 장단을 되찾을 때
당신은 가장 빛납니다.

춤추는 나무

캐나다에 있을 당시 개척해서 잘 나가던 교회의 성도들로부터도 외면당하고, 단 한 사람 내 마음을 알아주길 바랐던 아내마저 나를 등지고, 경제적으로도 최악의 상태여서 공부를 계속하기 힘들었을 때, 자살을 기도한 적이 있었다.

그러다 죽음 직전, 지금의 내 모습 이대로 괜찮다고 스스로를 긍정하고 받아들이고 난 뒤 나는 다시 살고 싶어졌다. 약해질 대로 약해진 몸과 마음을 추스르기 위해 나는 시간이 날 때마다 온타리오 호숫가 주변의 자연 공원을 산책하며 다리의 힘을 키우기 시작했다.

이 공원은 도심 한복판에 있었지만 깊은 산속 같은 풍광을 자아내는 곳이었다. 맑고 큰 호수를 중심으로 우람한 나무들이 하늘을 향해 쭉쭉 뻗어 있는 이곳은 반나절 이상을 걸어야 웬만큼 둘러볼 수 있을 정도로 넓었다. 놀라운 것은 이 공원이 자연적으로 형성된 것이 아니라 몇백 년 전 주민들이 나무를 심고 물을 끌어들여 조성한 인공 공원이라는 사실이다. 그런데도 온갖 동물들이 서식하고 희귀한 작물들이 많아서 동식물 채집과 연구를 위해 학자들도 종종 찾는 명소이다. 현명한 조상들이 후손과 이 세상을 위해 무엇을 남기고 갈 것인가 생각하다 가장 훌륭한 선물을 택한 게 아닌가 싶었다. 나는 공원을 볼 때마다 인간이 세상을 살고 가면서 이 땅에 남길 수 있는 가장 아름다운 작품이 있다면 바로 이런 것이 아닐까 생각하고는 했다.

그날도 채 회복되지 않은 몸으로 공원엘 갔다. 나는 아주 천천히 걸었다. 쇠약해진 몸 때문에라도 빨리 걸을 수는 없었지만 그보다 마음이 참으로 평화로워 아무 생각도, 아무런 미움도, 아무런 욕망이나 목표도 없이 '걷는' 데에만 집중할 수 있었다. 무엇도 나의 마음을 흔들거나 흩뜨릴 수 없을 만큼 차분하고 고요했다. 다만 새들이 지저귀고, 동물들이 뛰어다니는, 창조적 영성이 숨 쉬는 깊은 숲속에 들어와 있다는 사실만을 한없이 기꺼워하고 있었다.

길가의 큰 버드나무가 눈에 들어왔다. 줄기가 늘어져서 땅까지 닿아 있었기 때문에, 그곳을 지나려면 나무의 줄기 밑으로, 마치 커튼을 젖히고 지나가듯 해야 했다. 종종 보았던 광경이었는데도 그날은 이상하리만치 그 줄기들이 나의 시선을 끌었다. 나는 나무를 바라보면서 홀린 듯 다가갔다.

그런데 그 순간 길게 늘어진 줄기들이 일제히 춤을 추는 것이 아닌가. 바람 한 점 불지 않는 화창한 날에…… 나도 모르게 "어! 나무가 춤을 추네. 나무가 춤을 춰"라는 말이 튀어나왔다. 나무가 '살아있다'는 사실을 강렬하게 느낄 수 있었다. 화창한 날씨에 행복해하며 춤추는 나무의 마음이 전해졌다. 따뜻한 햇살을 온몸 가득히 빨아들이며 즐거워하고 있었다.

그 순간, 눈이 열렸다. 주위를 둘러보았다. 나무만이 아니었다. 모든 것이 살아있었다. 나는 모든 것과 이야기를 나눌 수 있었다. 지저귀는 새도, 분주히 돌아다니는 다람쥐도 참으로 예뻤다. 나무를 끌어안는 순간 내가 나무가 되어버린 느낌이었다. 내 다리는 나무의 뿌리가 된 듯했고, 머리에선 줄기가 나와 뻗어가는 듯했다. 나의 심장은 나무의 수액을 따라 한없이 위로 위로 솟구치며 강하게 펌프질을 해 댔다. 길가에 쓰러져 상처 입은 나무를 보니 가슴이 아팠다. 그 나무가 겪은 아픔까지 전해져 왔다.

그렇게 모든 살아있는 것들과 이야기를 나누며 한참을 가다보니 한 털보 할아버지가 혼자 공터에 앉아 있는 것이 보였다. 그런데 새와 다람쥐들이 그를 에워싸고 있는 것이 아닌가. 어깨며 머리며 다리에 온통 작은 동물들이 앉아 있었고, 그는 쉴 새 없이 말을 하고 있었다.

"뭐하고 계세요?"

내가 다가가서 묻자 그는 "쉿!" 하고 손가락을 입에 갖다 대었다.

"새들이 놀라요……"

그는 미소를 지으며 말을 이었다.

"내가 뭘 하는 것처럼 보이나요?"

"글쎄요. 혼자 중얼거리는 것 같기도 하고……"

그는 빙긋 웃었다. 입고 있는 옷은 누추했지만 눈매는 한없이 선해 보였다.

"이야기를 하고 있어요. 새하고 이야기하고, 다람쥐하고도 이야기하고요."

그의 해맑음이 고스란히 내게 전해져 왔다.

"그렇군요. 이 녀석들이 모두 당신 친구인가요?"

"예, 이 녀석들하고 이렇게 이야기하는 시간이 내게는 가장 행복한 때랍니다."

나는 그의 평화가 오래오래 지속되기 바라면서 조용히 물러나왔다.

그 일이 있은 뒤로 나에게도 살아있는 자연 속에서 자연의 존재들과 대화하고 마음을 나누는 일이 가장 큰 위로가 되고 있다. 그날, 자연으로부터 받은 에너지가 나의 쇠약해진 몸과 영혼의 회복을 도운 건 두말할 나위가 없다.

자연은 내가 지친 몸을 일으켜 세우는 데 가장 큰 치유자요 동반자 노릇을 해주었다. 늘 말없이 들어주고 넓은 품으로 위로해 주는 자연이 좋아 그 후로도 나는 힘이 들 때마다 가까운 숲속으로 산책을 나갔다. 마음의 눈을 뜨고 보면 자연의 모든 것과 대화할 수 있다는 것, 나무도, 바위도, 새도, 풀도 눈을 뜨고 보면 친구가 된다는 것을 그때 알았다.

상담 전문가가 된 뒤로 나는 이때의 경험을 살려 프로그램을 진행할 때면 반드시 '자연 묵상' 시간을 갖는다. 잠들기 전부터 아침 식사 전까지는 침묵의 시간을 갖는데, 그 시간에는 자연 묵상을 한다. 아침을 깨워 소중한 것들을 만나는 시간이다. 높은 하늘에게 고개 들어 "하늘아, 안녕?" 하고 인사를 나누면서 하늘의 미소를 느껴본다. 또 나무의 줄기며 이파리를 어루만지면서 나무의 숨결을 느껴보기도 한다.

"나무야, 안녕? 그동안 어떻게 살아왔니?"

"돌아, 안녕? 추운 겨울 나느라 고생하진 않았니?"

"난 요즘 참 힘들어. 이럴 때 내가 어쩌면 좋겠니?"

돌에게, 나무에게, 하늘에게, 호수에게, 꽃들에게 자신의 고통과 상처를 이야기하는 시간이기도 하다. 풀리지 않는 삶의 고민들을 터놓고 나누는 시간이다. 내면의 고요한 상태에 따라 그들의 이야기를 들어보는 시간이다.

온 우주는 서로에게 반응하게 되어 있다. 모든 사물을 살아있는 존재로 대해보라. 만나는 사물마다 인사를 하고 뭐라고 하는지 들어보라. 마치 자석이 달라붙기라도 하듯이 곧바로 반응이 올 것이다. 나무를 바라본다는 것은 그저 나무 한 그루만을 보는 것이 아니다. 바람도, 햇볕도, 새소리도, 하나님의 숨결까지도 그 나무 속에 깃들어 있다는 것을 진심으로 느낄 수 있어야 그것이 진정 나무를 보는 것이다. 밥 한 끼, 물 한 방울에도 하늘과 땅의 숨결이 다 들어 있다. 우주는 자신 안에 우리를 치유할 힘을 갖고 있다. 원시적 영성과 치유의 에너지가 그 안에 모두 들어 있다.

마찬가지로 내 안에 이 온 우주가 다 들어 있다. 이 순간을 가장 멋있고 소중하게 만들 수 있는 힘이 바로 우리 안에 있는 것이다. 밖의 세계를 변화시킬 수는 없지만 내 안의 세계는 변화시킬 수 있다. 변화는 내 안에서 일어나는 것이다.

나만의 춤을 추다

 언젠가 몇몇 신학자의 추천으로 이트와트EATWOT 대회에 한국 대표로 참가할 기회가 있었다. 이트와트란 '제3세계 신학자협의회The Ecumenical Association of Third World Theologians'를 일컫는 말로서, 제3세계의 신학자들이 모여 사회적·신학적으로 중요한 이슈에 대해 토론하고 입장을 결정하는 무게 있는 대회이다.

기쁜 마음으로 대회 장소인 필리핀으로 향했다. 대회는 기대에 어긋나지 않게 튼실한 내용으로 진행되었다. 이름만 듣던 저명한 학자들이 강연을 하고, 각 분과별로 쉴 새 없이 세미나와 포럼이 진행되었다. 일일 신문을 발행하기도 하고, 아프리카의 밤, 라틴아메리카의 밤, 아시아의 밤 같은 행사를 열어 참석자들 간의 이해도 돕고 하루 종일 토론으로 지친 머리를 식힐 수 있게도 해주었다. 특히 라틴아메리카의 밤에는 어찌나 즐겁게 춤을 추고 놀았는지 다음 날 아침 신문에 "너는 신학자가 아니라 춤꾼으로 태어난 놈이다"(You are born as a dancer, not a theologian)라는 제목으로 기사까지 실리고 말았다.

그다음 날은 아시아의 밤이 열릴 차례였다. 한국뿐만 아니라 필리핀과 인도네시아에서 여러 학자들이 참가했는데, 그들 모두가 "아시아의 밤을 책임질 사람은 당신밖에 없다!"면서 내 등을 떠밀었다. 한복과 〈서편제〉 테이프를 빌려 준비를 하고는 드디어 무대에 올랐다. 참가자들의 시선을 한 몸에 받자 조금씩 떨려왔다. '긴장하지 말고, 음악을 듣자. 내 마음이 있는 곳에 하나님이 있고, 하나님 있는 곳에 내가 있는데 무엇이 두렵겠나?' 생각하고 눈을 감았다.

음악이 천천히 내게 들어오면서 까닭 모를 슬픔이 복받쳐 올랐다. 마치 타인의 고통을 느끼고 위로와 해원의 춤을 추는 것처럼 느껴졌다. 자원 봉사 중에 만났던 부녀보호소의 윤락 여성들이 느꼈을 절망감인지, 언젠가 본 적이 있는 위안부 할머니들의 처절한 통곡인지, 미국에서 만난 가난한 흑인들의 고통인지, 아니면 그 모두가 함께인지, 저 밑바닥으로부터 한恨 같은 것이 움찔 솟아오르며 몸이 움직이기 시작했다. 춤을 배워본 적이 없는 내가 내면의 소리를 따라 마치 뭔가 알 수 없는 힘에 이끌리듯 가슴속의 한을 풀어내고 있었다.

춤이 끝나자 여기저기에서 환호성이 들리고 참가자들은 일제히 일어나 열광적인 박수를 보내주었다. 내면의 소리를 듣고 마음의 장단에 맞춰 춤을 추면 어떤 격식이나 근사한 외양보다도 더 큰 치유의 힘이 생기고 사람들의 마음과 마음을 연결할 수 있다는 것을 확신하게 된 순간이었다.

이후 스페인 지중해 섬 테네리프에서 '댄스 테라피dance therapy 지도자 과정'에 참석하면서부터 댄스 테라피는 내가 무척 즐겨하는 영성 수련과 치유의 방식이 되었다. 집단 상담이나 영성 수련이 이루어지는 곳들은 대부분 기가 막힌 자연 속에 있다. 작지만 편안하게 꾸며진 숙소는 창문을 열면 바로 바다가 보이는 아름다운 곳이었다. 눈부신 바다를 내려다보면서 보름 동안 내 몸의 장단에 맞춰서 마음껏 춤도 추었고 댄스 테라피 전문가들과 심리 치료에 대한 깊이 있는 공부도 할 수 있었다. 여기서 이루어진 공부는 도서관에서와는 달리 머리가 아닌 가슴으로, 몸으로 하는 공부였다.

춤의 나라 스페인에서의 공부는 내 인생에서 내면 속에 춤추는 아이dancing child를 생생하게 만날 수 있는 촉진제가 되었다. 이렇게 내면의 선율을 찾는 일은 자신을 표현하기 힘들어하는 사람들에게 매우 효과적으로, 스스로를 직접적으로 즐겁게 드러낼 수 있게 하는 치유의 힘이 있다. 특히 어린 시절 깊은 마음의 상처로 인해 억눌려 있거나 무의식 깊숙이 남아 있는 분노의 앙금이 신체에 영향을 끼쳐 나타나는 정신 신체적psychosomatic 문제를 치료하는 데 확실한 도움을 준다. 너무나 근엄하고 점잖아서 저런 사람이 과연 춤을 출 수 있을까 하는 경우라도, 마음을 풀고 몸을 움직이게 하면 결국 깊은 구석에 숨어 있는, 어린애와 같은 자아가 환하게 드러나면서 자신을 놀랍게 변화시키곤 한다.

또 댄스 테라피는 서로 분리되어 있던 몸과 마음과 영혼을 연결시켜 전인적인 조화를 이루도록 돕고, 나아가 다른 사람과도 즐겁게 놀 수 있도록 해준다. 마음의 담을 쌓고 서로를 소외시키는 현대 사회에서 감정적·정신적·신체적 질병에 시달리는 사람들이 행복한 관계를 경험할 수 있도록 하는 데에도 큰 도움이 된다.

잘 추어야겠다는 생각, 남에게 내가 지금 어떤 모습으로 비춰질까 하는 생각을 던져버리고 몸과 마음을 음악에 풀어놓을 때, 자신의 몸으로부터, 시선으로부터, 생각으로부터 해방되는 것을 맛볼 수 있다. 음악이 느껴지는 대로, 몸이 흐르는 대로, 그야말로 있는 그대로의 자신을 받아들이는 것, "너희가 어린아이와 같지 않으면 천국에 들어오지 못하리라" 한 성경의 말씀처럼 어린아이처럼 찧고 까불면서 자신을 흐름에 맡겨둘 때, 그 순간 우리는 천국을 경험하게 된다.

표현 예술 치료expressive art therapy라는 말이 있다. 그것은 놀이, 웃음, 춤, 미술, 음악, 드라마 등 다양한 놀이와 예술을 이용해 인간의 상처에 자연스럽게 접근하는 방식으로 상처를 단단히 싸고 있는 생각과 느낌의 껍질을 무장해제하도록 이끌어준다. 함께 웃고 노래하고 춤추는 사이에 내 속에 담겨 있던 고통과 대면하게 되는데, 그 순간 그것들은 더 이상 나를 괴롭히는 흉기가 아닌 나를 지지해 주는 아름다운 도구로 바뀌게 된다.

"나는 즐거움이 사랑만큼 중요하다고 믿는다. 사람들이 인생에서 무엇이 가장 중요하냐고 물으면 근본적으로 '즐기는 것'이라고 말한다. 그것이 춤을 추는 일이든, 정원을 가꾸는 일이든, 탁구를 치는 일이든, 아니면 글을 쓰는 일이든…… 생명은 진정 기적이고 살아있음은 참으로 기쁜 일인데 왜 1분이라도 낭비를 한단 말인가!"

이것은 웃음 치료를 했던 의사 패치 아담스의 말이다. 웃음 치료, 유머 치료는 댄스 테라피와 같은 예술 치료의 한 분야이다. 웃음은 치유를 위한 강력한 자석이다. 프로이트도 농담을 대단히 중요하게 여겨 이 주제에 대한 책을 썼을 정도이다. 과학이 의학에 지배되자 사랑이나 믿음, 유머 같은 주관적인 치료는 뒷자리로 밀려나게 되었지만, 확실한 건 웃음이 사람들을 원기왕성하고 기분 좋게 만드는 호르몬 분비를 높인다는 사실이다. 또한 호흡과 동맥, 근육 등에도 좋은 영향을 미친다. 정신 건강의 토대가 되어주는 유머는 개인뿐 아니라 사회 문제를 치료하는 데도 중요한 역할을 한다.

사람들에게 상처를 주기보다 기쁨과 즐거움을 가져다주는 삶을 원한다면 유머를 배우라고 권하고 싶다. 유머는 깊은 고통을 치료하는 가장 좋은 해독제이다.

그런 '장난'이나 '유머'를 일상 속에 젖어들게 하려면 먼저 우리의 굳은 몸과 굳은 마음부터 풀어야 한다. 그러기 위한 가장 좋은 방법이 춤이다. 이트와트 대회로부터 시작된 나의 춤은 아무리 나이를 먹어도 결코 멈추지 않을 것 같다. 남의 가락이 아닌 내 마음의 장단에 맞춰 춤추는 삶을 살기 위해서.

"마치 아무도 당신을 지켜보지 않는 것처럼 춤춰라. 마치 이전에 어떤 상처도 받지 않은 것처럼 사랑하여라. 마치 아무도 당신의 소리를 듣지 않는 것처럼 노래하라. 마치 이 땅 위에서 천국에 있는 것처럼 살아라."

나, 빛나고 있는 거야

 자기만의 장단을 찾아 춤추며 살아가는 사람들이 있다. 하지만 그들이 자신만의 장단을 찾기까지 걸어간 길은 결코 쉽지 않았을 것이다. 세상으로부터 외면당하고 자신과도 끊임없는 싸움을 벌였을 것이다. 언젠가 소리꾼 장사익과 기인 피아니스트 임동창의 공연을 본 적이 있다. 그들은 각자 자신의 소리를 내고 악기를 연주하지만 절묘하게 아름다운 하모니를 만들어내었다. 마음의 장단을 찾은 사람끼리는 이렇게 서로 통하는 법이다.

우리는 세상의 장단, 남의 장단에 맞춰 진정한 나를 잃어버린 채로 마치 꼭두각시처럼 살아가기 쉽다. 그 어디에도 '나'는 없다. 그러나 자기만의 장단과 가락을 지니지 않고 태어난 사람은 없다. 우리가 할 일은 바로 그 마음의 장단을 찾는 것, 다른 사람의 장단에 맞춰 살던 삶을 중단하는 것이다. 마음의 장단에 맞춰 춤을 추는 삶을 살게 되면 인생은 절로 신이 나고 행복할 수밖에 없다.

나는 집단 상담 프로그램을 진행할 때 댄스 테라피를 이용해 참석자들로 하여금 음악과 율동으로 몸과의 대화를 시도하도록 이끈다. 어린아이처럼 마음껏 춤추고 뛰어노는 가운데 몸과 마음의 긴장을 풀고 영혼을 고양시켜 무의식 세계에 숨어 있는 상처를 끌어내 치유하도록 하는 것이다.

먼저, 준비한 음악을 통해서 자기 안의 가락을 찾도록 한다. 자연스럽고 편안한 상태에서 음악에 자기를 싣고 자기 안의 흥겨운 가락을 찾아보게 한다. 다른 사람의 동작을 따라 하기보다는 자기만의 독특한 가락을 찾으려고 애쓰는 것, 다른 사람을 위해서가 아닌 바로 나를 위한 장단, 그 장단에 맞춰 춤을 추는 것이 중요하다.

음악에 자신을 맡긴다는 건 박자에 맞춰 춤을 추는 게 아니라 마치 다음 박자를 모르는 사람처럼, 바로 다음 순간에 어떤 곡이 나올지 모르는 사람처럼 한 음 한 음을 타고 그저 온 몸과 마음을 맡긴다는 것이다. 한 음이 날아와 내 팔을 들어 올리듯이, 또 한 음이 날아와 나의 어깨를 툭 치듯이 그 음에 반응하는 것이다. 내가 음악보다 앞서가는 것이 아니라 음악이 이끄는 대로 음악의 뒤를 따라간다는 말이다. 말하자면 음악이 나를 움직이도록 나를 맡긴다는 뜻이다.

몸과 마음이 자유로울수록 음악에 내어맡기는 일이 자연스러워진다. 그러나 집단 상담 프로그램을 진행해 보면 빠른 음악이 나오든 느린 음악이 나오든 전혀 몸을 움직이지 못하는 사람들이 많다. 그런 사람들은 눈을 마주치려고 해도 피하는 경우가 많다. 또 어떤 사람은 자기도 모르게 남의 동작을 따라 하거나, 계속 같은 동작만 반복하기도 하고 음악과 상관없이 손뼉만 치기도 한다.

자기의 장단을 찾기 어려워하는 이유는 다른 사람을 의식하기 때문이다. 그것은 마치 내 장단이 아닌 아버지의 장단에 맞춰서 살고, 어머니의 장단, 세상의 장단, 다른 사람들의 장단에 맞춰서 사는 것과 똑같다. 그런 삶이 행복할 리 없다. 마음의 장단을 잃어버린 삶은 가짜 삶이다. 우리 마음에는 모두 신이 주신 자기만의 고유한 장단이 있다. 댄스 테라피는 바로 그 장단을 찾아가는 하나의 과정이다. 자신의 마음의 장단에 맞춰 춤을 춘다는 것은 닫힌 마음의 문을 여는 것과 같다. 마음의 장단에 맞춰 춤추듯 삶을 산 사람들이 행복한 이유가 바로 거기에 있다. 내가 인도하는 집단 상담 참가자가 자연과의 대화 시간에 겨울 밤하늘의 별이 추위 떨고 있는 것처럼 보여서 이렇게 물었다고 한다. "너 떨고 있니?" 그러자 별이 대답했다. "아니, 난 빛나고 있는 거야." 자기 마음의 장단에 맞춰 춤을 춘다는 것은 이렇게 자기만의 눈으로 세상을 읽어내는 일과도 같다.

우리는 마음의 장단을 찾아가는 과정에서 치유되지 않은 부정적인 감정들과 상처를 대면하게 된다. 자기만의 가락에 맞춰 춤을 추려면 자기 안의 상처를 만나고 치유해야만 한다. 그러려면 "너 수치심아, 너 두려움아……" 하고 그것과의 대화를 시도해야 한다. 일단 몸이 자유로워져야 그동안 들여다보지 못했던, 무의식에 감추어진 감정들 — 수치심, 두려움, 불안, 억울함, 죄책감, 열등감, 외로움 등 — 을 만나게 된다. 또 신체의 각 부분을 느끼고 받아들이면서 몸과의 대화도 시도해 본다. 그리고 사랑의 메시지를 보낸다. "다리야, 그동안 잘 돌봐주지 못해 미안해. 엉덩이야, 그동안 널 무시하고 거절하고 부끄럽게 여겨서 미안해. 널 너무 오랫동안 문 밖에 세워두었어! 정말 미안해. 힘들었지? 사랑해 주지 못해서 미안해. 가슴아, 이제부터 내가 너를 잘 돌봐줄게."

누군가 나에게 꼭 해주었으면 하는 말, 마치 신이 나에게 해주실 것 같은 말을 자신한테 들려준다. 신이 나를 대하듯 나 자신을 가슴으로, 따뜻한 사랑으로 대하는 것이다.

가슴이 터지도록 뜨거운 사랑의 포옹

지금까지 몇 번이나 감격어린 포옹을 받아보았는가? 다른 사람을 몇 번이나 가슴이 터지도록 뜨겁게 포옹해 보았는가? 누군가로부터 가슴 벅차오를 정도의 포옹을 받아보거나 누군가를 그렇게 포옹해 보기 전까지 우리는 우리의 가슴이 얼마나 뜨겁게 활활 타오르고 있는지 알지 못한다.

다른 사람을 껴안기 위해서는 먼저 자신의 가슴을 열어젖혀야 한다. 나를 드러내지 않고서는 남을 껴안을 수 없다. 진정으로 사랑을 주고받기 위해서는 반드시 자신을 상처받기 쉬운 상태, 곧 가슴이 열린 상태가 되어야 한다. 가슴을 활짝 열어 누군가를 껴안으려 할 때 상대방이 나의 사랑을 기꺼이 받아들이고 두 팔을 뻗어 나를 얼싸안을 수도 있지만 반대로 나를 뿌리치고 나의 곁을 떠나버릴 수도 있기 때문에 그것은 상처받기 쉬운 상태이다.

하지만 굳게 팔짱을 낀 채로는 포옹을 주고받을 가능성은 아예 존재하지도 않는다. 이것은 가슴을 열어 상처 입기 쉬운 상태가 되는 것보다도 더 위험한 상태이다. 그렇게 문을 꽁꽁 닫아두면 상처를 받지 않고 안전할 것 같지만 사실은 우리를 죽음과도 같은 상태로 몰아갈 뿐이다. 사랑을 주지 않기 때문에 우리는 고통을 받는 것이다.

사랑의 힘을 믿고 용기를 내어 자신의 사랑을 표현한다면, 그 사랑이 우리를 감싸 안을 것이다. 고통으로부터 벗어나는 길은 먼저 사랑을 표현하는 것이다. 사랑을 고백할 때 우리 안에 있는 사랑의 영이 깨어난다. 우리가 할 일은 그 사랑의 영을 의지하고 따르는 것뿐이다.

당장 오늘 저녁이라도, 함께 있는 식구들부터 끌어안아 보자. 이 세상에서 가장 반가운 사람을 만나는 것처럼, 저 멀리서 달려와 와락 안기는 어린아이처럼 아무런 생각 하지 말고, 판단하지 말고, 자신의 존재를 전부 다 맡긴 채로 안아보고 안겨보자. 매일매일 순간순간 가슴을 활짝 열어 두 손을 높이 쳐들고 반가움에 두 눈을 크게 뜨고 소리를 지르며 그 사람을 향해 달려가 보라.

그리고 가슴속으로 이렇게 말해보라. "나는 지금 이 세상에서 가장 반가운 사람을 만나러 간다, 나를 위해서 먼 길을 와준 천사님을……" 그리고 정말 온 몸과 마음으로 가장 반갑게 아내를, 남편을, 자녀를, 부모님을, 친구를 끌어안으라. 이것이 당신이 할 수 있는 최고의 선택이다. 끌어안는 것보다 좋은 약은 없다. 이것은 이미 임상 결과에서도 증명한 사실이다.

상상 여행: 세상에서 가장 편안한 여행

조용히 눈을 감고 편안히 누워 상상 여행을 떠나봅니다. 이때 조용한 음악을 틀어놓는 것도 도움이 됩니다. 먼저 숨을 의식하면서 천천히 들이마시고 내쉬고를 반복합니다. 모든 것을 훌훌 털어버리고 조용한 숲속으로 들어가는 상상을 합니다. 아름다운 숲길을 나 혼자 걷고 있습니다. 시냇물이 졸졸졸 흐르고 예쁜 새들이 지저귀는 소리가 들립니다. 아름다운 산속 깊은 곳에 작은 호수가 하나 있습니다. 그 호수에 걸터앉았습니다. 그리고 그 호수에 자신의 얼굴을 비춰보며 이렇게 물어봅니다.

"나는 지금까지 무엇을 위해 살았는가? 나는 지금 어디를 향해 가고 있는가? 정말 내가 바라는 삶을 살고 있는가? 내가 정말 원하는 삶은 어떤 것인가?"

"내가 정말 원하는 삶은 이런 것이다. 나는 이런 사람으로 기억되고 싶다. 내가 이 세상을 떠날 때 사랑하는 사람들이 나를 이렇게 기억해 주었으면 좋겠다. 내 맘에 꼭 드는 이미지, 내가 정말 원하는 삶의 빛깔은 이런 색깔이다"라고 표현할 수 있는, 마음에 꼭 드는 단어나 문장을 떠올려보세요. 그 단어나 이름이 편안한가요? 마음에 드나요?

자신의 마음에 꼭 드는 별칭을 지어보세요. 길어도, 짧아도 상관없고, 자연물을 가리키는 것이나 기분을 표현하는 단어나 외래어도 좋습니다. 무엇이든 '나'를 나타낼 수 있는, 내가 가장 되고 싶고 원하는 것이면 됩니다. (예를 들어, 호수, 룰루랄라, 기쁨, 있는 그대로, 아침, 댄서 등)

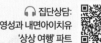

집단상담:
영성과 내면아이치유
'상상 여행' 파트

❀ 내 마음에 꼭 드는 느낌, 이미지는?

_____

_____

_____

_____

_____

❀ 내 마음에 꼭 드는 단어나 문장은?

_____

_____

_____

_____

_____

❀ 내가 정말 원하는 삶은?

_____

_____

_____

_____

_____

_____

내 안의 장애물 찾기

나의 성장과 행복을 가로막고 있는 장애물은 아직 치유되지 않은 어린 시절의 상처입니다. 어제의 나, 과거의 나는 지금 어디에 있을까요? 과거의 상처는 그것이 치유되지 않는 한 모두 그대로 남아 있습니다. 그 상처를 치유하기 위해 내 안에서 울고 있는 나, 상처받은 내면아이인 나를 만나야만 합니다.

　내 안의 아직 치유되지 않은 상처를 발견하는 것이 곧 치유의 시작입니다. 그 상처의 자리가 곧 치유되어야 할 자리입니다. 아픔의 자리, 고통의 자리, 나를 가장 고통스럽게 한 바로 그 자리가 사실은 잃어버린 나를 발견할 수 있고 또한 나를 치유할 수 있는 성장의 자리입니다.

❋ 지금까지 살아오면서 가장 가슴 아팠던 일, 고통스럽고 수치스럽고 속상했던 일, 죽고 싶을 만큼 섭섭하고 억울했던 일은 무엇입니까? 어떤 사람(일, 사건) 때문입니까? 무엇이 문제입니까? 왜 그렇습니까?

나의 성장과 치유를 가로막고 있는 장애물 찾기

당신의 몸과 마음 그리고 인간 관계와 신과의 관계를 묻는 질문을 통해서 나를 가장 가슴 아프게 한 상처, 내 성장을 가로막고 있는 장애물들을 찾아보세요.

> ❈ 당신은 자신이 좋습니까? 싫습니까? 어떤 점이 좋고, 어떤 점이 싫습니까? ("나는 나의 ~점이 싫다"라는 식으로 작성합니다.)

당신의 몸

> ❈ 당신 몸의 어떤 점, 어떤 부분이 싫습니까? 왜 싫습니까? 구체적으로 적어보세요. ("나는 내 몸의 ~점이 싫다"라는 식으로 작성합니다.)

당신의 마음

지금 조용한 장소에 혼자 자리를 잡고 앉아보세요. 마음속에 아직 치유되지 않은 상처로 인해 남아 있는 부정적인 감정들을 느껴보세요. 지금까지 살아오면서 당신을 가장 가슴 아프게 했던 일(사건, 사람 등)은 무엇입니까? 섭섭하고 속상하고 억울했던 일, 수치스럽고 모멸감을 느낀 일은 무엇인가요? 당신을 가장 화나게 한 일은 무엇입니까? 무엇이 당신을 화나게 합니까? 분노는 장애물 중에서도 가장 큰 장애물입니다. 과거의 일이든 현재의 일이든 좋습니다. 스스로에게 "○○야! 무엇 때문에 그렇게 화가 난 거니?"라고 부드럽고 친절하게 물어보세요. 추궁하듯이 물어서는 안 됩니다. 화를 내는 진짜 이유는 그 밑에 아직 치유되지 않은 상처가 있기 때문입니다. 누군가가 무의식중에 그 상처를 건들기 때문에 화가 나는 겁니다. 그 상처를 대면하는 것이 치유의 시작입니다.

> ❀ 당신을 가장 화나게 했던 일은 무엇입니까? 왜, 무엇이 당신을 그
> 렇게 화나게 했습니까? ("나는 ~ 할 때 화가 난다, 미치겠다, 뚜껑이 열
> 린다"는 식으로 작성합니다.)

❋ 당신의 오래된 부정적인 감정들을 적고, 그것과 관계된 구체적인 사건(특히 어린 시절의 사건)을 적어보세요. (예를 들어, 열등감, 수치심, 절망, 우울, 외로움, 죄책감, 두려움, 불안, 자학, 비교 의식, 질투심 등)

이렇게 부정적인 감정들과 만나고 표현하게 됨으로써 그것들로부터 자유로워질 수 있으며, 다시는 그러한 부정적인 감정들에 이끌리는 삶을 살지 않겠노라 다짐할 수 있게 됩니다.

❋ 지금 당신을 가장 힘들게 하는 것은 무엇입니까? (여기서 중요한 것은 '지금'입니다. 거기가 곧 내가 성장해야 할 자리, 치유의 자리입니다.)

✷ 무엇이 문제라고 생각합니까? 어떻게 하면 그것으로부터 벗어날 수 있을까요? 무엇이 변하면 당신이 행복해질까요?

지금 내가 가장 힘들어하는 바로 그 자리는 아직 치유되지 않은 상처의 자리요, 내가 성장하고 치유되어야만 하는 자리입니다. 두려워하지 말고 그것이 무엇인지 대면하고 깨달아야만 또다시 반복하지 않게 됩니다.

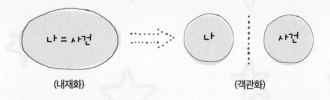

(내재화)　　　　　　(객관화)

내면 치유의 시작과 목표는 내면화되어 있는 상태를 표출시키는 데 있습니다. 이때 특히 중요한 것은 그 사건이 나에게 일어났던 것은 사실이지만 그렇다고 해서 그것이 나의 존재에 어떤 영향을 끼친 것은 아니라는 분명한 인식을 갖는 것입니다. 과거를 바꿀 수는 없습니다. 하지만 과거를 바라보는 나의 시각은 바꿀 수 있습니다. 문제는 일어났던 사건 자체보다도 그 사건을 받아들이고 해석하여 나 스스로 내면화시킨 나의 시각입니다. '내가 그 일을 어떻게 보고 있느냐?'가 더 중요합니다. 사건을 사건 자체로 객관화했는가, 아니면 그 일이 나의 존재 자체에 어떤 영향을 끼친 것— '나는 더 이상 깨끗하지 않다' 혹은 '내가 문제야' '나는 나쁘다' 등—으로 그 일과 나를 동일시했는가 하는 것입니다. 치유를 원한다면 자신을 야단치고 비판하는 자세부터 버려야 합니다.

어린 시절 부모와의 관계 경험(긍정적)

우리 삶의 대부분은 최초로 나를 돌봐준 사람, 곧 부모님에 의해 결정됩니다. 따라서 어린 시절 부모와의 경험 가운데 좋았던 경험(또는 구체적인 사건)이나 좋지 않았던 경험을 떠올려보는 것이 중요합니다.

먼저 당신의 부모 혹은 부모를 대신해서 당신을 키웠거나 부모 같은 역할을 했던 초기 양육자가 당신을 소중하게 대해준 경험(구체적인 사건)부터 떠올려봅니다. 아래의 이미지들을 참조하여 질문에 답해 봅니다.

부모에 대한 이미지들의 예

따뜻한, 인자한, 지지적인, 친근한, 자상한, 열성적인, 관심 있는, 잘 들어주는, 믿어주는, 부지런한, 용돈을 잘 주는, 관심 있는, 밝은, 깨끗한, 푸근한, 다정다감한, 상냥한, 믿음직한, 사려 깊은, 지혜로운, 현명한, 음식을 잘 하는, 예쁜, 가정적인

차가운, 인색한, 슬픈, 무관심한, 고집스러운, 편파적인, 무심한, 술 취한, 소리 지르는, 독재적인, 융통성 없는, 난폭한, 무서운, 꼬치꼬치 따지는, 게으른, 화난, 고지식한, 예민한, 신경질적인, 권위적인, 강압적인, 짜증스러운, 앞뒤가 꽉 막힌, 속 터지는, 변덕스러운, 믿을 수 없는, 불안한, 파괴적인, 대책 없는, 많이 우는, 무책임한, 한숨짓는, 통제적인, 기계적인, 말 많은, 꼼꼼한, 엄격한, 일을 많이 하는, 둔한, 예민한, 말이 없는, 지저분한

어린 시절 부모에 대한 기억들을 떠올려봅니다. 현재의 부모에 대한 기억이 아니라 어린 시절의 기억들을 떠올려야 합니다. (A)란에는 부모의 부정적인 특성들을 형용사로, (B)란에는 부모의 긍정적인 특성들을 씁니다. A와 B를 합친 것이 당신의 부모에 대한 이미지입니다. A와 B 중에서 당신에게 가장 크게 영향(부정적이든, 긍정적이든)을 끼쳤다고 생각되는 항목들에 동그라미를 긋습니다.

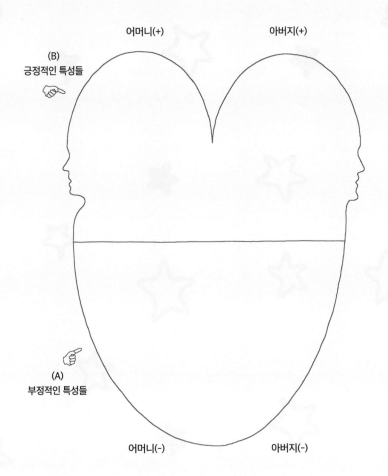

✤ 당신은 아버지의 어떤 점이 닮고 싶었습니까?

✤ 당신은 어머니의 어떤 점이 닮고 싶었습니까?

이번에는 부모(양육자)와의 관계 속에서 상처받았던 일, 자신이 비참하고 수치스럽고 사랑할 수 없는 존재로 느껴졌던 경험(구체적인 사건)을 떠올려봅니다. 그런 다음 부모와의 관계에서 비롯된 부정적인 기억들, 상처가 되는 기억들, 거절감, 꼭 받았어야 할 충분한 관심과 사랑을 받지 못했던 것들, 부정적인 메시지들을 찾아 적습니다. 중요한 것은 부모님으로부터 꼭 받기를 원했음에도 받지 못했던 것이 무엇인지를 찾는 것입니다. 꼭 바랐던 것을 받지 못했을 때 성인이 된 후에도 의식적·무의

식적으로 그것을 채우러 쫓아다니고 그것을 찾을 때까지는 내면 속에서
마치 구멍 뚫린 컵처럼 채워지지 않는 공허감을 느끼게 됩니다.

어린 시절 아버지와의 관계 경험(부정적)

❋ 당신의 아버지에 대한 나쁜 이미지는 무엇입니까?

❋ 당신은 아버지의 어떤 점이 싫었습니까?

✽ 미해결 과제 unfinished business. 다음 문장을 완성해 보세요.

내가 아이였을 때 아버지로부터 정말 받기를 원했지만 받지 못한 것은

_____

_____ 이었다.

그것은 _____

_____

_____ 때문이었다.

아이로서 내가 느낀 감정들 중에 반복적으로 느꼈던 부정적인 감정은

_____

_____ 이었다.

어린 시절 어머니와의 관계 경험(부정적)

> ✽ 당신의 어머니에 대한 나쁜 이미지는 무엇입니까?

✤ 당신은 어머니의 어떤 점이 싫었습니까?

✤ 미해결 과제. 다음 문장을 완성해 보세요.

내가 아이였을 때 어머니로부터 정말 받기를 원했지만 받지 못한 것은

_____

_____ 이었다.

그것은 _____

_____

_____ 때문이었다.

아이로서 내가 느낀 감정들 중에 반복적으로 느꼈던 부정적인 감정은

_____

_____ 이었다.

최초로 자기를 돌봐주는 사람의 눈에 의해 자기 이미지self-image가 형성
됩니다. 내 자신을 내가 어떻게 바라보고 있는가 하는 문제는 나를 돌봐
준 사람이 나를 어떻게 바라보았는가와 정확히 일치합니다. 우리가 소중

하고 특별한 존재라는 것을 계속 느끼려면 어렸을 때 보호자의 시선을 통해서 자신의 특별함과 소중함이 확신되었어야만 합니다. 우리 모두는 아주 깊고 심오한 가치를 지니고 태어났으며, 소중하고 독특하고 특별하며 순수합니다. 그러나 어린아이였을 때의 우리는 미성숙한 채로 보호자에게 전적으로 의지할 수밖에 없습니다.

나를 돌봐준 부모(양육자)의 시각 그대로 나는 내 자신을 바라보게 됩니다. 그린 의미에서 가족이란 부모의 눈을 동해서 우리 자신의 모습을 처음으로 발견하는 곳입니다. '가족 체계 안에서의 나'를 보지 않으면 내가 누구인지를 알 수 없습니다.

인간 관계 경험: 어린 시절 나에게 상처를 준 사람들/사건들

❋ 다른 사람들(조부모, 친척, 친구, 상사, 이웃, 선생님 등)과의 부정적인 관계 경험을 적어보세요. 현재에도 다른 사람과의 인간 관계를 가로막고 있는, 반복되는 상처들은 무엇입니까? (예를 들어, "나는 나이 먹은/나이 적은 남자/여자하고 관계에서 계속 동일한 문제가 생긴다.")

신(하나님)과의 관계

대상관계이론과 종교심리학에 의하면, 신에 대한 이미지는 부모님의 이미지와 깊이 연관되어 우리의 의식과 무의식 속에 형성된다고 합니다. 그러므로 성인이 되더라도 어린 시절에 부모를 통해서 깊이 각인된 신의 이미지 중에서 그 제한적이고 부정적인 이미지에 대한 내적 치유가 없이는, 온전한 신의 이미지를 가질 수가 없는 것입니다. 그러므로 가족 체계 속에서 내가 어떻게 형성되었는지, 그중에서도 특별히 나의 존재 가치가 어떻게 학습되었는지, 또한 이것이 나의 신에 대한 이미지를 형성하는데 어떠한 영향을 주었는지 명확히 알기 전까지는, 나는 아직 진정한 나를 모르는 상태라고 할 수 있습니다.

❀ 신(하나님)은 당신에게 어떤 분입니까? 사랑의 하나님입니까? 심판의 하나님입니까? 당신이 힘들고 지칠 때 편하게 찾아갈 수 있는 친구입니까? 신에 대한 당신의 느낌과 이미지는 어떻습니까? 기독교인이 아니라도 신적인 것에 대한 이미지는 갖고 있게 마련입니다.

  나의 신(하나님)에 대한 이미지(느낌)는 _____

_____

_____

_____

_____ 입니다.

❋ 어린 시절 당신에게 신의 이미지는 무엇이었습니까? (예를 들어, 구름, 나무, 바다, 산, 불, 아니면 어떤 사람, 산신령, 키다리 아저씨, 산타 클로스 등)

장애물을 찾아내기 위해 더 필요한 질문들

❋ 지금까지 살아오면서 당신을 고통스럽게 했던 사건이나 사람은 누구입니까?

❋ 당신은 그것에 어떻게 반응했습니까? (그런 일은 없었다고 부정했나요? 속에 꾹꾹 눌러 억압했나요? 아니면 그것을 피해 도망쳤나요?)

✿ 지금 당신은 그 경험으로부터 얼마나 자유롭습니까? 무엇이 달라졌습니까?

✿ 당신은 그 고통의 경험을 통해서 무엇을 배웠으며, 지금은 치유의 과정 중 어디에 있습니까?

앞에서는 부모(양육자)와의 관계에서 만들어진 장애물이 어떤 것들인지, 그리고 그 외에 또 다른 방해 요소들이 무엇인지 찾아보았습니다. 우리의 이미지는 다 연관되어 있습니다. 그중에서도 중요한 것은 부모와의 관계 경험입니다. 그리고 우리가 갖고 있는 신의 이미지도 부모와의 관계 경험과 밀접하게 연관된다는 것을 알았습니다. 우리의 성장과 치유를 가로막는 방해 요소의 대부분은 이처럼 주로 부모님께로 온 것이기 때문에 이것을 알아내는 것이 중요합니다. 우리가 장애물을 찾아낼 수만 있다면 앞으로의 우리의 삶은 얼마든지 달라질 수 있습니다.

자 기 사 랑 셋

내 안의 장애물을
제거하라

당신은 누구입니까?

당신의 이름이 당신입니까?

만약 당신이 다른 이름을 사용하면, 그럼 당신이 아닙니까?

당신의 직업이 당신입니까?

직장과 직위가 당신인가요?

그러면 당신이 다른 직업을 가진다면 당신이 아닙니까?

당신은 누구입니까?

부모님의 딸, 혹은 아들, 한 여자의 남편, 혹은 한 남자의 아내,

아이들의 아빠 혹은 엄마, 그것이 당신입니까?

당신은 지금까지 누구의 가족으로, 어떤 역할로 살아왔습니까?

그 역할이 당신입니까?

당신의 몸이 당신입니까?

어떤 얼굴에 몇 킬로그램의 몸무게에

몇 센티미터의 키, 그것이 당신입니까?

그렇다면 당신이 만약 온몸에 화상을 입거나

어떤 장애를 갖게 된다면 더 이상 당신이 아닙니까?

당신의 소유가 당신입니까?

돈, 집, 차, 명품 그것이 당신입니까?

당신의 마음이 당신입니까? 어떤 마음이 당신입니까?

오늘은 이런 마음이고, 내일은 저런 마음인데

어떤 마음이 진짜 당신입니까?

당신은 누구입니까?

당신이 하고 있는 '생각'이 당신입니까?

생각이란 오고 가는 것인데 무엇이 당신 생각입니까?

당신은 이 질문에 대답해야만 합니다.

당신은 진정 누구입니까?

누구나 아름다운 출생 이야기를
들을 권리가 있다

 이 세상에 태어난 사람은 누구나 부모로부터 아름다운 출생 이야기를 들을 권리가 있다. 그러나 그렇지 못한 경우가 얼마나 많은가?

분석심리학자들과 심리치료사들의 연구 결과에 의하면, 우리가 어린아이였을 때 부모가 어떻게 대했는가, 그리고 어떻게 사랑해 주었는가에 따라 자신에 대한 자존감과 인간 관계의 형성 방식을, 그중에서도 특별히 사랑을 주고받는 방법을 학습하게 된다고 한다. 이것은 자신의 '출생 이야기'와 아주 밀접하게 연관되어 있다.

흔히 어렸을 때 부모님이나 주위 친척들로부터 듣게 되는 자신의 출생 이야기를 크게 나누어보면 부모가 간절히 원하고 준비해서 태어난 경우와, 전혀 바라지 않았거나 어쩔 수 없어서 낳게 된 경우가 있다. 후자의 경우, 태어난 사람의 삶에 심각한 영향을 초래할 수 있다. 자신이 '원치 않는 아이unwanted child'였음을 알게 된 사람이 스스로에 대해 자긍심을 갖기란 어려울 수밖에 없다.

내가 상담했던 한 여성은 늘 스스로에 대해 심한 콤플렉스와 완벽주의 성향을 가지고 있었다. 게다가 어떤 남성이 자신에게 사랑을 고백해 와도 그 남성을 전혀 신뢰하지 못하고 사랑을 받아들이기도 어렵다고 호소했다. 이 여성은 자기 자신을 소중하고 독특하며 특별한 존재로 바라보지 못하고 있었다. 그녀는 무의식 깊은 곳에서 스스로를 자학하며 무가치하다고 여기고 있었을 뿐만 아니라, 남들 앞에서 이러한 약점을 보이지 않기 위해서 더욱더 거짓된 자아pseudo self(완벽주의)로 자신을 위장하게 되었고, 주위 사람들이 자신을 남들보다 훨씬 특별하게 대해주지 않으면 분노를 터트리곤 했다. 남들에게 잘 보이고 칭찬받기 위해서라면 무슨 짓이든 했지만, 언제나 공허하고 외로웠으며 심한 절망감에 사로잡힌다고 털어놓았다.

그녀의 불행은 어머니가 아들 낳기를 몹시 기대한 데서 기인했다. 아이가 딸이라는 것을 안 뒤에 실망한 나머지 온갖 방법을 동원해 떼려고 했던 것이다. 그러나 실패하여 불행하게 자신을 출산했다는 이야기를 아주 어렸을 적부터 듣고 자랐다.

이 세상에 태어나기도 전에 어머니의 자궁에서부터 이미 버림받은 그녀의 깊은 상처와 아픔을 어떻게 치유할 수 있을까? 이 여성으로 하여금 진정한 사랑을 느끼게 한다는 것은 마치 밑 빠진 독에 물 붓기와도 같다고 할 수 있다. 이 여성은 지금까지 진정한 사랑을 위해 새로운 남자를 찾아 헤맸지만 사람만 바뀌었을 뿐 언제나 그 결과가 똑같았다. 자기 자신을 진정으로 사랑할 수 없는 사람이 다른 사람을 진정으로 사랑한다는 것은 있을 수 없는 일이다.

"내가 나를 어떻게 바라보느냐"는 "부모가 나를 임신할 당시에 나를 위해 얼마나 준비했는가"와 깊은 관련이 있다. 내가 이 세상에 태어났을 때 부모로부터 환영을 받았는지, 아니면 오히려 내가 가족을 위해 부모의 감정이나 욕구 해소의 대체물로 태어났는지, 부모들이 미처 해결하지 못한 무의식적인 문제들을 떠맡고 있는지에 따라 영향을 받는 것이다. 그러므로 사전 계획도 없는 아이를 갖거나, 거의 강간과도 같은 상태로 임신한 경우, 알코올에 취한 상태로 임신해서 아이를 출생하는 일은 매우 심각한 일이며, 나아가 중대한 범죄라고 할 수 있다.

출생 이후 세 살까지의 기간도 무척 중요한 시기이다. 그때 보호자가 어떤 시선, 어떤 감정으로 대하느냐에 따라서도 아이가 스스로를 대하는 생각이나 태도가 달라진다.

우리는 살아가면서 모든 것이 마음에서 비롯되고, 어떻게 마음먹느냐에 달려 있음을 자주 체험하게 된다. 그런데 바로 이 '마음'은 자기가 자신을 어떻게 대하느냐에 따라 긍정적으로 흐르기도 하고 부정적으로 흐르기도 한다.

내 속에 또 다른 내가 있다

내 안의 치유되지 않은 상처를 발견하는 일이 곧 치유의 시작이다. 상처 입었던 과거의 모든 느낌은 모두 지금 여기에 있다. 그 상처의 부분, 손상된 상태에는 수치심이 깊숙이 자리 잡고 있다. 내 안에 울고 있는 나, 상처 입은 나를 만나줄 때, 그래서 모든 부정적인 생각, 아픈 기억, 메시지, 죄책감, 수치심을 내 안에서 제거해 나아갈 때 비로소 치유가 시작된다.

장애물은 밖에 있는 것이 아니고 내 안에 있다. 아니, 장애물은 실제로는 존재하지 않는다. 내가 스스로 그것이 있다고 믿고 있을 뿐이다. 그것을 깨달아 알 수 있으면 장애물을 스스로 치울 수 있지만 깨닫지 못하면 그것이 나를 가로막고 심지어 조종하기까지 한다.

그러나 어떤 문제도 어느 한 사람만의 개별적인 것인 경우는 없다. 특히 어린 시절의 상처는 가족 전체가 그 문제의 원인인 경우가 대부분이다. 가족이란 우리의 모습을 비추는 부모의 눈을 통해 우리 자신의 모습을 처음으로 발견하는 곳이기 때문이다. 그렇기 때문에 '개인 중심적 인간 이해'가 아닌 '가족 중심적family-focused 인간 이해'로 사고의 패러다임을 전환할 필요가 있다. '가족 체계 안에서의 나'를 보지 않으면 내가 누구인지 알 수 없고, 그 문제를 만들어낸 본산지라고도 할 수 있는 가족의 구조적·체계적 변화 없이는 문제가 해결되지 않는다.

치유는 새로운 가족 관계를 경험함으로써만 가능하다. 이 새로운 가족 관계가 바로 우리 모두가 바라는 '치유적 관계therapeutic relationship'이다. 내가 누군가에게 받아들여질 때 나도 내 자신을 받아들이게 된다. 누군가에게 받아들여지는 치유적 관계를 경험함으로써 스스로 자신의 상처를 받아들이게 되고, 그 상처를 입은 내 안의 내면아이를 끌어안을 때에만 진정한 치유가 가능하다. 내면아이란 바로 내가 받아온 좋지 못한 교육과 환경에 의해 무시하고 등한시했던 나의 잃어버린 부분, 곧 그림자shadow이다. 내가 사랑해 주지 않았던 그 부분을 소중하게 받아들일 때 손상된 인격의 조화와 화해가 이루어지며 비로소 자유로움을 경험하게 된다.

아빠! 울지 마! 나, 이제 괜찮아!

 중2 아들을 앞세우고 엄마가 상담실을 찾아왔다. 아이는 귀에 이어폰을 꽂은 채로, 줄곧 게임기만 만지작거리고 있다. 상담실에 들어오자마자 소파에 풀썩 주저앉더니, 고개를 푹 숙이고 온통 게임기에만 정신이 팔린 채로, 한쪽 다리를 계속 떨고 있다.

상담사인 내가 거기에 있는지조차 전혀 의식하지 않고, 아예 눈도 맞추려 하질 않는다. 아이는 어느 한곳을 자연스럽게 가만히 바라보질 못한다. 잠시도 가만있질 못하고, 하도 두리번두리번거려서 정말 정신이 하나도 없다. 아마도 Diagnosis(정신·신체적 증상에 따라 여러 가지 검사를 실시한 후에, 그 검사 결과에 따라 장애 여부를 결정하는 진단명) 위주로 상담을 하는 상담사라면, 이 아이를 '주의력 결핍 및 과잉 행동 장애(ADHD)'라고 확신할 것이다.

원래 부모님 두 분이 함께 오시기로 약속되어 있었기 때문에, 어머니만 혼자 오신 이유를 물었더니, "아이고, 선생님, 글쎄, 제가 얘 아빠한테 제발 좀 같이 가자고 사정사정을 했는데, 남편이 너무 바쁘기도 하고, 그리고 또… 상담 같은 건 다 쓸데없고 엉터리라면서 자기는 절대 안 오겠다는 거예요. 그래서 할 수 없이 저만 혼자 오게 된 거죠."

나는 가족상담사Marriage and Family Therapist로서 자녀상담을 할 때, 설령 아이의 부모님이 별거 중이거나 이혼을 했다 하더라도, 어떡하든지 부모님을 설득해서, 부모가 자녀상담에 꼭 참여할 수 있게끔, 정말 별의별 노력을 다하는 입장이다. 내가 그렇게까지 할 수밖에 없는 이유는, 자녀상담에 부모가 함께 참여하는 것이, 자녀상담의 효과를 위해 너무나도 필요하고 중요하다는 확신 때문이다. 이것은 이미 과학적으로 수많은 임상적인 연구 결과들을 통해서 반복적으로 확실하게 검증이 된 것이다. 즉, 자녀의 문제는 자녀만의 개인적인 문제가 아니라, 사실은 가족 전체의 문제가 그 자녀를 통해서 드러난 것이기 때문에, 그 자녀의 진정한 치유를 위한다면, 그 자녀를 둘러싸고 있는 가족체계와 가족구조의 결정적인 변화가 필수적인 것이다. 다시 말해서, 가족체계 그중에서도, 가장 중요한 부모들 자신의 체계적인 변화가 있어야만, 그 자녀의 치유 또한 가능하기 때문이다.

나는 이와 같은 가족체계적인 관점Family Systems Perspective에 토대를 둔, 가족체계적 상담사로서의 전문적인 훈련을 받았기 때문에, 또 그동안 내 자신이 상담사로서 수많은 아동·청소년과의 임상(상담) 경험을 통해서, 이러한 사실을 너무나도 절실하게 직접 눈으로 확인을 했기 때문에, 혹여 부득이한 사정으로 부모님 두 사람 모두가 자녀상담에 올 수가 없는 경우라면, 부모 중 한쪽인 아빠와 자녀, 혹은 엄마와 자녀를, 따로따로 만나는 방법을 통해서라도, 어떡하든지 부모를 동반하는 자녀상담만을 여전히 고수하고 있다.(하지만 자녀가 청소년기 이상의 연령이거나, 혹은 성적인 문제나, 폭력이나, 학대가 예상되는 경우라면 별도의 개인 상담이 필요할 수 있다)

그래서 나는, 정말 부득이한 경우를 제외하고는, 부모와 자녀가 함께 상담에 참여하지 않은 채로, 자녀만을 따로 만나는 자녀상담은 거의 하지 않는 편이다. 왜냐하면 자녀들에게 나타나는 문제의 대부분은, 결국엔 거의 100%, 부모들 자신의 문제이기 때문이다.

그래서 나는, 아이의 아빠가 상담에 와야만 하는 이유에 대해서, 아이의 엄마를 잘 설득한 후에, 아내로 하여금 남편에게 전화를 걸게 해서, 남편과 내가 직접 통화를 할 수 있도록 부탁했다. "안녕하세요? 아버님! 지금 많이 바쁘시죠? 아이고, 얼마나 바쁘세요? 그런데 아버님, 지금 아드님 때문에 여기로 꼭 오셔야만 되겠습니다. 지금 아드님이 아주 어려운 상황이에요. 그게 좀 심각해요. 이대로 그냥 놔두면, 아드님이 아주 큰일 나게 생겼습니다. 제가 아버님 오실 때까지 여기서 기다리고 있겠습니다."라고 했더니, 잠시 후에 아이 아빠가 허둥지둥 상담실에 나타났다.

"아니, 도대체 얘가 뭐가 어떻게 됐기에, 이렇게 바빠서 정신이 하나도 없는 사람을 불러 대냐?"며 벌컥 화를 낸다.

아빠들에게 자녀 문제로 상담실에 오라고 하면, 대부분이 바쁘다며 화부터 내곤 한다. 가족들을 위해 돈 버느라 뼈 빠지게 일하는데, 도대체 어떻게 한가하게 상담실 같은 데를 올 시간이 있느냐며 투덜거린다. 그도 그럴 것이 사실 밥 먹을 시간도, 심지어 화장실 갈 시간조차 없을 만큼, 너무너무 바쁘다는 말을 입에 달고 살며, 정말 죽어라 일만 열심히 하고 살아도 이렇게 빠듯한데….

그런데 그렇게 바쁘게 정말 정신 하나도 없이 열심히 일하며 살아가는데, 그럼 그렇게 해서라도 우리 가족이 좀 더 행복해질 수만 있다면… 정말 좋을 텐데…. 과연 그럴까?

"아버님, 정말 잘 오셨습니다. 사실은 제가 아버님을 꼭 오시게 하려고, 아까 약간 과장을 해서 말씀을 드린 점이 있어요. 그런데 그렇게 말씀드리지 않으면, 바빠서 아예 못 오실 것 같아서요. 그렇지만 아드님이 심각한 건 사실입니다. 아무튼 이렇게 와 주셔서 정말 감사합니다. 어서 오세요."

그런데 참 이상한 것은, 아빠가 상담실에 들어오니까, 아이의 증상이 갑자기 아까보다 훨씬 더 심해진 것이다. 아빠와 함께 있게 되니까, 원래 엄마가 아이를 데리고 상담실을 찾을 수밖에 없었던 그 진짜 이유, 그러니까 그 문제가 되었던 그 증상이 곧바로 드러나게 된 것이다.

아빠가 상담실에 들어온 지 얼마 되지 않아서, 아이는 점점 더 심하게 다리를 떨기 시작하더니, 온몸을 양쪽으로 흔들어대고, 눈을 이리로 피하고 저리로 돌리고 힐끗 힐끗거리며 잠시도 안절부절을 못한다. 보기에 너무나 안쓰러울 정도로 몹시 불안해하며, 두 손으로 자신의 몸을 갑자기 꽉 부둥켜안았다가, 갑자기 머리를 뒤로 팍 젖혀댔다가 나중엔 정신없이 막 흔들어댄다. 정말 단 한순간도 가만히 있질 못하는 거다. 아이는 제정신이 아닌 것만 같고, 마치 뭔가에 홀리기라도 한 것처럼 보였다. 그렇게 아이는, 아빠가 상담실에 들어오던 바로 그 순간부터 잠시도 가만있질 못하고 계속해서, 자신을 어떻게 제어하질 못한 채, 어찌할 바를 몰라 하며, 그야말로 난리가 난 것이다.

아이의 문제가 정작 무엇인지, 무슨 심리검사나 다른 진단을 시도해 볼 필요조차 없어져 버린 셈이다. 이미 아이의 모든 문제 증상이 눈앞에 적나라하게 다 드러나 버린 것이다. 그 모든 장면을 유심히 살펴보고 있었던 상담사인 내가, 그 아이 옆에 살며시 가까이 다가갔다. 그리고 귀에 속삭이듯이, 아이에게 숨을 크게 들이쉬고 내쉬도록 일러주었다. 숨을 깊이 들이쉬고 내쉼으로써 긴 호흡을 할 수 있게 이끌어 주었다. 그렇게, 아이가 조금 진정이 되게 한 후에, 아이와 아빠로 하여금 두 사람이 서로의 얼굴을 마주 보고 앉도록 했다.

그리고 두 사람이 서로의 손을 내밀어 두 손을 서로 마주 잡게끔 요청했다. 나의 요청에 따라, 아빠가 아들의 손 위에 자신의 손을 올려놓자, 아이가 더 심하게 요동을 치기 시작했다. 아이는 마치 이 세상에 이토록 몸서리칠 만큼 더 싫은 일은 없다고 할 만큼, 아주 결사적으로 적대적인 반응을 보인다.

그때 내가 아빠에게 물었다. "아버님, 혹시 아드님의 손을 이렇게 잡아 보신 적이 언제쯤인지 기억할 수 있으세요?" 아빠가 가만히 고개를 숙이더니, 고개를 설레설레 흔든다. 한참을 생각하는 것 같더니, 크게 한숨을 쉬면서, "휴우, 단 한 번도 없었던 것 같아요. 이렇게 같이 마주 앉아 본 적도 거의 없었던 것 같아요. 제가 일이 하도 바빠서 ….."라고 하는 것이다.

사실 지금 사춘기를 겪고 있는 이 아들에게 가장 중요한 사람, 그러니까 아들의 인생의 롤 모델Role Model은 바로 아빠다. 그런데 아빠가 너무 바빠서 아들과 함께해 본 시간이 언제였는지조차 전혀 기억이 없는 것이다.

아빠의 말대로라면, 지금까지 두 사람이 이렇게 함께 마주 앉아, 서로의 손을 잡아 본 적이 단 한 번도 없었다. 그런 아빠와 아들이, 지금 서로의 얼굴을 맞대고 마주 앉아 손을 붙잡고 있다. 두 사람이 마주 잡은 두 손 위에, 내가 나의 두 손을 얹어, 두 부자(아빠와 아들)의 손을 꽉 붙들었다.

그렇게 한참이 지난 뒤에 내가 이렇게 말했다. "아버님, 아드님의 손을 이렇게 한번 어루만져 보세요. 사랑스럽게."

아빠는 쑥스러워 그렇게 하질 못한다. "아버님, 제가 하는 것처럼 이렇게, 따뜻하게 아드님의 손을 한번 쓰다듬어 보세요. 그리고 속으로 '지금 나는 이 세상에서 가장 아름다운 사람을 바라보고 있다'고 생각하시면서, 지금 아드님의 눈을 그렇게 사랑스럽게 한번 바라봐 주시겠어요?"

아빠는 아들의 눈을 제대로 바라보질 못한다. 비지땀을 줄줄 흘리면서 고개를 숙인다.

"아버님, 지금 아드님의 눈을 한번만 바라봐 주시겠어요? 네? 아버님, 아드님의 눈을 사랑스럽게 바라봐 주세요!"

아빠는 여전히 아들의 눈을 잘 바라보질 못하고 있다.

"아버님, 정말 아드님의 눈을 이렇게 바라보신 적이 단 한 번도 없으셨다는 거죠? 그동안 이렇게 눈을 바라보면서 함께 대화해 본 적이… 없으셨던… 거죠?"

그러자 아빠가 고개를 절레절레 흔든다.

"왜 그러셨어요, 아버님…? 너무 바쁘셔서…? 그래서 그러신 거예요?"

아빠가 저녁 늦게 집에 들어오면 아이는 자고 있고, 아침엔 아이가 깨기 전에 출근하고, 주말에도 거의 야근을 해야 하기 때문에, 지금까지 아이와 단 둘이 마주 앉아, 함께 대화를 나눠본 적이 거의 없었다고 한다.

도대체 우리의 인생살이는 왜 이런 것일까? 정말 먹고 살기가 너무 어려워서 그런 것인가? 그렇다면 정말 우리는, 무엇을 위해 이렇게도 열심히 달려가고 있는 것인가? 나는 상담사이기 이전에 같은 남자로서, 또 아빠로서, 이런 현실을 생각하며 너무나 마음이 안타까웠다.

그러다 갑자기 영화 속의 한 장면, 유명한 명대사가 생각났다.

"도대체 뭣이 중헌디!"

"뭣이 그렇게도 중허냐고?"

"아버님, 그럼 아무 말씀도 안 하셔도 좋으니까, 그냥 아드님의 눈만 한번 바라봐 주세요."

내가 이렇게 말하는 순간, 아이는 점점 더 난리가 났다. 몸을 계속해서 후덜덜 떠는 속도가 아까보다 훨씬 더 심해진 것이다. 그도 그럴 것이, 아빠하고 이렇게 마주 앉은 것도 처음인 데다 서로 눈을 바라보라니까, 그게 너무너무 쑥스럽고 어색해서 견딜 수가 없게 된 것이다. 아이는 입술을 깨물었다. 갑자기 홱 하고 위 천장을 치켜 올려다보다가⋯ "후~우" 하고 한숨을 내쉬다, 바로 숨이 헉헉 거칠어진다. 어찌할 바를 몰라 하며, 손도 달달 떨고, 고개를 계속해서 이리 저리로 홱홱 젖혀댔다가 또 몸을 이쪽저쪽으로 마구 흔들어대는데⋯ 마치 덫에 걸린 짐승이 쇠고랑에 묶여 너무 갑갑하고 불안한 나머지 난리 법석을 떠는 것처럼 보였다.

그런데 그렇게 한참 시간이 지났는데, 갑자기 아빠가 어렵사리 눈

을 슬그머니 들어, 아주 천천히 아들의 눈을 드디어 힐끗 한번 쳐다
보게 되었다. 그 순간! 아빠는 지금까지 아들이 저렇게까지 몸을 요
동치며 생난리 법석을 떠는 모습을 단 한 번도 직접 본 적이 없었던
것 같았다. 그런 아들의 모습을 처음으로 직접 자신의 눈으로 목도한
아빠는 너무나 큰 충격을 받은 것 같았다. 그런 아들의 모습을 너무
놀란 표정으로 뚱그렇게 쳐다보고 있던 아빠는 너무 속이 상한 것 같
아 보였다. 그러다 갑자기, 아빠가 "으… 아… 악…!" 하고 목놓아 울
어 젖히기 시작한 것이다. 그리고 서럽게 통곡하기 시작했다. 아빠의
통곡은 그렇게 한참 동안 계속되었다.

아들은 아빠가 우는 모습을 태어나서 처음, 눈으로 직접 목도하게
되었다. 지금 아빠의 뜨거운 눈물이, 아빠의 손을 붙잡고 있던 아들
의 손등 위로, 계속해서 떨어지고 있었다. 속으로 아들은 생각한다.

'어! 아빠가 운다. 근데 아빠가… 왜 울지? 나에게 화가 나서 우는
건 아닌 것 같은데… 왜 울지? 속상해서 그러는 건가? 나 땜에? 아님?
날 걱정해서… 그러는 건가? 흠… 아무래도 그런 것 같다…. 어! 그래
서 우는 거구나. 아빠가… 그러니까, 나 땜에… 속상해서… 근데 뭐
가 속상한 거지? 흠… 내가 잘못될까 봐… 흠… 나를 걱정해서….'

조금 전까지 온갖 난리를 치며 짐승처럼 몸부림을 치던 그 아이가,
아빠의 눈물이 자신의 손등 위에 떨어지기 시작하던 바로 그 순간부
터, 아주 천천히 아주 조금씩 점점 손도 안 떨게 되고, 발도 안 떨고,
그리고 고개도 안 젖히고…, 그리고 숨소리까지 점점 더 괜찮아지더
니, 이젠 아주 쥐 죽은 듯이 정말 감쪽같이 아주 잠잠해진 것이다. 그

리고는 아직도 계속해서 눈물을 흘리며 한없이 울고 있는 아빠의 얼굴을 자꾸 힐끗힐끗 들여다본다.

그때, 내가 아이의 곁으로 다가가 귓속말로 속삭였다.

"○○아, 너 아빠가 얼마나 바쁘신지 잘 알지? 근데, 지금 아빠가 널 만나려고 일부러 여기까지 달려오신 거야. 그러니까 아빠 얼굴을 잘 바라봐. 아빠 눈을 잘 들여다봐. 그렇지, 응. 그렇게, 옳지! 그렇게 천천히 아빠와 눈을 마주치고… 그렇지 응응. 그렇게 두 손을, 응. 이렇게 아빠의 손을 잡는 거야. 옳지! 응! 아주 잘했어! 그렇게 계속 아빠를 바라봐. 아빠 손도 따뜻하게 이렇게 잡아주고… 그렇지, 응. 아주 잘하고 있는데…"

바로 그때, 정말 너무나도 신기한 일이 일어났다.

○○이가 아빠를, 가만히 아주 평온하게, 천천히 바라보고 있는 것이다. 정말 너무나도 편안하게, 너무 이상하리만큼 고요하게…. 방금 전에 그렇게도 난리법석을 떨고 짐승처럼 이상한 행동을 하던 바로 그 아이가 이 아이라고는 전혀 상상도 할 수 없을 만큼, 너무너무 놀라운 일이 일어난 것이다. 아니 도대체 어느 누가 이런 장면을 믿을 수가 있을까? 만약에 누가 이 장면을 보면서, 이 아이가 ADHD(주의력 결핍 및 과잉행동 장애) 진단을 받았고, 단 한 순간도 손에서 게임기를 놓지 않는 게임중독에 걸린 아이라고 말을 할 수 있을까? 도대체 이 아이에게 지금 무슨 일이 일어난 것일까? 무엇이 이 아이로 하여금, 불과 30분 전에 이 상담실에 들어올 때와는 전혀 다른, 이렇게 너무나도 편안하고 안정된 아이로, 아니 어쩌면 이렇게까지 달라진 변

화를 가져오게 만든 것일까?

○○이는 아빠가 자기 때문에 속상해서 눈물을 흘리는 거라고, 거기까지 생각을 하게 되니까, 아이구 글쎄… 아이가 아빠에게 다가가서 자신의 손으로 아빠의 눈물을 닦아준다. 옆에서 내가 크리넥스를 뽑아서 건네주니까, 그걸로 아빠의 눈물을 닦아주면서, "아빠…, 울지 마… 울지 마 아빠, 나 괜찮아! 아빠…, 아빠…, 나 이제 괜찮아…. 그러니까 이제 울지 마…."라고 말하며, 아이가 도리어 아빠를 위로해 주고 있다.

아빠는 그게 너무나도 어색해서 마구 손사래를 친다. 그때, 내가 아빠에게 가까이 다가가, "아버님, 그냥 가만히 계세요. 지금 우리 ○○이가, 아드님이 아빠가 자기 때문에 속상해하고 우는 거 같으니까, 아빠의 눈물을 닦아주는 거잖아요."라고 말했다. 그리고 두 사람 뒤로 가만히 다가가, 아빠와 아들 두 사람이 서로를 부둥켜안을 수 있게 도왔다. 그리고 두 사람이 서로를 부둥켜안고 있는 그 위로 나의 두 팔을 크게 벌려, 두 사람 모두를 꼭 부둥켜안았다.

내 가슴속 저 깊고 깊은 곳에서, 한없는 감사와 기쁨의 눈물이 마구 솟구쳐 나오고 있었다. 마치 내가 오래전, 우리 아버지를 부둥켜안고 목 놓아 울었던 그날의 그 장면이 다시 이곳에서 생생하게 재현되는 것만 같았다. 그리고 속으로 크게 외쳤다. "감사합니다! 정말 너무너무 감사합니다!!"

그렇게 우리 세 사람 모두 한참 동안 눈물을 흘리며 서로를 꼭 부둥켜안고 있었다. 그런데 아버지가 자꾸 아들에게 무슨 말을 건네려고 하길래, "아버님, 그냥 아무 말씀 하시지 말고, 그저 지금은 아드님을 가만히 부둥켜안고 계시면 좋겠어요!"라고 말씀드렸다.

이 세상에 포옹보다 더 좋은 치료약은 없다. 그중에서도 아들과 아버지의 포옹이 정말 최고로 좋다! 우리가 힘들고, 어려우면 어려울수록, 이렇게 아빠와 아들이, 엄마와 딸이, 온 가족이 그저 아무런 말 없이 서로를 부둥켜안아 줄 수 있다면 얼마나 좋을까? 포옹을 할 때는 그저 아무런 말없이 침묵 가운데 하는 게 가장 좋다.

아버지와 아들이 난생처음으로 서로를 부둥켜안고, 아빠도 울고 아들도 울고 있는데, 지금까지 밖의 대기실에서, 상담실 안에서 무슨 일이 일어났을까 너무 궁금해하며 기다리고 있을, 아이의 어머님이 갑자기 생각이 나서, 내가 밖으로 나가 얼른 들어오시게 했다. 그리고 아들을 두 부모님 사이에 한가운데 서 있게 한 다음에, 엄마와 아빠가 양 쪽에서 아들을 바라보게 했다. 그러고는 두 사람이 아들의 눈을 바라보면서, 두 팔을 크게 벌리며 아주 큰 목소리로 "우리 아들!"이라고 부르게 했다. 엄마가 한 번, 아빠가 한 번, 서로 번갈아 가면서 계속해서… 그리고 두 분이 아빠로서, 엄마로서, 아들이 얼마나 좋은지, 내가 이 아들을 얼마나 사랑하는지, 아무 말이든 그저 생각나는 대로 다 표현하도록 했다. 엄마가 한 번, 아빠가 한 번.

"우리 아들, 아이구, 우리 아들, 너무나 예쁜 내 새끼. 이 세상에서 제일로 잘생긴 우리 아들. 이 세상의 그 어떤 걸로도 절대 바꿀 수 없는, 너무너무 귀한 내 아들. 최고로 소중한 우리 아들. 난 우리 아들이 이 세상에서 제일 좋아. 정말 우리 아들 최고야! 아들, 이 아빠가 너무너무 사랑해! 아들, 엄마가 너무 너무 사랑해! 이 아빠는, 네가 내 아들인 게 너무 자랑스러워! 내가 너의 엄마라서 난 참 행복해! 널 사랑해!!"

이렇게 아빠와 엄마가, 감격에 겨워 눈물 섞인 목소리로, 아들에게 사랑을 마음껏 표현하고 있는, 그 놀라운 치유의 현장을 뒤로 하고, 나는 마치 방금 너무 힘든 외과수술을 아주 성공적으로 마치고, 그 수술실을 막 빠져나가고 있는 최고의 외과의사처럼, 상담실 문을 슬그머니 열고 밖으로 나왔다. 그리고 속으로 외쳤다! "나는 상담사다!!"

○○이가 가장 필요로 했던 것은, 아빠가 자신과 함께 있어주는 시간(Quality Time: 사랑하는 사람이 나와 함께 해주는 시간을 말한다. 꼭 어떤 말이나 행동을 해주지 않더라도, 나만을 위해 시간을 내어, 함께해 주는 그 순간, 그 장소에 함께 존재해 주는 시간, 그 경험이 우리 모두에게 가장 중요한 것이다. 특히 아동과 청소년 자녀에게 있어서는, 부모와 함께하는 시간이 아주 중요하다.)이었다.

그렇다고 아빠가 꼭 무엇을 해 주어야만 하는 것Doing은 아니고, 그저 아들과 함께 있어주는 것Being이 필요했다. 아빠와 함께 있는 그 중요한 존재적인 경험, 그것이 ○○이에게는 빠져 있었고 채워지지 않았기 때문에, ○○이는 그걸 대신해서 게임기를 붙들게 된 것이었다. 왜냐하면, 아빠는 내 맘대로 붙들어 둘 수 없었지만, 게임기는 내가 원하면 항상 거기에 있었기 때문이다. 즉, 게임기는 아빠의 대체물이었던 셈이다. ○○이는 아빠와는 대화를 하거나 속마음을 나눌 수가 없었지만, 그래도 게임기는 자신이 게임기에게 뭔가를 하면, 자신에게 곧바로 어떤 식으로든 반응을 해 주었기 때문에, 비록 아빠만큼은 아니더라도, 그 대용품으론 꽤 괜찮았던 것이다. 아빠와의 연결이 제대로 이루어지지 않았기 때문에, 그걸 대신해서 게임기는 마치 나와 어떤 연결이 이루어 진 것처럼 접촉이 되었기 때문에(연결이 이루어진 것 같은 거짓 환상), 이제 게임기가 없으면 ○○이는 아주 불안해졌다. 그래서 정신과에서 처방을 받아 그동안 여러가지 약도 먹고 여러가지 다른 치료들도 받았었지만, 정작 문제의 진짜 원인을 발견하여 제대로 된 지료는 받아보지 못했던 것이다. 이제 아빠와의 제대로 된 진짜 연결이 이루어지고 나니, 우리 ○○이가 아주 확 달라졌다. 정말 놀라운 것 중 하나는, 이제는 아빠도 ○○이와 함께 있는 시간이 너무너무 좋다고 고백한다는 것이다.

사람에게 가장 중요한 것은 "부모님과의 관계"다. 특히 아직 어린 자녀들에게 있어서, 부모님과의 관계보다 더 중요한 건 이 세상에 없다. 그런데 우리가 어렸을 때, 부모님과의 관계에서 "따뜻한 사랑의 연결"이 제대로 이루어지지 않는다면, 그건 마치 우리가 가슴에 총을 맞아 거기에 구멍이 뚫려버린 것처럼, 평생 메꿀 수 없는 상처가 남게 되고, 그 구멍을 다른 것으로 채워보려 아무리 발버둥을 친다 해도, 그런 노력의 결과물이 구멍으로 다 새어 나가 버리게 되고, 우리에겐 서글픔과 공허만 남아있게 되는 것이다.

이 글을 읽고 계시는 독자 여러분께서, 지금 이 순간, 여러분이 사랑하는 사람들을 떠올리면서 마음속으로, 아니면, 지금 직접 그 사람의 눈을 바라보면서, 이렇게 소리 내어 외쳐 보기 바란다.

"지금 나는… 이 세상에서 가장 아름다운 사람을 바라보고 있습니다."

가족 안에서의 역할

 아이들을 향해 '나쁘다'고 얘기하거나, 아이의 신체 부위를 때리는 등 벌을 주는 것은 아이들에게 수치심을 갖게 만든다. 수치심을 갖는 사람들은 자신이 인간으로서 결함이 있다고 여기게 마련이다. 사람들을 비도덕적으로 만드는 것이 있다면 그것이 바로 수치심이다. 부모로부터 자신에 대해 수치스럽게 느끼도록 하는 말을 듣고 자란 아이는 부모의 목소리를 자신의 내부에 투사시킨다. 이 말은 부모가 아이에게 던졌던 '수치심을 심어준 말'을 아이가 자신의 내부에 심어놓고 계속해서 듣게 된다는 것을 의미한다.

아이는 부모가 자신을 돌보던 방식으로 자신을 돌보게 된다. 우리가 어렸을 때 성장에 꼭 필요한 욕구(사랑받음, 쓰다듬고 어루만짐, 보살핌)가 얼마나 억압되고 거부되었는가? 가족 체계 속의 나의 역할은 무엇이었나? 어릿광대나 마스코트로서 가족들 간의 긴장을 해소하고 화합하는 역할이었는가, 아니면 영웅처럼 온 가족의 자존심을 세워주는 역할이었나? 부모의 원만치 못한 부부관계를 해결해 주는 대리 배우자의 역할이었나, 아니면 누구의 관심도 끌지 못했던 아이였나? 혹은 가족의 희생양이었나? 아니면 온 가족이 내 뒤치다꺼리를 하게 만들어 결과적으로 하나로 뭉치게끔 하는 문제아 역할이었나? 어떤 역할이든 그것은 나 스스로가 원한 것이라기보다는 자신이 속한 가족 체계가 배정해 준 것이다.

그렇다면 과연 나는 그 역할에 얼마나 순종적이었는가? 나는 진정한 '나' 자신을 포기하고 가족이 원하는 역할에 충실하기 위해 얼마만큼이나 나를 거기에 맞추려 하였는가? 결론적으로, 나는 나 자신에 대해 어떤 부정적인 이야기와 이미지를 가지고 있는 것일까? 그리고 나에 대한 이 모든 부정적 영향들에 대해 과연 얼마만큼이나 '아니오'라고 자신 있게 말할 수 있는가? 아니면 나 자신에 대해 어떤 긍정적인 메시지나 이미지, 기억을 가지고 있는가? 나는 또한 무엇에 대해서 혹은 누구에 대해서 의존적인가, 아니면 독립적인가?

부모가 강압적이고 권위적일수록 그런 가족 안에는 절대 말해서는 안 되는 비밀과 규칙이 많이 생겨나게 마련이다. 이러한 것들이 정체성 형성에 부정적인 영향을 끼쳐서 결국 의존적인 사람이 되게 한다. 자신의 독특성을 포기한 채 가족 체계가 원하는 역할을 감당하면 할수록 그 사람은 의존적이 되어 있다고 할 수 있다. 어렸을 때 부모나 다른 사람들로부터 신체적 체벌이나 성적 차별, 혹은 정신적·감정적 학대를 경험했거나 직접 목격한 경우에는 그만큼 의존적인 사람이 된다는 말이다. 학대를 당한 피해자는 학대를 가한 사람에게 복종하고 의존하지 않으면 생존할 수가 없기 때문이다.

만일 어머니가 아버지한테 매 맞는 것을 보고 자란 딸이라면, 성장하면서 아버지보다 더욱 무서운 폭력자에게 더욱 순종적이고 의존적이 될 것이다. 또 아들이라면 다른 여자를 순종적으로 만들기 위해 자신이 아버지보나도 더욱 폭력적이 되려고 할 것이다. 안타까운 사실은 피해자 자신이 종종 나중에 가해자가 된다는 사실이다. 성폭력 가해자의 80퍼센트가 과거에 자신 스스로 그 피해자였다는 사실이

이를 증명한다. 정신적이고 정서적인 학대를 가하는 자는 거의 틀림없이 자신 스스로가 한때 심각한 피해자였을 가능성이 그만큼 크다고 할 수 있다.

　나의 가족이 과연 얼마나 순기능 혹은 역기능 가족이었는지 진단해 보려면, 첫째, 나의 부모가 나를 임신하고 낳고 약 7세가 될 때까지 나를 위해 어느 정도나 준비되어 있었는지, 특히 어머니의 눈을 통해 내가 어머니의 감정 상태를 어떻게 경험하였는지를 알아보는 것이 중요하다. 둘째, 그 당시 부모의 부부 사이가 어땠는지도 중요하다. 부부 사이가 나쁘면 나쁠수록 자식인 나에게 끼친 영향은 역기능적이라고 할 수 있다. 셋째, 부모가 강압적이고 완고하며 권위주의적일수록, 나의 가족은 역기능적으로 되었다고 할 수 있다. 넷째, 부모에게 그리고 외부적인 것들에 의존적이면 의존적일수록 자기 내면의 욕구대로가 아니라 거짓된 자아(역할), 즉 상처 입은 내면아이wounded inner child를 품은 채로 성장한 성인 아이adult child가 되었을 가능성이 크다.

내면의 공허함과 중독

 중독은 상처로부터 비롯된다. 치유되지 않은 상처를 끌어안고 살면서 많은 사람들이 알코올이나 일로 그것을 잊고자 하는 경우를 본다. 누구에게는 그 방편이 술이 되고, 누구에게는 낚시가 되고, 누구에게는 섹스가 된다. 어떤 것을 진통제로 삼든, 그 공통점은 중독성이 있다는 것이다. 점점 심해지면 그 진통제 없이는 살아갈 수 없는 지경이 되고 만다. 내면이 약하고 불안하기 때문에 뭔가를 붙들지 않고서는, 즉 무언가에 의존하지 않고서는 홀로 설 수 없는 것이다.

중독의 뿌리는 어린 시절에 부모님과의 '관계'로부터 꼭 받아야 했지만 받지 못해서 충족되지 않은 욕구와 미해결 과제로 인한 자기 내면의 공허함(이 상태는 마치 구멍 뚫린 컵과도 같다)을 다른 외부의 것에 의존하고자 하는, '관계'에 있어서의 '의존dependence'의 문제인 것이다. 그런데 많은 이들은 정작 중독의 근본적 원인이 무엇인지도 알지 못한 채 다만 드러나는 증상에만 초점을 맞추기 때문에 근본적인 치료에 실패하곤 한다. 중독의 핵심 문제는 '병리적 의존 관계'인 것이다.

사람들은 자신의 불완전함과 결핍감을 채워줄 대상을 찾아 사방을 헤맨다. 그리고 자신의 행복이 "얼마나 멋진 상대를 만나느냐"에 달려 있다고 믿거나, 자신의 불행 또한 "내가 저런 인간을 만났기 때문에 이렇게 된 것"이라고 생각하는데, 둘 다 자기 자신의 행복 여부를 결정짓는 요인을 다른 사람에게 두고 있다는 데 그 공통점이 있다.

그런가 하면 어떤 이들은 무엇인가를 소유하는 것이 자신의 결핍감을 채워주는 길이라 믿으며 열심히 돈을 모은다. 좋은 차나 집, 그 밖에 갖고 싶은 물건을 가졌느냐 아니냐에 자신의 행복 여부가 달려 있다고 믿는 것이다. 또 특별한 단체나 모임에 소속되는 것을 통해서 결핍감을 채워보려는 사람도 있다.

심리학자인 로버트 파이어스톤Robert Firestone은 《환상적인 유착 *The Fantasy Bond*》이라는 책에서 이렇게 지적하고 있다. "환상적인 유착은 모든 인간의 심리 체계에서 핵심적인 방어 기제로, 인간이 자신의 감정적인 필요가 충족되지 못할 때면 다른 사람이나 어떤 경험, 소속 혹은 특정한 물건 등과 자기 사이에 그런 유착적 관계가 존재할 거라고 스스로를 위로하고 방어하기 위한 환상을 만들게 되는데, 이것은 단지 착각일 뿐이며, 사실은 사막의 신기루와 같은 것이다."

심리학과 신학의 통합 연구와 강연으로 널리 알려진 가족 치료사 존 브래드쇼John Bradshaw는 이러한 환상적 유착 가운데 대표적인 증상을 가리켜 '동반 의존성co-dependence'이라 부르며 이것을 일종의 중독 상태로 분류, "자신의 실체를 잃어버린 상태"라고 설명한다.

원래 동반 의존성이라는 용어는 알코올 중독자를 둔 가족을 연구하는 데 한정해서 쓰던 말로 가장 보편적인 형태의 가족 문제를 가리킨다. 예컨대 가족 중 한 사람인 아버지가 알코올 중독자라면 그 가족 구성원 모두가 알코올에 대해 동반 의존적이 될 수밖에 없다. 이러한 가족 안에서는 가족 구성원 각각이 가족이라는 체계의 균형 유지를 위해 개인의 고유성을 포기하고 필요한 역할을 떠맡게 된다.

알코올 중독자가 있는 가족 안에서 어떤 아이는 가족의 품위 유지를 위해 영웅 역할을 하기도 하며, 어떤 아이는 가족에게 필요한 정서적 따뜻함을 위해 유모 역할이나 대리 배우자 혹은 가장 역할을 맡기도 한다. 또 가족 체계가 분노와 고통으로 황폐하게 되면 가족 중 어떤 아이가 희생자 역할을 떠맡으면서 가족의 모든 분노와 고통을 껴안기도 한다.

내가 아는 한 부인의 이야기이다. 친정어머니가 알코올 중독자였던 그 부인은 어려서부터 어머니의 수발을 드느라 웃음 한 번 짓고 살 여유가 없었다. 잠시만 한눈을 팔면 119에 실려 갈 정도로 술독에 빠져버리니 한시도 마음을 놓을 수가 없었던 것이다. 10년이 넘도록 이어지는 어머니의 술주정에 울며 하소연도 해봤지만 그러면 더 술을 퍼마시는 통에 제대로 말도 못 꺼내는 형편이었다.

그러다 한 남자를 만나 연애를 하고 결혼을 했다. 이제 지긋지긋한 술 냄새 안 맡고 살겠다 했더니 웬걸, 남편은 더한 알코올 중독자였다. 날이면 날마다 술을 먹고 늦게 들어와 아내를 폭행하고 폭언을 일삼았다. 결혼 전엔 어머니의 술주정으로 힘들어하는 자신을 다 이해해 주는 것 같던 남편이 오히려 더한 가해자가 되어버리자 그녀는 삶의 희망을 잃었다. 네 살밖에 안 된 어린 자식 때문에라도 참고 살려고 했지만 하루하루가 지옥 같아 살고 싶은 마음이 없다며 하소연을 해왔다. 젊은 시절부터 그렇게 고생했는데 어쩌다 남편까지 알코올 중독자를 만났단 말인가.

알코올 중독 환자는 배우자와 자녀에게 큰 상처를 남긴다. 특히 신체적·정신적·영적으로 상처받은 자녀들은 자존감이 아주 낮아져서 자기 자신이 무가치한 사람이라고 느낀다. 그 상처가 제대로 치유되지 않고서는 이 부인처럼 배우자도 자신처럼 역기능적인 가정에서 자란 사람을 선택하기가 쉽다. 서로의 상처나 아픔에 대해 다른 사람보다 더 쉽게 공감할 수 있으니 당연한 것인지도 모른다. 그러나 그런 결혼은 위로가 되기는커녕 양쪽에 더 심한 상처를 주는 것으로 끝나는 경우가 많다. 서로의 상처를 보면서 "우리는 천생연분이야. 어쩌면 당신하고 나하고는 이렇게 비슷하지?" 하고 감동하지만, 스스로 상처를 치유하지 않고 다른 사람에게 기대는 방식으로는 문제가 해결되지 않는 것이다.

미국에서는 알코올 중독자 가정에서 자란 아이들이 '성인 아이'가 될 가능성이 많다고 보고, 그들을 위한 다양한 치유 프로그램을 마련하고 있다.(우리나라에서는 이런 사람들을 도울 수 있는 프로그램이 없었는데, 얼마 전부터 '익명의 알코올 중독자들의 모임Alcoholics Anonymous'의 머리글자를 딴 A.A.그룹이라는 모임과, '알코올 중독 가정에서 자란 성인 아이들을 위한 모임Adult Children of Alcoholics'의 머리글자를 딴 ACoA 모임 등이 활동하고 있다. www.aakorea.co.kr에 들어가면 더 많은 정보를 얻을 수 있다.) 부모가 늘 술 마시고 주정하는 것만 본 자녀들은 어린아이로서 욕구를 제대로 드러내지 못하고 그냥 내면에 꾹꾹 눌러 담아뒀다가 성인이 되면 내면에 눌러둔 욕구가 비정상적인 방법으로 터져 나오면서 문제를 일으키게 된다.

중독의 정의가 확대, 넓은 의미의 중독들(활동, 감정, 생각)까지도 여기에 포함하게 되면서, 모든 역기능 가족들이 동일한 동반 의존 구조를 나타내고 있음을 알게 되었다. 이들은 약물 남용, 근친상간, 폭력, 일중독, 성 중독, 식사 장애, 종교 중독, 부모의 분노와 질병 등 가족 내에 존재하는 강박적이고 중독적인 것들이 일으키는 수치심과 불안에 반응하며 살아가게 된다. 또 가족 체계가 요구하는 역할을 때로는 본인도 의식하지 못하는 상태에서 자신을 포기한 채 떠맡게 됨으로써 거짓 자아가 형성되기도 한다. 이런 경우 무의식적인 가족 최면에 너무 오랫동안 빠져 있어 마치 자신이 하고 있는 '역할'이 실제의 '자신'이라고 착각하기도 한다. 이런 사람이 내면의 충족감을 느끼지 못하고 뭔가 허전한 상태에 빠져 있는 건 당연한 일이다.

동반 의존성과 관계의 문제

동반 의존은 나 자신의 실체를 잃어버린 정신 질병의 한 형태라고 할 수 있다. 동반 의존적이 되면 내가 아닌 다른 사람이나 외부의 반응에 초점을 맞추고 반응하며 행동하게 된다.

내가 상담했던 박 아무개(23세)는 남자 친구가 직장에서 스트레스를 받았던 이야기를 해주었는데, 그 얘기를 들은 날 밤에 자신이 잠을 이룰 수 없었다고 했다. 그건 그녀 자신의 감정보다도 남자 친구의 감정에 지배되었기 때문이다.

상담을 요청해 온 이 아무개(21세)는 6개월 동안 사귀던 여자 친구와 헤어진 날 밤 자살을 시도했다. 자신의 모든 가치를 여자 친구가 자신을 사랑해 주는 데에 두고 있었기 때문이다. 자신의 내면 깊숙한 곳으로부터 스스로의 가치를 발견하지 못하고, 다른 사람들이 자신을 가치 있게 만든다고 믿는, 다른 사람 중심의 가치 체계를 지니고 있었던 것이다.

또 다른 내담자인 김 아무개(34세)는 남편이 외식을 하러 나가자고 하면 별로 내키지 않아도 남편을 실망시키지 않으려고 따라나서고, 남편이 어느 식당에 가고 싶은지를 물어도 아무 데나 괜찮다고 말하곤 했다. 하루는 남편이 멋진 식당으로 안내해 일류 요리를 먹고 유명한 영화까지 감상했으나 모두 따분하고 아무것도 즐길 수가 없었다. 그러고는 일주일 내내 시무룩한 채 지냈다. 남편이 무슨 영문이냐고 물었을 때도 그녀의 대답은 "아무 일도 없다"였다.

주위 사람들은 늘 그 부인이 착하고 예의 바르다고 칭찬이 자자했다. 그러나 사실 그녀는 다른 사람들에게 착하게 보이기 위해 자기 자신을 위장하고 있을 뿐이었다. 착하게 보이기 위해 끊임없이 고군분투했던 것이다. 그녀에게는 이 '착한 이미지'가 거짓 자아인 셈이다. 그녀는 자신이 진정으로 무엇을 원하고 무엇을 하고 싶은지 느낄 수도 없고 할 수도 없었다. 자신의 실체를 잊고 산 지가 너무 오래되었던 것이다.

또 장 아무개(56세)는 최근 몇 달 동안 계속해서 남편에게 벤츠 승용차와 골프 클럽 회원권을 사내라며 졸라댔다고 한다. 그녀는 오랫동안 빚에 시달리는 중이었고, 매일매일 신용카드 빚을 갚느라 정신이 없었다. 그런데도 남들에게 부유층으로 보이고 싶어 액세서리를 사들이고 미용에 온통 신경을 썼다. 남들에게 부유하게 보일 만하다는 판단이 들기 전에는 사람 만나는 일을 꺼리기 때문에, 화장하고 치장하느라 중요한 약속 시간을 어긴 적이 한두 번이 아니었다. 그녀는 사람들에게 부자처럼 보여야 무시당하지 않고 대접받을 수 있다고 확신하고 있었다. 또 스스로도 거울 앞에서 부유하게 보여야만 자신감이 서는 것 같은 것을 어쩔 수가 없었다.

하나같이 자신의 내면 깊이 있는 실체적 자아를 잃어버린 사람들이 자기 삶을 외부적인 것들에 전적으로 의존해서 살아가는, 동반 의존증 상태에 있음을 보여주는 사례들이다. 이 모든 중독증은 자신의 내면을 상실한 동반 의존성에 그 뿌리를 두고 있다.

자신의 내적 세계가 약하면 약할수록 수치심과 자기 비하심을 내면화하면서 외부적인 것들에 강박적으로 의존하고 다른 사람들의 주의를 끌어 자신을 그들에게 꼭 필요한 존재로 만들려고 애쓴다. 그래서 때론 다른 사람들의 관심과 사랑을 받기 위해서라면 물불을 가리지 않고 달려든다. 경제적인 성취감이 강한 직업을 택하거나 녹초가 될 정도로 일에 몰두한다. 자신의 정체성이 외부 물질 활동과 다른 사람들에게 있다고 믿기 때문이다. 동반 의존은 결국 자신의 실체가 없는 정신적인 파산 상태로 치닫게 한다.

동반 의존성을 치유하려면 자신의 정체성을 내면 깊은 곳에 뿌리 내리게 하지 않으면 안 된다. 중요한 것은 내면이다. 세속적인 성취에서 내면의 평화로 초점을 바꿔라. 겉이 화려하고 멋진 예배당을 짓는 것도 좋지만, 마음 깊은 곳에 그런 예배당을 짓는 일이 더욱 중요하다. 겉은 그럴듯해 보이면서 속은 텅 빈 것이 아니라 겉은 비록 허술해 보일지라도 속이 꽉 찬 내면의 평화를 추구하는 것, 이것이 자신의 삶과 가족, 교회 그리고 우주 공동체의 궁극적인 치유를 가져오는 길이다.

문제아가 아니라 천사

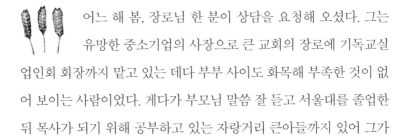어느 해 봄, 장로님 한 분이 상담을 요청해 오셨다. 그는 유망한 중소기업의 사장으로 큰 교회의 장로에 기독교실 업인회 회장까지 맡고 있는 데다 부부 사이도 화목해 부족한 것이 없어 보이는 사람이었다. 게다가 부모님 말씀 잘 듣고 서울대를 졸업한 뒤 목사가 되기 위해 공부하고 있는 자랑거리 큰아들까지 있어 그가 내 상담실 문을 두드렸을 때 내가 오히려 의아해했다.

"무슨 문제로 저를……?"

"그것이 말이죠, 우리 작은아들 때문이에요."

간단히 말해서 "작은아들은 문제아다. 집안의 골칫거리다. 창피해 죽겠다" 이런 내용이었다. 다음번엔 아들을 직접 보내라 하고 약속 시간을 잡았다.

약속한 날이 되어 상담실 문을 두드리고 들어선 작은아들은, 우선 외모부터가 '굉장' 했다. 머리 반쪽은 빨간색으로, 나머지 반쪽은 노란색으로 물들였고, 뒷머리를 땋아서 고무줄로 묶었다. 옷은 가슴 부분이 찢어져서 속이 다 보이는 쫄티에 망사를 걸쳐 입었다. 아래는 팬티도 입지 않은 채 '폭탄 구멍'으로 군데군데 찢어진 청바지를 입어서 은밀한 부분까지 훤히 들여다보일 지경이었고, 두꺼운 금목걸이에 양쪽 귀엔 귀고리를 서너 개씩 걸고 있었다. 카우보이 신발 양쪽엔 징을 박았는데 걸어갈 때마다 "챙, 챙" 하고 소리가 났다. 어깨엔 교통경찰처럼 철사 줄 같은 링을 몇 바퀴 감았고 팔뚝 양쪽에도 철사 링이 칭칭 감겨져 있었다.

난 사실 이런 친구가 상담을 받기 위해 찾아오면 기분이 좋다. 기분이 좋다는 것은 이런 경우 별다른 심리 검사가 필요하지 않기 때문이다. 자신의 모든 문제를 이렇게 솔직하게 온몸으로 다 보여주는데 얼마나 이해하기가 쉬운가! 별의별 심리 검사에 아무리 물어도 속에 뭐가 들었는지 역할과 가식으로 꽁꽁 묻어둔 이들보다야 백 배 낫다. 자신이 무슨 문제가 있다고 생각조차 하지 않는 사람도 수두룩하니 말이다. 들어서는 표정을 보아하니 "가서 상담을 받지 않으면 가만두지 않겠다"고 으름장을 놓은 아버지 때문에 할 수 없이 온 것 같았다.

아이를 보자마자 나는 환하게 웃으며 두 팔을 벌렸다.

"야, 너 정말 멋있게 생겼구나. 아니 어디서 이런 멋쟁이 미남이 날 찾아왔나?"

아이의 눈이 동그래졌다.

"정말 근사한데? 야, 머리는 어디에서 물들였냐? 컬러가 정말 잘 나왔다. 브리지도 멋있고. 폼 난다, 야! 멋쟁이, 너 인기 좋지?"

그러자 작은아들은 영 쑥스러워하며 고개를 긁적이더니, "아, 왜 이러세요…… 근데 사실 제가 좀 잘 나가는 편이긴 해요" 하고 대꾸했다.

"그래? 야, 네가 잘 나가는 이유를 알겠다. 너 정말 멋지다. 근데 귀 뚫을 때 아프진 않디?"

"처음 한 개 뚫을 땐 좀 아프지만 나중엔 괜찮아요."

"그래? 근데 청바지 엉덩이 있는 데가 이렇게 구멍이 크게 뚫어져서 춥진 않냐?"

"제가 원래 땀이 좀 많은 편이걸랑요. 바람이 솔솔 불어서 시원하고 좋아요."

"내가 볼 땐 넌 참 괜찮은 놈이야! 그렇지? 너 참 괜찮은 놈이지?"

아이는 의외의 반응에 얼떨떨한 표정이더니 금세 마음을 놓은 듯했다. 나는 그때부터 그를 '멋쟁이'라고 불렀다. 얼마 지나지 않아 우리는 죽이 맞는 친구가 되었다. 처음 상담을 할 때는 내담자에게 마음의 사이클을 맞춰서 마음을 열 수 있게 하는 것이 가장 중요하다.

아이와 몇 번 상담이 진행됐을 무렵, 장로님이 무척 화가 난 모습으로 다시 찾아왔다.

"아니, 박사님. 애가 어떻게 상담을 받으면서 더 나빠져요? 갈수록 하는 짓이 태산이에요, 태산."

"뭐가 잘못됐습니까? 제가 보기엔 아드님이 참 예쁘고 정말 마음에 들던데요."

"예뻐요? 내가 그놈 때문에 화병으로 죽을 지경입니다. 그놈 제발 교회 좀 안 나오게 해주세요."

자식을 교회에 나오도록 해달라는 부모는 봤어도, 교회에 나오지 못하게 해달라니! 좀 황당했다.

"그놈이 교회만 안 나와도 살겠어요. 그리고 가능하면 어디 멀리 외국에라도 가서 눈에 좀 안 띄도록 설득 좀 해주세요, 네?"

"무슨 말씀이세요?"

"글쎄, 이 녀석이 교회까지 와서 저하고 비슷한 녀석들하고 어울리면서 교회 성가대실이나 성경 공부하는 델 찾아다니면서 엉뚱한 짓으로 분위기를 망쳐놓고 있어요. 얼마 전엔 제 후배를 삼고초려해서 전도를 했는데, 하필 그 후배가 나온 날 교회 입구에서 아들 녀석과 딱 부딪친 거예요. 후배는 '하고 다니는 꼴이 그게 뭐냐?' 하고 야단을 쳤대요. 그랬더니 이 녀석이 씩씩거리면서 '아저씨, 내가 누군지 알아요? 우리 아버지가 이 교회 김○○ 장로예요!' 했다지 뭐예요. 제 후배가 '이 녀석, 말도 안 되는 소리 마라. 그렇게 점잖고 훌륭한 분께 어떻게 너 같은 아들이 있겠냐? 너 그렇게 남 사칭하고 다니면 혼날 줄 알아!' 했다는 겁니다. 그 후배는 제 아들놈을 본 적이 없거든요. 그러니까 이 녀석이 지나가던 권사님을 붙들고서 '내가 김 장로 아들 맞죠?' 그러더래요. 그러니 '맞아요. 얘가 그 장로님 아들이에요. 모범생 첫째아들 있고, 얘가 둘째예요. 골칫덩어리…… 우리 교회의 기도 제목이잖아요.' 하더라지 뭡니까?

이렇게 지 애비 망신을 시키고 다니니…… 그런데 이놈이 교회는 꼭 오는 거예요. 자기하고 똑같은 모양새로 다니는 애들하고 어울려서는 다른 데서도 안 놀고 꼭 교회에서 놀아요. 성가대 연습하는 데 방해나 놓고 담배 냄새나 피우고 다니고…… 명색이 교회 장로인데 제 자식 하나도 제대로 건사 못 하는 주제에 무슨 장로 직분을 감당하겠느냐고 할까 봐 성도들이나 목사님 볼 낯도 없어요. 정말이지 작은놈이 큰아들 백 분의 일만 닮아도 좋겠어요."

나중에 '멋쟁이'를 통해서 알게 된 사실은, 그때 아버지 후배가 말하길 "내가 그분을 잘 아는데 그분한테 서울대를 나온 아들은 있지만, 너 같은 놈에 대해선 들어본 적이 없다"고 했다는 것이다. 그 말에 멋쟁이는 아버지가 자신을 부끄러워해서 아들이라는 사실조차 숨긴다 싶어 오기로 "내가 김○○ 장로의 아들이다"라고 더 떠들고 다니게 되었다는 것이다.

붉으락푸르락 얘기를 마친 장로님이 허공에 대고 한숨을 폭 내쉬더니 한참 후 말을 이었다.

"얼마 전에는 한밤중에 갑자기 아내가 비명을 질러서 깜짝 놀라 가봤더니 이 녀석이 친구들하고 어울려 집에 와선 냉장고에 있는 음식들을 죄다 꺼내 먹고 온 집안을 난장판으로 만들어놓은 거예요. 게다가 방엘 가봤더니 친구 놈들하고 속옷까지 훌렁훌렁 벗어던진 채 자고 있더라구요. 그놈이 사탄이지 어디 사람입니까?"

나는 엉뚱하게 요즘 새벽 기도를 나가느냐고 물었다. 김 장로님은 요즘은 매일 나간다고 답했다.

"항상 그렇게 매일 나가셨나요?"

"장로지만 사업을 하다 보니 가끔은 나갔지만 매일 나간 건 한 3년 됐나…… 그게 그 녀석 때문이죠, 뭐. 그 녀석이 중3 때 외박을 하기 시작하는데, 속이 터져서 어떻게 할 수가 있어야죠. 아내가 하도 같이 기도하러 가자고 졸라서 그때부터 새벽 기도에 갔죠."

"네…… 부부 싸움은 많이 하세요?"

"부부 싸움 할 틈이나 있나요? 만날 그놈 새끼 뒤치다꺼리 하느라 정신없어 죽겠는데……"

"전에는요?"

"그야 뭐, 부부 싸움 안 하는 사람 있나요?"

"장로님, 제가 보기엔 아드님이 사탄이 아니라 천사네요."

"천사라뇨? 걔는 사탄이에요. 사탄이 별겁니까? 교회 예배 방해하지, 솔직히 창피해서 말은 안 했지만, 이제 고2인 주제에 여학생하고 혼숙도 하는 것 같고, 술 냄새, 담배 냄새…… 도대체 창피해 죽겠어요. 이놈만 바뀌면 우리 집은 그냥 할렐루야예요, 할렐루야!"

나는 속으로 웃음을 참으며 이렇게 말했다.

"아니에요. 확실히 천사 같은데요."

"아니, 그 녀석이 천사라고요? 그놈이 천사면 나는 만사요, 만사. 뭐 말이 되는 소릴 해야지, 이 양반이……"

펄쩍 뛰는 장로님께 내가 조용히 말을 이었다.

"장로님, 천사가 하는 역할이 뭡니까? 사람들 사이를 화목하게 하고, 하나님과도 가깝게 이끌어주는 게 천사 아닙니까?"

"그런데요? 그게 그놈하고 뭔 상관이 있답니까?"

"둘째아드님 때문에 새벽 기도에도 매일 나가고 하나님과도 더 가까워지셨잖아요. 그리고 두 분이 부부 싸움 안 하도록 도와준 사람도 둘째아드님이구요. 그렇게 말썽을 피워서 두 분이 가까워지도록 천사 역할을 하잖아요."

"허, 참" 하고 혀만 차는 장로님 앞에서 얘기를 이어나갔다.

"생각해 보세요. 아무것도 부러울 게 없을 것 같은 장로님 가정에 무슨 문제가 있는지 아무도 모를 뻔했는데, 장로님이 아까 말씀하시길 빌딩 청소일 하는 교회 권사님까지 장로님 가정을 위해서 기도하신다면서요? 온 성도님들이 장로님 가정을 위해 기도해 주는 사랑을 받고 계시잖아요. 장로님께서 아드님을 천사로 보면 아드님은 천사 역할을 할 것이고, 사탄이라고 하면 정말 사탄이 될지도 몰라요. 바지 두 쪽을 다 찢고 엉덩이를 죄다 드러내고, 머리도 다 그슬리고…… 아마 더 난리가 날 걸요. 아예 예배당 앞에 가서 드러눕든지 알코올 중독자가 되든지, 아니면 아버지 목에다가 칼을 들이대든지……"

장로님 얼굴을 보니 생각만 해도 끔찍하다는 듯 질린 표정이었다.

"도대체 어떻게 하면 좋겠소?"

"장로님 내외분이 아드님을 어떻게 대하느냐에 따라 아드님은 천사가 될 수도 있고 사탄이 될 수도 있어요. 지금부터는 아드님을 '천사님'이라고 부르는 게 어떨까요? 그리고 진정으로 천사님 대하듯이 한번 해보세요. 아드님이 냉장고를 다 비워도 '우리 천사님이 밖에 나가서 안 먹고 집에 와서 밥을 먹으니 참 다행이구나' 생각하면서 진정 감사하는 마음, 기도하는 마음으로 아드님이 가장 좋아하는 음식들로, 아이스크림이든 오징어든 라면이든 꼭꼭 채워놓으세요. 없어지기가 무섭게…… 그렇게 할 수 있겠어요?"

"끄응…… 해야죠, 뭐. 그게 방법이라는데……"

"그리고 아드님 방에도 세탁물 넣을 큰 통 하나 갖다놓으세요. 새 속옷도 많이 사서 들여놔 주시고요. 밖에서 안 자고 집에 와서 자니 참 고맙다 하시면서, 친구들과 함께 잘 수 있도록 보조 침대도 하나 넣어주세요. 그리고 칼 들고 와서 돈 달라고 하기 전에 몰래 주머니에 용돈도 두둑이 넣어주시면서 '잘 써라' 하세요. 아들에게 줄 돈이 있으니 얼마나 감사한가 생각하면서 말이죠. 한마디로 말하자면 아드님을 정말 하늘에서 온 천사님으로 대접하라는 겁니다. 그것이 아드님도 살고 장로님 내외분도 사는 길입니다."

고개를 끄덕이고 눈물까지 꾹꾹 찍어내며 돌아간 장로님은 한참이 지난 뒤에 다른 사람 편에 소식을 전해왔다. 둘째아들이 점차로 조신해지기 시작하더니 요새는 마음을 잡고 가출도 하지 않고 공부도 제법 열심히 한다는 거였다. 내 가족의 소식인 양 기뻤다. 그 멋쟁이가 하는 짓이 사실은 어린 시절 자기를 닮았다면서 요즘은 둘째아들놈 보는 재미에 산다는 것이다.

자녀를 데리고 와서 상담을 하면서 "애가 우리 집 문제다, 애만 없으면 우리 집이 다 편할 텐데, 도대체 누굴 닮아 저런지 모르겠다"면서 아이를 공개적으로 문제아로 낙인찍는 경우 대부분은 오히려 부모에게 문제가 있을 때가 많다. 혹은 가족 전체가 아이를 문제아로 만들어버린 경우이거나. 말하자면 '문제아'는 대부분 부모와 가족의 희생양인 셈이다.

자녀가 세상과 관계 맺는 방식은 대부분 부모로부터 물려받는다. 부모가 자녀를 바라볼 때 '저 놈은 어떻게 하는 짓마다 마음에 드는 게 하나도 없어' 하는 마음으로 보는 것과 '착하고 예쁜 우리 아이, 참 잘했다' 하고 보는 것은, 마치 녹음테이프처럼 자녀의 마음속 깊이 새겨지고 내면화된다. 그래서 부모가 자기를 대한 것과 똑같은 방식으로 아이는 자기를 대하게 된다. 뿐만 아니라 세상에 대해서도 자신의 가치를 그만큼으로 한정짓게 된다. 부모로부터 전해 받은 자신의 이미지를 그대로 자기 자신이라고 믿는 것이다.

　문제 부모들은 자녀의 가치를 낮게 평가할 뿐만 아니라 자녀가 하고 싶어 하는 일도 막는 경우가 많다. 심지어는 심한 모욕감과 수치심, 남과의 비교를 통한 경쟁심만 심어주고, 삶에 대한 의욕과 정열, 기를 꺾기 일쑤다. 특별히 중요하지도 않고 못 하게 할 이유도 딱히 없는 일까지도 부모의 판단에 따라 무조건적으로 순종하고 따라오도록 강요한다. 이렇게 성장한 자녀는 자신의 느낌과 생각을 신뢰할 수 없게 되고, 다른 사람에게 맹목적으로 의존하거나 다른 사람을 지배하고 조정하려는 사람으로 자란다. 또 아주 작은 어려움에도 굴복하거나 스스로를 포기해 버리기 십상이다.

　어느 날, 초등학교 4학년짜리 딸을 둔 엄마가 상담을 요청해 왔다. 그녀는 딸이 배우라는 피아노는 안 배우고 몰래 스케이트를 타러 다녔다는 사실을 알게 되자, 딸이 용돈을 모아 어렵사리 장만한 스케이트를 망가뜨리고 머리채를 잡아 심하게 때렸다고 했다. 그 엄마는 딸애가 자기 말을 잘 듣게 하려면 어떻게 해야 하느냐고 물어왔다. 나는 그 엄마에게 올림픽 스케이트 금메달 4관왕이 된 캐나다 산골 출신의 한 선수 이야기를 들려주었다.

　그 선수는 스케이트를 타는 데 결정적 장애 요인일 수 있는 안짱다리에 키까지 작았다. 그러나 그에겐 그러한 장애를 딛고 역대 올림픽 사상 최고의 기록을 보유할 만큼 성공하게 만든 잊을 수 없는 사연이 있었다. 너무도 가난했던 어린 시절, 스케이트를 갖고 싶어 하던 자신을 위해 어머니는 밤새 대나무를 엮어 끈을 단 스케이트 대용물을 머리맡에 놓으며 이렇게 적어놓았다.

"사랑하는 아들아, 엄마는 네가 얼마나 스케이트를 타고 싶어 하는지 잘 안다. 그런데도 사줄 돈이 없어 가슴이 너무 아프다. 이것을 스케이트 대신 만들었는데 불편하더라도 조금만 참아다오. 앞으로 일 년 동안 엄마가 열심히 돈을 모아서 다음 겨울엔 꼭 스케이트를 사줄게. 그러니 결코 네가 하고 싶은 일을 포기해선 안 된다. 엄마는 네가 원하는 일이라면 뭐든지 다 해주고 싶다. 사랑한다."

우리 모두는 부모로부터 이런 애기를 듣고 자라야만 한다. 자녀에게 큰 피해가 되거나 위험한 경우가 아닌 한 자녀가 원하는 일이 아무리 하찮은 것일지라도 부모가 그 일을 마음으로부터 후원해 주고 또 할 수 있도록 적극 돕는다면, 그러한 후원과 지지를 받으며 자란 자녀는 누구보다도 건강한 심성과 성격의 주인공이 될 가능성이 크다. 자신이 하고 싶어 하는 일을 후원받고 지지받은 아이는 그 에너지로 다른 일도 할 수가 있다. 자녀에 대해 부모가 감시자, 통제자 역할을 많이 하면 할수록, 그 자녀는 부모가 못 하게 한 그것을 집 밖에서 하려 들거나, 성인이 되어서도 평생 동안 강박적이고 중독적인 행동 양식을 보이게 된다. 무조건적인 사랑만이 최고의 자녀 양육 원리이다.

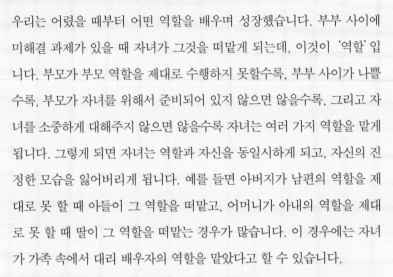

역할 찾기

우리는 어렸을 때부터 어떤 역할을 배우며 성장했습니다. 부부 사이에 미해결 과제가 있을 때 자녀가 그것을 떠맡게 되는데, 이것이 '역할'입니다. 부모가 부모 역할을 제대로 수행하지 못할수록, 부부 사이가 나쁠수록, 부모가 자녀를 위해서 준비되어 있지 않으면 않을수록, 그리고 자녀를 소중하게 대해주지 않으면 않을수록 자녀는 여러 가지 역할을 맡게 됩니다. 그렇게 되면 자녀는 역할과 자신을 동일시하게 되고, 자신의 진정한 모습을 잃어버리게 됩니다. 예를 들면 아버지가 남편의 역할을 제대로 못 할 때 아들이 그 역할을 떠맡고, 어머니가 아내의 역할을 제대로 못 할 때 딸이 그 역할을 떠맡는 경우가 많습니다. 이 경우에는 자녀가 가족 속에서 대리 배우자의 역할을 맡았다고 할 수 있습니다.

역기능 가정에서 자녀는 대리 배우자, 영웅, 문제아의 역할을 수행하며 환자의 역할을 통해 가족 전체의 증상을 드러내기도 합니다. 역할은 페르조나Persona와 유사합니다. 페르조나는 고대 그리스의 연극에서 배우들이 쓰던 가면을 뜻하는 말로, 다른 사람들에게 보이는 나의 모습입니다. 한국의 전통적인 탈춤을 출 때 쓰는 탈과도 같습니다. 내가 세상과 만나는 얼굴이라는 점에서 역할은 페르조나와 같은 의미라고 할 수 있습니다.

부모님 사이에서 당신은 어떤 역할을 하고 있나요? 문제가 역할을 깨닫게 합니다. 역할을 파악하면 관계 패턴이 보입니다. 역기능적인 상호관계 방식을 건강한 방식으로 바꿔 나아가야 합니다. 역할은 해도 되고 안 해도 되는 것입니다. 역할은 선택할 수 있습니다. 즉 가족 속에서의 역할은 내가 원한 것이 아니라 가족 체계가 나에게 그렇게 하도록 배정해 준 것입니다. 이런 역할들은 연극 대본과도 같아서 각자 어떻게 행동해야 할지, 허락되고 허락되지 않은 감정이 무엇인지를 그 사람에게 지시합니다. 나를 찾는 작업은 내가 어렸을 때 가족 안에서 해오던 역할, 곧 내재화된 역할을 먼저 찾아내는 것에서부터 시작합니다.

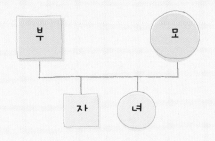

아버지와 어머니의 부부관계 속에서 자녀로서의 나의 역할

역할에는 다음과 같은 것들이 있습니다.

● **희생양**: 가정의 역기능적 특성에 의해 초래된 문제들에 대한 책임을 지울 대상으로 부모는 희생양 역할을 맡은 아이를 이용할 수 있습니다.

● **잃어버린 아이**: 잃어버린 아이는 분명히 가정 내에 있음에도 불구하고 마치 존재하지 않는 사람처럼 여겨집니다. 그럼에도 그 아이는 이렇게 중얼거립니다. "나는 어떤 문제도 일으키지 않을 거야."

● **마스코트**: 마스코트처럼 우스운 행동을 하거나 귀엽게 구는 것을 통해서 가정 안에 존재하는 긴장감을 줄이려고 노력합니다.

● **순교자**: 자신을 진흙 바닥에 던짐으로써 다른 사람들이 진흙을 밟고 지나갈 필요가 없도록 하는 역할을 맡습니다.

- **영웅**: 성공을 이룸으로써 가정을 더 좋게 보이려고 노력합니다. "우리 집은 엉망이지만 나는 아무 문제가 없어." 영웅의 역할은 소모적이며 개인에게 인간적인 면들을 갖출 여유를 주지 않습니다.
- **문제아**: 문제를 일으킵니다. 가족들에 대해 화가 나 있고 그들로 하여금 대가를 치르게 하는 방법을 알고 있습니다. 규칙을 따르지 않는 방법으로 말입니다.
- **대리 배우자**: 배우자를 대신하는 정서적 대용물이 됩니다. 때로는 성적인 내용을 포함할 수도 있습니다.
- **어린 부모**: 부모가 그 역할을 제대로 하지 못하는 경우 그 형제를 돌보는 사람이 되는 것을 말합니다. 이 아이는 자기에게 부모 역할을 해주는 사람이 없는 듯이 자라납니다.
- **어린 왕자/공주**: 이 아이는 아무런 잘못도 할 수 없습니다. 가정에서 훌륭한 인물이 나왔다는 것을 보여주기 위해 언제든지 들어 올려질 수 있는 가정의 트로피와 같은 존재입니다.

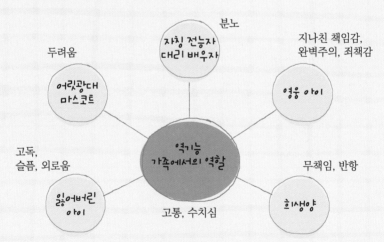

성장 발달 과정 가운데서 나의 역할 찾기

어린 시절로 거슬러 올라가 지금까지 맡아온 역할들을 찾아낼 수 있다면
'잃어버렸던 나lost self'를 찾을 수 있을 것입니다. 자! 이제 어린 시절로
거슬러 올라가 어쩔 수 없이 떠맡았던 나의 역할들을 찾아봅시다.

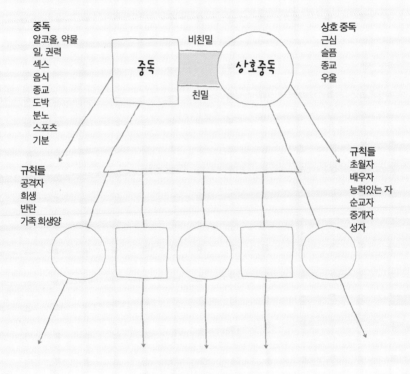

가족 체계 속의 자녀들의 역할

당신의 역할에 해당하는 단어에 표시해 보십시오. 그리고 여기에 있는 것 외에도 자신과 관련해서 생각나는 단어, 별명, 관계를 상징하는 말들을 더 적어보세요.

가족의 카운셀러	문제아	아빠의 희생양	잃어버린 아이
가족의 행복	바보짓 하는 아이	아픈 아이	있으나마나한 아이
가해자	반항아	악당	자학하는 아이
거짓말쟁이	보모	애어른	조정자
걱정거리	보호자	어린왕자	종교적인 아이
대리인	부모의 부모	엄마의 기쁨	주인공
공격자	성자	엄마의 친구	지정된 환자
공주	성취도 낮은 아이	엄마의 희생양	착한 아이
광대	성취도 높은 아이	연인	책임감 강한 아이
귀염둥이	소년 · 소녀 가장	영악한 아이	천재
나쁜 아이	스타	영웅	총아
눈치 보는 아이	승자	예쁜이	패자
대리 배우자	심각한 아이	완벽한 아이	피해자
막역한 친구	아빠의 기쁨	왕따	햇살
모범생	아빠의 친구	운동 선수	사고뭉치
가족을 돌보는 사람	보호받는 사람	가족의 희생자	정서적 배우자
작은 부모	돈 내주는 사람	챙겨주는 사람	화풀이 대상자
뒤집어 쓰는 사람	대신 혼나주는 사람	까불이	잊혀진 아이
없는 아이	천사	우는 아이	말없는 아이

역할 찾기표

출생 이야기

❀ 당신의 출생과 관계된 이야기를 적어봅니다. (예를 들어, 태몽, 출생 당시의 이야기)

❀ 당신의 부모님은 어떻게 만났으며, 만남의 동기는 무엇입니까?

❀ 부모님은 당신을 낳기 위하여 얼마나 준비되어 있었습니까? (예를 들어, 원치 않는 임신)

❀ 당신이 태어났을 때 부모님은 당신을 얼마만큼 환영했나요?

❀ 당신이 태어나던 당시 부모님 사이의 금슬은 어떠했습니까?

성장 발달 과정 가운데서 나의 역할 찾기

✿ 성장 발달 과정에서 각 대상들에게 어떤 역할을 했는지, 그들에게 내가 누구였는지 적어봅니다. (예를 들어, 아버지가 자기 역할을 제대로 못 하면 자녀가 아버지 역할 또는 어머니의 배우자 역할을 합니다. 그리고 이 역할을 자신과 동일시함으로써 자기 안에 상처가 남게 됩니다. 따라서 역할을 많이 맡을수록 상처는 클 수밖에 없습니다.)

✿ 성장 과정에서 당신에게 가장 부담이 되었던 말이나 가장 듣기 싫었던 말은 무엇입니까? (예를 들어, "너밖에 없다" "너만 잘하면 돼" "그래도 네가 언니잖아" "언니만큼만 해라")

✿ 당신은 주어진 그 역할들에 얼마나 순종적이었습니까? 얼마만큼
이나 자신이 원하는 '진정한 나'를 포기하고 가족이 원하는 역할
에 자신을 맞추려고 했습니까? (역할에 충실할수록 우리는 진정한
나를 더 많이 포기하게 됩니다.)

✿ 당신이 어렸을 때 진정으로 하고 싶었던 일은 무엇입니까? (어렸
을 때 원했던 일은 색동옷이 입고 싶었다거나 움직이는 장난감을 갖고 싶
었다거나 하는 아주 작은 일일 수 있습니다. 아무리 사소한 일도 그것이
거절되었을 때 상처가 되어 남습니다.)

나의 별명 찾기

	어머니	아버지	형제자매	친구	이성
별칭/호칭	|예| 못난이				

나의 어린 시절 이성 부모와의 관계와 배우자와의 관계 비교

성(性)이 다른 부모와의 관계, 곧 당신이 아들이면 어머니와의 관계, 딸이면 아버지와의 관계에서 당신이 한 역할과, 배우자나 이성 친구와의 관계에서 당신이 하는 역할은 무엇이며 어떤 점이 비슷하고 다른가요?

	나의 역할	비슷한 점	다른점
이성 부모와의 관계	|예| 아버지의 대리배우자 어머니의 희생양		
배우자 또는 이성 친구와의 관계	|예| 남편의 화풀이 대상자 아내의 심부름꾼 애인의 해결사		

나와 부모와의 관계, 나와 자녀와의 관계 비교

부모와의 관계에서 자녀로서 당신이 한 역할과 자녀와의 관계에서 부모로서 당신이 하고 있는 역할은 무엇이며 비슷한 점과 다른 점은 무엇인가요? (자녀가 있는 경우에만 답하시면 됩니다.)

	나의 역할	비슷한 점	다른점
부모와의 관계	|예| 아버지의 예쁜이 어머니의 대리만족		
자녀와의 관계			

이제까지의 질문을 통해 찾아낸 나의 역할들

	어린시절	초등학교	중·고등학교	청년기	결혼 후
아버지	|예| 아버지의 잊혀진 아이				
어머니					
형제					
이성					
친구나 직장동료					
기타					
배우자					
자녀					

당신은 누구입니까?

당신이 누구인지를 알기 위해 먼저 무엇이 당신이 아닌지부터 말씀드리 겠습니다.

당신은 이름이 아닙니다. 당신이 다른 이름을 쓴다고 해도 당신은 당 신입니다. 당신이 어떤 직업을 가졌든, 설령 직업이 없다고 해도 당신은 당신입니다.

당신은 누구의 아들이요 딸입니다. 동시에 누구의 남편이기도 하고 누 구의 아내이기도 합니다. 그런 역할을 안 할 수는 없는 노릇이지요. 하지 만 그런 역할이 당신은 아닙니다.

또한 당신의 몸이 당신은 아닙니다. 여러분은 몸이 '나'의 부분이라고 말하겠지만 그것은 변하는 부분입니다. 우리는 몸을 항상 같은 이름으로 부르지만 사실 몸은 항상 변합니다. 우리는 늘 변하고 있는 현실에 대해 똑같은 이름을 사용하고 있는 것입니다.

우리는 역할에 반응하느라 우리의 삶을 너무 많이 허송합니다. 당신은 역할, 그 이상입니다. 그렇다면 당신은 진정 누구입니까?

❋ 이제, 여러분 자신을 묘사하는 글을 여기에 적어보십시오.

나는 _____

_____

_____

_____ 이다.

나 자신과 다른 사람을
용서하라

용서는 내가 나를 받아들이는 것입니다

용서는 진짜 믿음이 필요한 자리입니다.
내가 용서하는 것이 아니라 하나님이 용서하시는 것입니다.
나는 단지 그 용서를 받아들이는 것뿐입니다.
먼저 여러분의 부모님을 용서하십시오.
왼손을 왼쪽 가슴에 대고 어머니라고 불러보세요.
오른손을 오른쪽 가슴에 대고 아버지를 불러보세요.
내 존재 깊숙이 부모님을 받아들이세요.
어머니, 아버지 사랑합니다.
두 손을 활짝 펴서 어머니, 아버지에 대한
모든 부정적인 감정들을 멀리 보내세요.
내게 상처 주었던 사람들, 두 손을 앞으로 내밀며
이렇게 외쳐보세요. "당신들을 용서합니다!"
그러나 다른 사람을 다 용서하더라도
여러분 자신을 용서하지 않는 한 아무 소용이 없습니다.
여러분 자신을 용서하십시오.
자신을 향해 "모든 것이 깨끗하게 되었다"고 선언하십시오.
치유의 광선이 머리에서부터 나의 온 몸을 깨끗하게 하는 것처럼.
"나는 다시는 이 고통에 얽매이지 않을 것이다."
자, 이제 해방이 선언되었습니다.

드러난 상처는 더 이상 고통이 아니다

"당신 마음을 압니다!" 이 한마디를 듣지 못해서 사람들은 외로워하고, 과거에 지배받고, 고통에 몸을 떤다. 한국에 돌아와 상담과 강의를 병행하던 때였다. 강의가 잇따라 있는 월요일 오전, 한 강의를 끝내고 다른 강의실로 향하는데, 복도에서 중년의 여인이 눈물을 훔치고 있었다.

"저, 오 교수님이신가유?"

진한 충청도 억양이 묻어났다.

"네, 그런데요?"

그 아주머니는 뭔가 할 말이 있는 것 같은데 머뭇머뭇 눈치만 살피고 있었다. 나는 다음 강의 때문에 마음이 조금 급해졌다.

"무슨 하실 말씀이라도?"

아주머니는 눈물을 훔쳐내고 있었다. 시곗바늘은 강의 시간을 막 넘기고 있었다.

"다음 강의가 있어서 가봐야 하거든요. 무슨 일 때문인지 빨리 말씀해 주시겠어요?"

마음 같아선 당장 강의실로 뛰어가고 싶었지만, 눈물을 닦아내는 아주머니의 표정이 심상치 않아 섣불리 자리를 뜰 수가 없었다.

"다름이 아니고유…… 남편이 이상해져서 교수님을 뵈러 왔시유."

"예? 왜요?"

"지 남편이 지난주에 교수님이 하시는 내적 치유 프로그램엘 갔다

왔거든유. 근디 사람이 변했더라고유, 글씨."

순간 가슴이 철렁했다.

"무슨 문제라도……?"

나도 모르게 목소리의 톤이 올라가자 아주머니가 급히 손을 내저으며 말했다.

"아니유, 그런 문제가 아니라유…… 그 양반이 원래 남들한티는 선하디 선한 양반인디, 지한테만은 생판 그런 적이 없었시유. 지 맘을 죽었다 깨나도 모르겠다구 했거든유. 근디 글씨 지한테유, '내가 당신 맘, 이젠 다 알어. 그동안 몰라줘서 참말로 미안혀. 고생혔지. 날 용서해 줘' 하면서 큰절을 허지 뭐유. 교인들한티도 큰절을 허면서 자기를 용서해 달라고 혀서 교회가 난리법석이었슈. 이것이 도대체 뭔일이당가요. 지는유 세상 사람들은 다 변해도 지 남편만은 안 변할 줄 알았거든유. 남편을 그렇게 바꿔놓은 교수님이 도대체 어떻게 생기신 분인가 만나 뵈러 온 거유. 교수님, 정말로 고마워유."

아주머니는 허리를 깊숙이 숙여 인사했다.

그 아주머니의 남편은 목사였다. 그분을 만난 건 일주일 전 집단 상담 프로그램에서였다. 내가 진행하는 프로그램에서는 모두 실명 대신 별칭을 쓰는데, 그분은 '나무'라는 별칭을 썼다. 누구보다도 점잖고 겸손하고 인자한 표정이 떠나질 않아 다들 '나무'를 잘 따랐다.

"자, 이번 시간은 아버지와의 사이에 있던 갈등을 나누는 시간입니다. 아버지에게 유감스러웠던 기억, 아버지한테 하지 못한 말, 마음에 담아두었던 말씀을 해보세요. 나무님, 먼저 하시겠습니까?"

"아버지하고 갈등이 왜 없었겠습니까? 살면서 다 있는 거지요. 그런데 지금은 괜찮아요. 기도로 다 해결했거든요. 더구나 지금은 돌아가셨고, 남은 감정도 없고…… 괜찮아요."

"그러면 돌아가신 아버지께서 이 자리에 계신다, 바로 나무님 앞에 계신다고 가정하고, 아버지께 한 말씀 해보시겠어요? '아버지를 용서하신다'고요."

대답이 없었다. '나무'는 고개를 숙이고 생각에 잠겼다. 갈등 중인 것 같았다. 한참 뒤 '나무'가 고개를 들었다. 그런데 평상시의 눈빛이 아니었다. 그렇게 점잖고 온화하던 '나무'가 심한 욕설을 퍼붓기 시작했다.

"난 못 해! 아버지를 용서할 수 없어. 이 세상 사람 다 용서해도 당신만은 용서 못 해!"

그리곤 나를 노려보면서 "당신은 지옥에나 가야 돼!" 하고 소리를 질렀다. 인자하던 표정은 온데간데없었다. 마치 최면에 걸린 사람처럼, '나무'는 자신의 슬픔 속에 깊숙이 빠져들었다.

"야, 이 자식아! 내가 너를 용서할 것 같아? 나는 못 해. 절대로 못 해, 안 해!…… 이 나쁜 자식아, 니가 인간이냐? 술만 취해 들어오면, 엄마를 자식들 보는 앞에서 쇠뭉치로 그렇게 때리고…… 으흑…… 시멘트 바닥에 내동댕이쳐서 엄마 머리에서 피가 흐르는데, 구둣발로 불쌍한 우리 엄마 머리…… 일굴을 짓이기고…… 작두에다 엄마 머리를 넣고…… 엉엉…… 죽여버리겠다고……"

'나무'는 말을 더 이상 잇지 못했다. 극도의 분노로 온몸이 벌게져 있었다. 전신을 부들부들 떨면서, 허공을 향해 주먹질을 하다가 뭔가 잡히기만 하면 찢고 뜯고 집어던지는 것이, 마치 지금 아버지를 죽어라 두들겨 패는 것 같았다.

"널 용서해? 마누라와 자식새끼들을 개 패듯 패고 짓밟은 너를 내가 용서해? 안 해. 이 나쁜 새끼야, 나는 하나님도 용서 못 해. 왜, 내가 뭘 잘못했어? 왜 그 꼴을 당해야 돼? 우리 불쌍한 엄마가 도대체 왜, 무슨 잘못이 있다고, 평생을 그렇게 살다가 화병으로 눈도 못 감았어. 어떻게 그렇게 허망하게 데려가느냐구! 난 하나님도 용서 못해…… 불쌍한 우리 엄마, 엄마…… 흑흑."

아버지를 향한 원망과 절규는 통곡으로 변했다. 어머니의 고통을 자신의 것인 양 느끼며, 어머니가 표현하지 못했던 분노를 대신 내뿜고 있는 것 같았다.

"왜 나한테 이런 고통을 주는 거야, 왜? 내가 도대체 무슨 잘못을 했기에…… 내가 얼마나 힘들었는지 알아? 그 개 같은 새끼가 술 처먹고 나를 붙잡아다가 두 손을 철사로 꽁꽁 묶어서 저수지에 데리고 가서는…… 내 머리를 물속에 처넣고, 죽을 만하면 빼고, 죽을 만하면 빼고, 그리고 나보고 '너 같은 놈이 뭐 하러 이 세상에 왔냐'고? 나보고 차라리 뒈져버리라고? 야, 이 새끼야. 네놈이 날 낳았지, 내가 오고 싶어 왔냐. 뒈져버리라고? 그래, 나도 살기 싫어. 차라리 날 그때 죽여버리지 왜 살려뒀냐? 날 죽여라 죽여! 네 놈 때문에 내가 어떤 고통의 세월을 살았는지 이 세상 사람 아무도 내 맘 몰라. 아는 사람 하나도 없어. 하나님도 내 맘은 몰라, 몰라. 날 죽여라, 죽여!"

'나무'는 극도의 분노로 자신을 학대하기 시작했다. 아무도, 가족은 물론이고 하나님도 자신을 이해하지 못한다는 절망, 그 원망과 분노가 자기 자신을 향하고 있었다. '나무'는 자신의 가슴을 아프게 쥐어뜯었다.

고통에 맞닥뜨리게 되면 그것으로부터 어떻게든 도망치려 하거나 묻어두려고 발버둥치지만 사실 고통을 극복하기 위해서는 먼저 고통으로부터 도망치는 일부디 중단해야 한다. 용기를 가지고 가장 부드럽고 따뜻하게 고통을 대면하여 제대로 알아주고, 그리고 그것을 드러내는 일이야말로 고통으로부터 벗어날 수 있는 길이다. 과연 어떤 것이 원인인지, 우울 때문인지, 병 때문인지, 인간 관계로부터 오는 상처 때문인지, 또는 두려움 때문인지 그 원인을 정확하게 알아야만 한다. 고통의 원인을 알 수만 있다면 치유는 가능해진다. 왜냐하면 고통의 원인이 곧 고통을 벗어나는 통로가 되기 때문이다.

아주 긴 시간이 흘렀다. '나무'의 절규가 어느 정도 가라앉고 나서, 나는 참가자들의 무거운 침묵을 깨고 그에게로 가까이 다가가 앉았다. 그리고 그의 손을 살며시 잡으며 부드럽고 조용한 목소리로 말했다.

"나무…… 제가, 나무 마음 다 압니다."

그러자 몸을 숙이고 흐느끼고 있던 '나무'가 갑자기 용수철처럼 튕기듯 벌떡 일어났다. 그리고 내 멱살을 잡고는 얼굴을 들이댔다.

"사기 치지 마. 니가 뭘 알아? 니가 내 맘을 어떻게 알아?"

멱살이 잡힌 채로 나의 얼굴도 눈물범벅이 되었다.

"나무, 제가 나무의 그런 고통을 압니다."

"니가 내 맘을 안다고? 야, 신앙 좋은 장로 아들로 태어나서 외국 나가 박사 학위까지 받고 온 니가 내 고통을 어떻게 알아? 넌 몰라."

"나무…… 지금, 제 가슴으로 나무의 그 고통을 느낍니다."

'나무'는 나를 뿌리쳤다. 내 고백을 받아들이지도, 믿지도 않았다. 나는 '나무'를 끌어안았다. 그가 뿌리쳐도 또 끌어안고, 내동댕이쳐도 다시 일어나 다가앉았다. 수차례의 몸싸움 끝에 '나무'는 나를 끌어안고 엉엉 울기 시작했다. 자신의 분노와 절망과 원망, 온갖 설움과 한을 다 쏟아내려는 듯 끝도 없이 펑펑 눈물을 흘렸다. 나는 '나무'를 놓을 수 없었다. 이 세상에 어느 누군가는 '나무'의 마음을 알아주어야만 한다는 생각, 오직 그것뿐이었다. 그를 지금 그냥 보내면 다시 절망의 시간으로 빠져들 수밖에 없을 것 같았다. 나라도 이 사람의 마음을 알아주어야만 한다는 생각뿐이었다.

'하나님, 저는 이 사람 포기할 수 없어요. 이 사람 꼭 다시 살게 해주세요. 이대로 그냥 보내시면 안 됩니다. 이런 가슴 가지고 어떻게 목사로 살아가란 말입니까? 이게 뭐예요, 하나님! 이 사람 좀 어떻게 해주세요. 살려주세요. 살려내세요.'

나도 가슴이 터질 것만 같았다. 그건 기도가 아니었다. 울부짖음이었다. '나무'의 고통이 그대로 내게 전해지고 있었다. 내게 매달려 우는 그의 등과 가슴을 한없이 쓸어내리고 또 쓸어내렸다. 내가 그렇게라도 하고 있으면 마치 그의 한과 상처가 씻겨나가기라도 할 것처럼. 그것이 전부였다. 이것이 '나무'와의 만남이었고, 그의 상처에 대한 치유 과정이었다. 아픔이 컸던 만큼, 부인이 전해준 '나무'의 변화는 내게도 정말 감사한 것이었다.

상처의 치유는 복잡하고 어려운 외과 수술과는 다르다. 슬프고 외로운 이의 마음을 나누면 치유는 자연스럽게 일어난다. '나무'는 누군가 자신의 고통을 알아주고 나누어주길 외롭게 기다려왔다. 그러나 그의 아내와 자녀들조차도 그 고통을 알아채지 못했다. '나무'는 속으로는 괴로워하며 끓어오르는 분노를 삭이면서 겉으로는 인자한 모습을 내보이기 위해 혼자서 고군분투한 것이다. 그러나 그 일이 있고 난 뒤 '나무'의 고통은 달라졌다. 상처의 기억이 여전히 남아 있다고 해도, 이미 드러난 상처는 더 이상 고통이 아니기 때문이다.

45년된 바윗덩어리

상처의 뿌리를 더듬어 가다보면 아주 어린 시절의 소소한 기억과 마주치는 경우가 의외로 많다. 어린 시절의 상처가 평생 족쇄가 되는 것이다. 부모로부터 상처받은 아이가 "나는 저런 엄마, 저런 아빠가 되지 말아야지" 하면서도 오히려 더 부모를 닮아가는 경우를 많이 본다. 공룡과 싸우면서 공룡을 닮는다는 말이 있듯이 말이다. 아버지한테서 상처받은 아들이 아버지를 닮고 어머니에게서 상처받은 딸이 그 어머니를 닮게 되는 경우를 우리는 많이 볼 수 있다.

문제는 대를 잇게 되어 있다. 상처를 가지고 있는 부모가 상처를 가진 자녀로 키워내는 것은 너무나 단순하고 당연한 원리이다. 이 악순환의 고리를 끊기 위해서는 내면에 깊이 박힌 상처를 치유하지 않으면 안 된다. 치유의 경험은 몸의 치료약처럼 일시적 혹은 개인적인 것에 국한되지 않고, 치유된 사람을 통해 다른 사람들 그리고 사회에까지 깊은 향기와 영향력을 남기게 마련이다.

　한국으로 돌아온 지 얼마 지나지 않아 나는 부부관계를 치유하기 위한 부부 사랑 세미나를 개설했다. 내가 주로 관심을 가지고 있는 것이 가족 관계 치유이기도 하거니와, 가정의 가장 기본이 되는 것이 부부임에도 아주 많은 사람들이 거기서부터 커다란 단절의 문제를 끌어안고 끙끙거리며 살기 때문이었다. 이 프로그램에서는 부부가 함께 참여해서 서로의 어린 시절 이야기를 나누게 된다.

　이때 만난 한 중년 부부의 이야기이다. 목사였던 남편은 나와 비슷한 면이 많았다. 그 역시 보수적이고 권위적인 목사의 아들로 태어나서 엄격한 교육을 받고 자랐다. 아버지는 엄하고 빈틈이 없어서 자녀들의 잘못을 그냥 보아 넘기는 법이 없었고, 집안은 그런 아버지에게 눌려서 항상 조용했다.

　어린 시절 그는 명랑하고 활발한 아이였다고 한다. 마을에 농악패들이 한바탕 신바람을 일으키고 가면 또래 아이들을 모아 꼬마 농악놀이패를 만들어서 동네 골목길을 뛰어다니곤 할 정도로…… 그러던 어느 날 이웃에 사는 부잣집 아이가 오징어 다리를 흔들어대며 자랑을 하자 가난한 시골 교회 목사 아들이던 그는 너무 부러운 나머지 그 아이의 오징어를 빼앗은 뒤 헛간에 숨어 먹어버린 일이 있었다. 부잣집 아이는 엄마를 앞세워 집으로 찾아왔고, 그날 밤 전후 사정을 전해들은 아버지에게 그는 호되게 맞았다. 그 뒤부터 그에겐 신바람이 사라졌다. 어디를 가든지 항상 아버지 눈이 자신을 쳐다보고 있는 것처럼 느껴졌다고 한다.

"그러려면 당장 그만둬라!" "다시 한번 그러면 내쫓아버릴 테다!" "도대체 이래서야 어디디 쓸고" "차라리 제 밥벌이나 하도록 일찌감치 내보내는 게 낫겠다!" 소년의 가슴에는 이런 아버지의 말씀들이 녹음테이프처럼 기록되었다. 그는 언제나 아버지의 목소리가 시키는 대로 판단하고 행동했다. 그 결과 어른이 되고 결혼을 하고 자식을 낳고 지긋한 나이가 된 지금, 그는 그가 그토록 두려워하던 아버지와 얼굴 표정과 발걸음까지 흡사한 사람이 되어 있었다. 엄격하고 빈틈이 없으며, 한번 화를 내면 온 집 안을 차가운 얼음판으로 만들어버리는 그런 아버지 상이 싫은 그였는데, 5남매 중 아버지를 가장 많이 닮은 사람이 바로 그 자신이라는 것이다. 그는 아내와도 사적인 대화를 거의 하지 않았고, 대신 통제와 지시만 하는 보수적인 남편이 되어 있었다.

나는 그 목사를 보면서 마치 내 자신을 보는 것 같아서 가슴이 답답했다. 내가 간신히 헤어 나온 '아버지'라는 어둠의 수렁에 그가 빠져 있구나! 나는 그를 붙들고 "목사님이 아버지를 뛰어넘지 못하면 하나님도 그 둘레에 갇혀버리는 거예요! 목사님이 믿는 하나님은 절대로 목사님 아버지의 이미지를 넘어설 수 없습니다! 아버지를 용서

하실 수 있나요?"라고 물었다.

그는 나중에 한 홈페이지에 이런 글을 올렸다.

"…… 아버지로부터 받은 상처가 아내와의 관계에서도 나타난다는 것을 알게 되었다. 아내에게만큼은 내 감정이 절제되지 않는다. 아내와는 알 수 없는 대화의 장벽이 있다. 심지어 나의 행동이 항상 아내에게 감시당하고 있는 것처럼 느껴진다. 45년 동안 나를 짓눌러왔던 바윗덩어리가 17년을 함께 살고 있는 내 아내를 짓누르고 있는 것이다. 이 바윗덩어리가 움직일 때마다 상처를 입고 살아온 내 아내가 너무나 불쌍하고 미안한 마음이 들었다.

그런데 그룹의 인도자는 나를 더욱 미치게 만들었다. 그분의 말씀이 '내가 믿는 하나님의 이미지는 내 아버지의 이미지를 넘어설 수 없다'는 것이다. 너무도 억울했고, 마음속에 이는 분노를 이길 수가 없었다. 나는 큰소리로 고함을 지르며 통곡했다. 일 년 전 어머니의 주검 앞에서도 소리 내어 울어보지 못한 내가, 눈물 한 방울 흘리지 못한 내 얼굴이 눈물 콧물로 범벅이 되었다.

둘러앉은 그룹 멤버들 앞에서 아내에게 무릎을 꿇고 한없이 용서를 구했다. 아내를 껴안고 마구 통곡했다. 그리고 이 바윗덩어리를 치우게 해달라고 인도자에게 매달렸다. 인도자는 나에게 치유의 방법을 알려주었다. 그것은 큰 용기를 필요로 하는 것이었다. 나로서는 엄두도 내지 못할 방법이었지만 그래도 이 바윗덩어리를 치울 수 있다면 무슨 일이든 못하겠느냐는 심정으로 결심을 했다.……"

바로 그날 밤 숙소로 돌아가 그는 아내를 불렀다고 한다.

"여보, 당신을 사랑합니다. 여보!"

다른 부부들에게야 일상적인 말이겠지만, 그는 처음으로 '여보'라는 말을 해본 거라고 한다. 그 짧은 한마디에 그는 바윗덩어리가 흘러내리는 것을 느낄 수 있었다.

"…… 아내의 얼굴이 달라 보였다. 그렇게 사랑스러운 아내의 모습은 처음 보았다. 사랑스러운 아내와 함께 살고 있는 내가 그렇게 자랑스럽고 행복할 수가 없었다. 결혼한 지 17년이 지나서야 비로소 참 아내를 만날 수 있었던 것이다. 밤새도록 '여보'라고 불렀다. 17년 동안 못 해본 '여보'를 그 밤에 다 불러버린 것 같다. 행복한 아내의 모습 속에서 기뻐하시는 하나님의 모습도 보였다.

그날 밤 이후로 나의 모습이 확 달라졌다. 흥이 많던 내 안의 어린 아이가 나와 함께 춤을 추기 시작한 것이다. 춤을 출 기회만 있으면 춤을 추고 싶었다. 춤추는 공간이 작게 느껴지기도 했다. 45년 동안 내 속에 있던 내면아이가 마치 한이라도 풀듯이 흥에 겨워 기뻐하는 것이었다.……"

그는 프로그램 내내 정말 열심히 춤을 추었다. 상처 때문에 아파하는 부부를 대하면 아파서 춤을 추고, 치유받고 기뻐하는 사람을 만나면 기뻐서 춤을 추고, 슬퍼하는 사람과는 눈물을 흘리며 추었다. 열병을 앓는 사람처럼 온몸이 땀으로 뒤범벅이 되고 기진할 지경까지 춤을 추었다. 그는 "머릿속에서, 손끝에서, 가슴속에서, 움직이는 발끝을 타고 마치 실타래가 풀린 것처럼 무엇인가가 자꾸 빠져나갔다. 그것들이 빠져나갈수록 가슴속이 후련해졌다. 머릿속이 맑아지고 손발이, 온몸이 부드러워졌다"고 고백했다.

　그는 부부 사랑 세미나를 마친 뒤 그 뜨거운 가슴을 안고 주일 아침 강단에 올랐다. 강단 뒤쪽에는 아버지가 앉아 계셨지만, 그는 세미나에서의 경험을 말하면서 다시 발견한 아버지의 이야기를 털어놓기 시작했다. 교인들 대부분은 설교하는 그를 보기보다 강단 의자에 앉아 계시는 아버지에게 시선을 집중했다.

　"나에게는 아버지에 대한 큰 바윗덩어리가 있습니다. 나는 이 바윗덩어리를 제거하지 않고서는 도저히 목회를 할 수 없습니다. 이제 나는 내 아버지에게 가겠습니다. 그리고 아버지에게 따지겠습니다."

　그는 마이크를 뽑아들고 강단 의자에 앉아 계시는 아버지 앞에 섰다. 어쩔 줄 몰라 하는 아버지 앞에 무릎을 꿇고 큰 소리로 외쳤다.

　"아버지, 아버지는 왜 이 아들에게 사랑한다, 용서한다는 말씀을 한 번도 해주지 않으셨나요? 아버지의 그 차가운 가슴 때문에 이 아들이 얼마나 힘들게 살고 있는지 아버지는 알고 계세요? 아버지, 지금이라도 이 아들에게 사랑한다고 말씀해 주세요. 내가 너를 용서한다고 말씀해 주세요. 저도 아버지를 용서합니다. 저도 아버지를 사랑합니다."

　순간, 아버지는 온몸을 떨며 그를 끌어안고 큰 목소리로 이렇게 말했다.

　"송 목사! 내가 송 목사를 얼마나 사랑하는데, 송 목사, 사랑한다! 내 아들 송 목사, 내가 너를 사랑한다."

　그는 인터넷 홈페이지에 계속해서 이렇게 적고 있었다.

"아버지의 가슴속에 파묻힐수록 아버지의 가슴이 휑하니 비어 있는 것을 느낄 수 있었다. 비어 있는 아버지의 가슴을 느끼면서 그때서야 나에게 억제할 수 없는 통곡이 터져 나왔다. 아버지는 나를 사랑하지 않은 것이 아니었다. 내가 교회의 분쟁으로 목사 가운이 찢기는 아픔을 겪을 때, 당신은 아무 말씀도 하지 않으셨다. 오히려 어리석은 나는 목회를 그만두라고 말씀하실 것만 같아 당신을 피해 다녔는데, 그때 아버지는 당신의 가슴을 도려내고 찢어내는 아픔을 겪으셨던 것을 나는 몰랐다.

내가 폭력배에게 얻어맞고 오히려 폭력범으로 몰려 억울하게 재판정에 서 있을 때 당신의 가슴이 아플 대로 아파서 위암 수술까지 받으셨던 것을, 그래서 뻥 뚫어진 가슴으로 살아오신 것을 나는 알지 못했었다. 나를 그토록 사랑하신 아버지 앞에서 그제야 불효자식은 통곡하며 용서를 구했다.

얼마나 시간이 흘렀을까? 정신을 차리고 고개를 들어보니 교인들 전체가 수건을 꺼내들고 울고 있는 것이 아닌가? 나는 그들 앞에 다가섰다.

오늘 예배는 이것으로 마칩니다. 마지막 축도는 제 마음속의 뜨거운 사랑을 여러 교우들과 나누는 것으로 하고 싶습니다. 여러분 한 사람씩 껴안는 것으로 축도를 대신합니다.……"

교우들이 한 사람씩 앞으로 다가왔다. 용서를 빌고 용서해 주고, 울고 또 울고 하기를 반복했다. 목사 한 사람이 변화됨으로, 목사 부부의 사랑이 회복됨으로, 아버지와의 뜨거운 사랑의 확인으로, 교회 전체가 사랑의 물결 속에 젖어들 수 있었던 것이다.

그는 이제 그 힘으로 산다고 했다. 아무리 어려운 일을 만나도 아버지의 사랑이 자신을 지지해 준다는 것을 알기에 이겨낼 수 있다고 했다. 아내의 따뜻한 위로와 격려 덕분에 다시 일어설 수 있고, 사랑의 따뜻한 눈길을 보내주는 교우들이 있어 용기 있게 새 일을 시작할 수 있다고 했다. 그에게 이제 하나님은 더 이상 그를 감시하고 질책하는 하나님이 아니라 사랑하고 용기를 주고 지지해 주는 분임을 알게 된 것이다. 아버지에 대한 이미지가 하나님의 이미지로까지 화한 셈이다. (안타깝게도 송 목사님은 아내와 아버지와 그렇게 새로운 관계를 되찾고 천국 같은 삶을 살고 있다고 자랑한 그다음 날 불의의 교통사고로 세상을 떠났다.)

아버지라는 이름, 10년 만의 귀향

 강산도 변한다는 10년 만에 나는 힘든 유학 생활을 마치고 고국으로 돌아왔다. 열다섯 시간 동안 비행기 안에 있으면서 나는 잠시도 눈을 붙이지 못했다. 지나간 내 삶의 모든 순간순간이 마치 파노라마처럼 눈앞에 펼쳐졌다. 잊어버린 줄만 알았던 과거의 기억들이 떠오를 때마다 만감이 교차하며 하염없이 눈물이 흘렀다. 스무 살도 넘기지 못하고 죽을 것만 같던 내가 마흔이 넘은 중년이 되어 다시는 오지 않겠다던 고국의 품으로 돌아가고 있는 것이다. 돌아가신 후에 영전에서야 대할 줄 알았던 팔순의 아버지를 곧이제 만나볼 터였다.

공항에 내릴 때까지 나는 흥분제를 잔뜩 먹은 사람처럼 가슴이 콩콩 뛰었다. 출구를 빠져나오며 멀리 뒷전에 서 있는 아버지를 보는 순간, 나도 모르게 손뼉을 치며 단숨에 달려가 아버지를 화들짝 끌어안았다. 가슴 벅찬 눈물을 흘렸다. 당황한 아버지는 "애가 외국 가서 오래 실더니 별 이상한 짓을 다 하네……"하며 주춤 물러섰다. 나는 두 팔로 더 힘차게 아버지를 껴안으며 아버지의 볼에 정신없이 입을 맞추며 아버지 귀에 속삭였다.

"아버지, 너무너무 뵙고 싶었어요. 사랑해요, 아버지."

내 가슴 깊숙이 숨어 있다가 터져 나온 "사랑해요, 아버지"라는 이 한마디는 바로 나를 다시 살게 한 외침이었다. 지금까지 "왜 아버지는 내게 사랑한다는 그 말 한마디 해주지 않으셨을까?"물으며 원망의 세월을 살아왔었다. 내가 먼저 마음을 열어 아버지를 끌어안을 수도 있다는 사실을 너무나 늦게 안 것이다. 아버지를 마음으로 안고 난 뒤에야 아버지가 말로는 표현하지 못했던 그 큰 사랑도 느낄 수 있었다. 팔순이 다 된 노구에도 살아계신 아버지가 참으로 고맙고 감사했다. 나는 속으로 감사의 눈물을 흘렸다.

'아버지, 살아계셔서 정말 고맙습니다.'

공항 시멘트 바닥에 무릎을 꿇고 나는 아버지께 큰절을 올렸다.

10년 전에도 나는 바로 이 자리에서 아버지께 큰절을 올렸었다. 그 10년 사이에 바뀐 것은 고국의 강산만이 아니었다. 힘없고 주름진 아버지의 얼굴만이 아니었다. 바로 나 자신이 180도 바뀌어서 다시 그 자리로, 원망과 포기 그리고 두려움으로 울음을 쏟던 그 자리로 돌아온 것이다.

10년 전 그때 8월의 햇살은 뜨거웠고, 차창 밖의 모든 것들은 지칠 대로 지쳐 보였다. 사람과 나무뿐 아니라 보도블록과 건물들마저 뜨거움을 토해내고 있었다. 공항으로 가는 버스 안에서 우리는 마치 그 뜨겁고 지친 여름의 풍경에 눌리기라도 한 것처럼 아무런 말도 하지 않았다.

"그래…… 가면 어찌 살 거냐?"

침묵을 깬 사람은 아버지였다.

"공부할 겁니다."

짧게 답하고 창밖으로 시선을 돌려버렸다.

"언제 돌아올 거냐?"

"공부 끝나면요."

"그게 언제쯤인데……"

"가봐야죠."

아버지는 마뜩찮은 표정이었다. 아버지도 더 이상은 입을 열지 않았다.

나는 나이 서른에 캐나다 유학길에 올랐다. 말이 유학이지 사실 '이제 떠나면 다시는 한국으로 돌아오지 않으리라' 그런 다짐을 하고 있었다. 한국은 잊어야 할 것이 너무 많은 나라였다. 도저히 미래를 꿈꿀 수 없는 곳이었다.

공항 로비에서 나는 아무것도 모르는 아버지께 마지막 큰절을 올렸다. 사춘기를 넘어서면서 서먹해진 부자지간에 애틋함이 남아 있을 리 없었지만, '이제 가면 다시는 못 뵌다. 다음에 뵐 땐 영정 앞에 인사하게 될 거다'라고 생각하자 강한 전율이 몸을 휘감더니 이내 눈물이 되어 뚝뚝 떨어졌다. 몸을 일으키며 눈물을 보이지 않으려고 아버지를 와락 끌어안았다. 그렇게 당당하고 위엄 있던 아버지…… 그러나 이제는 수염마저 하얗게 쇠어버린 늙은 몸이 되어 종이자락 구겨지듯 내 품에 들어와 안겼다. 자꾸 눈물이 나서 더 있을 수가 없었다. 아버지를 놓기가 무섭게 가방을 움켜쥐고 공항 개찰구 안으로 달려갔다.

배웅을 나왔던 친구들이 당황해하며 나를 부르는 소리가 언뜻 들렸다. 나는 뒤를 돌아볼 수가 없었다. 여권 심사대 앞에 서서야 마음 놓고 엉엉 울었다.

'안녕히 계셔요. 잘들 있어라.'

입속말로 수없이 인사를 했다.

'살아서는 다시 뵙지 못할 겁니다. 아버지, 부디 몸 성히 안녕히 계셔요.'

비행기에 앉았다. 이륙하는 비행기의 반동으로 몸이 끌려 내려가는 것보다, 내 유년과 청년의 기억들이 나를 더 무겁게 끌어내렸다. 아스라한 구름 뒤로 가라앉고 있는 고국의 땅, 그리고 그 땅 위에서 펼쳐졌던 시련의 기억들, 그리고 무엇보다도 나를 이 땅에서 떠나게 만든 아버지라는 존재……

그리고 10년 후, 나는 미국과 캐나다 등지에서 상담학을 전공해서 학위를 받고 미국심리치료협회의 임상 감독 회원이 되어 있었다. PTSD(외상 후 스트레스 장애, Post Traumatic Stress Disorder) 치료와 가족 치료 전문가, 그리고 국제 공인 부부 치료 전문가 자격도 가지고 있었다. 심리 상담이 일반화되어 있는 미국에서라면 꽤 고액을 벌 수 있는 상담가인 셈이다.

내가 다시 한국으로 돌아오겠다는 생각이 든 것은 은사님의 부름을 받은 직후였다. "한국의 많은 가정이 깨지고, 부부들이 이혼하고, 젊은 목회자들이 방황하는데, 그들을 붙들고 치유해 줄 준비된 전문가가 너무 없어! 오 박사가 지금까지 그런 처절한 고통과 치유의 경험을 하고 상담과 심리 치료를 공부한 것은 한국의 가정과 교회를 치유하시려는 하나님의 뜻이야!"

나는 무엇보다도 내가 가장 힘들었을 때 나를 부둥켜안고 울어주셨던 은사님이 나를 불러주셨다는 데 감격했다. 그 은혜에 조금이라도 보답하고 싶었다. 그러나 처음 그 초청을 받았을 때 내가 한국에서 할 일이 과연 무엇인지, 그런 일이 있기나 한 것인지 확신이 들지 못했다. 더욱이 다시는 돌아가지 않겠다고 작정하며 떠나왔던 고국이 아닌가!

타국 생활 10년 만에 비로소 내 자신을 발견하고 조금씩 안정을 찾으면서 편안하고 조용한 삶을 살아가려던 나로선 예정에 없던 한국으로의 귀국이 한편 두렵기도 했다. 그러나 내가 어디에 있든 나를 가지고 가는 것이고, 나를 사랑하는 하나님은 내가 원하는 것을 허락할 것이라는 믿음이 생겼다. 그렇게 나는 내가 고향의 편안한 품을 받아들일 준비가 되었다는 것을 인정했다. 그런 생각이 들면서 나는 내가 한국에서 해야 할 일이 무엇인지도 알 수 있었다. 그것은 마치 영화 속의 패치 아담스가 무료 병원을 만들었던 것처럼, 누구나 마음 편하게 찾아와 자신의 상처를 털어놓을 수 있는 치유 센터를 만드는 일이었다.

사람들은 누구나 자신의 이야기를 들어줄 사람을 필요로 한다. 고통을 받고 있는 사람이라면 마음을 나눌 사람이 필요하고, 위기에 처한 사람이라면 같이 두려움을 나누어 가질 수 있는 사람이 필요하다. 많은 경우, 고통의 진짜 이유는 고통스러운 사건 그 자체보다도 그 고통을 나눌 사람을 한 명도 가지고 있지 못하다는 절대적인 외로움에서 비롯된다. 이것이 상담 센터가 필요한 이유였다.

잘 들어주는 친구가 있다면 그 사람은 행운아다. 잘 들어주는 것이야말로 관심의 가장 깊은 표현이기 때문이다. 따뜻한 사랑으로 그냥 들어주는 것은 청산유수 같은 백 마디 말보다도 사람을 치유하는 힘이 더 크다는 것을 나는 지난 10년간의 처절한 외로움 속에서 뼈저리게 체득할 수 있었다.

고통이 공감되면 사람들은 자신의 부정적인 감정을 고백하게 된다. 꽁꽁 담아두었던 분노와 원망을 털어냄으로써 고통은 평화와 기쁨, 겸손과 감사, 희망과 생명으로 바뀌는 것이다. 상담가의 "난 당신 맘 다 알아요"라는 말 한마디, 그것은 바로 내 자신의 치유가 시작되게 한 한마디이기도 했다. 나 또한 상담이 있을 때마다 내 두 손을 가슴에 얹고 이렇게 기도했다. '이제 상담하게 될 그 사람의 고통을 내 가슴에서 느끼게 해주십시오. 나의 모든 것을 다 주어서라도 이 사람의 고통이 덜어질 수 있다면 그렇게 하겠습니다!'

순수한 사랑으로 집중하면 치유는 반드시 일어나게 되어 있다!

고국의 부름이 있은 후 나는 비로소 이러한 상담 센터를 통해 상담 불모지 한국에 영성·상담·치유 공동체의 새로운 모델을 만들고 싶다는 생각이 들었다. 거대하기보다는 내실 있게, 화려하기보다는 활발하게 움직이는 사람들과 함께 따뜻하고 적극적이고 열린 마음을 갖춘 공동체를 만들고 싶었다. 힐링 카페, 상담 도서관, 조이 클리닉, 춤 치료 센터, 가족 치유 연구소, 가족·부부 상담 센터 등 누구나 마음을 열고 한 가족처럼 마주하는 힐링 네트워크의 꿈. 그것은 모든 사람이 스스로를 사랑함으로써 서로를 소중히 받아들일 수 있는 가정과 사회의 꿈이기도 했다.

엎드려 있는 나의 등 뒤로 아버지의 손길이 느껴졌다. 그 순간 나를 다시 한국으로 부른 것은 은사님만이 아니었음을 알았다. 아버지…… 아버지가 아직 살아서 나를 기다리고 계신 것이다. 어쩌면 나에게 아직 할 말이 남아 있어서였을지도 모른다는 생각이 들었다. 사랑한다는 그 말. 아버지와 나는 이제 진정으로 "사랑한다"는 말을 주고받고 있었던 것이다.

용서는 이미 이루어졌다

심리 치료의 목표는 자신을 진심으로 용납하는 것이다. 용서는 진짜 믿음이 필요한 자리이다. 내가 용서하는 것이 아니라 하나님이 하시는 것이기에 그렇다. 우리가 할 일은 온 세상에 이미 용서가 다 이루어져 있음을 받아들이고 믿는 것뿐이다.

첫 번째로 용서할 대상은 우리에게 가장 큰 상처를 준 부모님이다. 부모를 용서하지 않으면 내 삶이 불행해진다. 아버지와의 관계가 막힘으로 인해 남편과의 관계가 막히는 여성들도 많고, 어머니와의 관계가 문제가 되어 아내와의 관계가 막히는 남성들도 많다. 부모님을 계속 원망하고 서운해만 하는 동안에는 건강한 삶을 살기 힘들다. 우리는 오랫동안 부모님의 상처, 그들의 슬픔과 한을 우리 자신의 것으로 동일시해 왔다. 어머니, 아버지에 대해서 가지고 있던 모든 부정적인 감정들을 멀리 떠나보내야만 한다. 지금 용감하게 과거를 잊어버리고 새 출발을 해보자. 부모님을 용서하기 위해서는 부모님에 대한 분노를 표현하고 난 뒤에 그분들을 부둥켜안는 과정이 필요하다.

왼손을 왼쪽 가슴에 대고 어머니를 불러보라. 오른손을 오른쪽 가슴에 대고 아버지를 불러보라. 그분들을 내 존재 깊숙이 받아들여 보라. "아버지 용서합니다! 아버지는 더 이상 내 인생의 장애물이 될 수 없습니다. 더 이상 내 인생에 영향을 끼칠 수 없어요. 나는 아버지와 다른 나만의 삶을 살겠습니다. 아버지는 나의 아버지이십니다"를 수십 번 외쳐본다. 용서함으로써 장애물을 치우고 아버지를 끌어안는

다. "어머니 용서합니다!" 두 팔을 벌리고 어머니를 끌어안는다.

　이렇게 부모님을 끌어안을 때 다른 사람과의 관계도 비로소 열리기 시작한다. 부모는 나의 뿌리이다. 부모와의 관계가 풀리지 않은 상태에서는 자신의 부부관계, 자녀관계도 어려움을 겪는다. 아버지/어머니를 부둥켜안는 순간 내 안의 영성이 살아나고 내 인생이 풀릴 수가 있다. 그때 비로소 자기 자신을 용납하게 되기 때문이다.

　그런데 이렇게 어렵게 부모를 용서한 사람이라도 자기 자신을 용서하기란 쉽지 않다. 특히 크리스천들에겐 더욱 그렇다. 우리는 우리 스스로를 정죄하고 감옥에 가두었다. 장애물은 바로 나 자신이다. 용서하지 못하는 마음이다. 다른 사람을 다 용서하더라도 내 자신을 용서하지 않는 한 아무 소용이 없다. 신은 이미 우리를 용서하셨다. 우리에게 필요한 것은 자기 자신에 대한 용서이다.

　자기 이름을 부르면서 "○○야, 너를 용서한다!"라고 외쳐보라. 과거의 나는 새장에 새처럼 갇혀 있었다. 내가 나를 가두었기 때문이다. 닫혀 있던 내 마음의 문을 열어젖히고 창공을 향해, 세상을 향해 마음껏 날아보라. 울타리 안에 갇혀 있던 소와 말이 울타리 밖으로 뛰어나오듯 마음의 오래된 빗장을 활짝 열고 이렇게 외쳐보라. "자유다! 해방이다!" 자신을 향해 이제 모든 것이 용서되었고 깨끗하게 되었다고 선언하라. 치유의 광선이 머리에서부터 나의 온몸을 깨끗하게 하는 것처럼.

　이번에는 그 밖의 다른 가족이나 회사 동료, 아니면 지금 앞에는 없더라도 미워했던 사람을 떠올려 보라. 그 사람은 어제의 그 사람이지만, 내가 변함에 따라 그 사람도 달라 보인다. 내가 내 자신을 하나님의 형상으로 바라보는 순간 그 사람 또한 하나님의 형상으로 바라볼 수 있게 되는 것이다. 만약 그 사람이 하나님의 형상으로 보이지 않는다면 그것은 나에게 아직 문제가 있기 때문이다. 내 안의 치유되지 않은 상처가 그 사람을 하나님의 형상으로 보지 못하게 하는 것이다.

그런 사람이 떠오를 때마다 그 사람이 바로 지금 내 앞에 서 있다고 생각하고 몸과 마음으로 큰절을 올리며 "나를 용서하십시오. 미안합니다"라고 말해보라. 마음속에서 죄책감이 사라질 때까지 열 번이고 스무 번이고 그 사람에게 사죄의 절을 하면서 "죄송합니다. 사죄합니다"라고 말해보라. 이때 그 사람이 잘못한 것은 생각할 필요가 없다. 다만 내가 잘못한 것, 미안한 것만 사죄하면 되는 것이다.

부모에게, 형제자매에게, 떠오르는 모든 사람에게 용서를 구하라. 정성을 다해 이렇게 말해보라. "용서합니다. 용서하십시오." 용서를 구하는 마음보다 아름다운 마음은 없다. 그렇게 함으로써 사실은 나 자신을 용납하게 되고, 무조건적으로 그를 사랑할 수 있게 된다. 그렇게 해서 수지맞는 쪽은 결국 나다. 지금 용서함으로써 모든 과거로부터 해방되라. 모두 다 털어버리고 다시 새 출발을 하자.

그러나 《폭력의 기억》의 저자 앨리스 밀러Alice Miller가 말하듯이, 충분한 분노의 표현과 통곡, 슬퍼함 없이 의무감에서 억지로 곧장 용서를 시도하는 것은 더 나쁜 결과를 가져온다. 용서는 상처에 대해 충분히 슬퍼하고 아파한 결과로서 저절로 오는 것이다.

용서: 당신을 위한 최고의 선물

아직 아버지가 살아계신다면, 당신 자신을 위한 최고의 선물을 자신에게 선물하세요. 아버지의 반응에 상관하지 말고 아버지를 이 세상에서 가장 반가운 분으로 부둥켜안아 보세요. 그리고 "아버지, 정말 사랑합니다. 당신은 나의 아버지입니다. 내가 아는 것은 오직 하나 당신이 나의 아버지라는 것입니다"라고 큰소리로 외칠 수 있다면, 당신의 내면아이가 얼마나 기뻐할까요?

그러나 아직 준비가 되어 있지 않다면 속으로 해도 괜찮습니다. 그리고 간단하게 휴대폰 카메라로라도 아버지와 사진 한 컷 찍어보세요.

엄청난 용기를 내신 당신! 축하드립니다. 물론 어머니와도 이와 똑같은 방식으로 당신 자신을 위한 최고의 선물을 허락하세요. 그리고 그 사진을 여기에 붙여보면 어떨까요?

사진

상처받은 내면아이 질문서

무엇인가 잘못되고 있다는 것을 느끼고는 있지만 무엇이 어떻게 잘못되고 있는지를 정확히 설명할 수 없고, 어떻게든 벗어나려고 발버둥을 치지만 헤어날 수 없을 때, 그리고 고통스럽지 않은 것처럼 어떻게든 애써 부인하려 하지만 여전히 고통스러울 때, '고통이 거기 있다는 사실을 알아주는 일'이 무엇보다 중요합니다.

다음의 질문들은 당신 안의 내면아이가 어느 정도로 상처받았는지를 전체적으로 보여줄 것입니다. 당신이 해온 역할들로 인해서, 또 어린 시절 꼭 받아야 했던 것을 받지 못함으로 해서 어떤 상처를 당신의 내면에 간직하고 있는지 찾아보세요. 질문은 자신의 정체성, 기본적인 욕구, 사회성, 이 세 가지 차원에서 이루어집니다.

정체성

질 문	예	아니요
1. 새로운 일을 시작하려고 계획할 때마다 걱정되거나 두렵다.		
2. 모든 사람들이 좋아하는 멋진 사람이지만 나 자신에 대한 확신은 없다.		
3. 반항적이며 다른 사람과 다툴 때 살아있다는 걸 느낀다.		
4. 숨겨진 나 자신의 깊은 곳에서는 무엇인가 내게 잘못된 것이 있다고 느끼고 있다.		
5. 나 자신이 마치 창고와 같아서 아무것도 내다버릴 수가 없다.		
6. 남자로서 혹은 여자로서 부족하다고 느낀다.		
7. 성별에 대해 혼란스럽다.		

	예	아니요
8. 왠지 나 자신을 두둔하면 죄책감이 느껴지기 때문에 차라리 다른 사람들의 편을 드는 게 낫다.		
9. 새로운 일을 시작하기가 어렵다.		
10. 일을 끝내는 게 어렵다.		
11. 자기만의 생각을 가져본 적이 드물다.		
12. 자신의 부족함에 대해 계속해서 스스로를 비판한다.		
13. 나 자신이 아주 죄 많은 사람이라고 생각하고 지옥에 갈까 봐 무섭기도 하다.		
14. 아주 엄격하고 완벽주의 기질이 있다.		
15. 한번도 내가 능력이 있다고 생각해 본 적이 없고 제대로 일을 해본 적이 없다.		
16. 진정으로 원하는 것이 무엇인지 모른다는 생각이 든다.		
17. 완전한 성취자가 되기 위해 나 자신을 통제한다.		
18. 성적으로 매력적이지 못하면 아무것도 아니라는 생각이 든다. 혹시 나 자신이 멋진 연인이 되지 못하면 버림받거나 거절당할까 봐 겁난다.		
19. 인생이 공허하다. 대부분의 시간 동안 우울하다.		
20. 나 자신이 누구인지 정말 모르겠다. 나의 가치가 어느 정도인지, 어떤 것에 대해 내가 어떻게 생각하는지도 모르겠다.		

기본적인 욕구

질 문	예	아니요
1. 언제 피곤하고, 배고프고, 흥분하는지 등의 신체적 욕구에 대해 무감각하다.		
2. 다른 사람들이 나한테 손대는 게 싫다.		
3. 정말로 원하지 않을 때도 종종 섹스를 한다.		
4. 예전에 혹은 현재 섭식 장애가 있다.		
5. 구강 성교를 좋아하고 그것에 집착한다.		

질문	예	아니요
6. 무엇을 느끼는지 잘 모른다.		
7. 화가 났을 때 나 자신이 부끄럽다.		
8. 화를 잘 내지 않지만, 화가 났을 때는 아주 격노한다.		
9. 다른 사람들이 화를 내는 것이 무섭다. 그걸 막기 위해서는 무엇이든 하려고 한다.		
10. 눈물이 날 때 자신이 부끄럽다.		
11. 겁이 날 때 자신이 부끄럽다.		
12. 별로 좋지 않은 감정은 거의 표현하지 않는다.		
13. 항문 섹스에 아주 집착한다.		
14. 가학적이거나 자기학대적인 변태 섹스에 집착한다.		
15. 자신의 신체적인 기능이 부끄럽다.		
16. 수면 장애가 있다.		
17. 포르노 영화를 보는 데 비정상적으로 많은 시간을 보낸다.		
18. 다른 사람들을 자극하기 위해 자신을 성적으로 보이려 한 적이 있다.		
19. 어린아이에게 성적인 매력을 느끼지만 그것을 행동으로 보일까 봐 걱정이다.		
20. 음식 또는 섹스가 나의 가장 큰 욕구라고 믿는다.		

사회성

질 문	예	아니요
1. 기본적으로 나 자신을 포함해서 다른 사람들을 믿지 않는다.		
2. 예전에 혹은 지금 중독자와 결혼했다.		
3. 관계에 있어서 너무 강박적이거나 통제적이다.		
4. 중독자이다.		
5. 관계에서 고립되어 다른 사람들, 특히 권위자를 무서워한다.		
6. 혼자 있는 게 싫기 때문에 그러지 않기 위해 무엇이든 하려고 한다.		

질문		
7. 다른 사람들이 내게 기대한다고 생각되는 걸 하고 있는 자신을 발견하곤 한다.		
8. 어떤 상황이든 분쟁은 피한다.		
9. 다른 사람의 의견에 싫다고 말을 해본 적이 거의 없으며 그들의 제안에 따라야 할 것 같다.		
10. 지나친 책임감을 느낀다. 그래서 혼자보다는 다른 사람들에게 관여하는 게 훨씬 편하다.		
11. 다른 사람에게 직접적으로 싫다고 말하지는 않고, 다른 사람의 요구에 대해서는 아주 교묘하고, 간접적이며 소극적인 방법으로 거절한다.		
12. 다른 사람들과 다투고 나서는 어떻게 해결해야 할지 잘 모른다. 그래서 상대방을 눌러버리거나 아예 포기해 버린다.		
13. 이해하지 못하는 부분에 대해서도 거의 해명을 요구하지 않는 편이다.		
14. 종종 다른 사람들이 무슨 뜻으로 말을 했는지 추측하고, 그 추측을 바탕으로 대답한다.		
15. 부모님 중 어느 한 분과도 가깝다고 느껴본 적이 없다.		
16. 사랑과 연민을 혼동하고, 동정할 수 있는 사람을 사랑하는 경향이 있다.		
17. 누군가 실수하면 그것이 자신이든 다른 사람이든 비웃는다.		
18. 아주 쉽게 그룹의 규칙에 따른다.		
19. 나는 아주 경쟁적이며, 불쌍한 패배자이다.		
20. 제일 큰 두려움은 버림받는 것이기 때문에 관계를 유지하기 위해서는 무엇이든 할 수 있다.		

* 위 표의 내용은 존 브래드쇼 지음, 오제은 옮김, 《상처받은 내면아이 치유》(서울: 학지사, 2004. 원서는 John Bradshaw, *Homecoming: Reclaiming and Championing Your Inner Child*, The Bantam Dell Publishing Group)에서 발췌, 인용한 것임.

정체성, 기본적인 욕구, 사회성 세 항목 전체에 대해 10개 이상의 항목에 '예'라고 대답을 했다면 심각한 상황이라고 할 수 있습니다. 이 《자기 사랑 노트》는 바로 그런 당신에게 꼭 필요한, 당신을 위한 책입니다.

나 자신에게서
하나님의 형상을
바라보라

당신은 그 이상입니다

나 자신에게서 하나님의 형상을 바라보세요.
느낌이 올라올 때까지 스스로에게 이렇게 말해주세요.
"당신은 하나님의 형상입니다."
당신은 몸이 아닙니다. 당신의 몸은 당신의 것입니다.
당신은 마음이 아닙니다. 당신의 마음도 당신의 것입니다.
당신은 역할이 아닙니다.
당신은 그 역할을 할 수도 있고 안 할 수도 있습니다.
당신은 그 이상입니다.
당신에게서 하나님의 형상을 바라보세요.
당신은 하나님 나라의 시민입니다.
당신은 이 세상에 나그네로 왔습니다.
당신은 고귀하고 존귀한 하나님 나라의 공주님입니다. 왕자님입니다.
당신은 하나님의 나라를 기업으로 받을 상속자입니다.
당신 자신에게서 하나님의 형상을 바라보세요.
이것이 당신이 이 우주에 온 목적입니다.
당신 자신에게서 하나님의 형상을 바라보세요.
그래야만 다른 사람을 하나님의 형상으로 바라볼 수 있습니다.
"당신은 하나님의 형상입니다."

내 대신 네가 아팠구나

오래전 5박 6일간의 집단 상담 프로그램에 참석했을 때 일이다. 참가자들은 실명을 사용하지 않고, 그 대신 지금의 자신을 나타내는 단어나 자기가 바라는 이미지를 별칭으로 정해 사용했다. 우리 팀 인도자의 별칭은 '바다'였고, 나는 '새벽'이라는 별칭을 썼다.

그 집단 경험이 내 인생의 결정적인 전환점이 된 것은 한 참가자 때문이었다. 그를 '호수'라는 가칭으로 부르겠다.

인도자였던 바다는 각자의 인생에 있어서 가장 가슴 아픈 사건에 대해 이야기를 나누자고 했다. 참석자들이 한 사람씩 돌아가며 이야기했다. 호수의 차례가 되었다. 호수가 꺼낸 이야기는 생각하는 것만으로도 몸서리를 칠 만한 내용이었다. 감히 입에 담기도 두려운 근친상간의 기억……

성폭행 전문 치료사들은 사람을 학대하는 것 중에서도 가장 잔인하고 무서운 것이 성폭행이라고 말한다. 성폭행 피해자는 대부분 여성인데, 그런 경험을 한 여성들은 "남자는 누구나 다 도둑놈이고, 오직 섹스밖에 모르는 동물이다"라는 식으로 남성에 대해 왜곡된 시선을 갖기 쉽다. 이 편견은 곧 인간 전체에 대한 심각한 불신으로 이어져 정상적인 사회 생활마저 힘들어진다. 그중에서도 가장 심각한 것은 자기 자신에 대한 혐오감이다. 자신이 성폭행 사건이 일어나기 전과는 전혀 다른 사람, 즉 "나는 이제 깨끗하지 않다. 더러워졌다"는 식으로 자신에 대한 시각, 즉 자기 이미지self image가 심각하게 왜곡되는 것이다.

결국 이 날의 프로그램은 호수로 하여금 가슴속 깊이 묻어두었던 가장 뼈아픈 상처를 과감히 드러내게 하는 것에 집중되었다. 이것은 잠재의식의 깊숙한 곳에 있는 무거운 짐을 풀어놓게 하는 과정으로, 가장 극적인 치유 방법이기도 하다. 하지만 그 당시 전문적인 심리치료에 대해 잘 알지 못했던 나로서는 그런 과정이 호수에게 어떤 치유 효과를 주는지 모르고 있었다. 나는 그저 호수가 하는 얘기에 큰 충격을 받고 있었다. 그것은 내가 살아오면서 들어본 이야기 가운데 가장 민망하고 극도로 잔인한 것이었다. 호수는 자신은 이 세상의 어떤 남자, 어떤 인간도 믿지 않으며, 앞으로도 평생 절대 믿지 않을 거라고 몸서리를 치며 부들부들 떨었다.

"난 망가졌어요. 내 인생은 그때 끝났어요. 모두 날 버렸어요. 난 내가 싫어요. 난 더러운 년이에요. 이렇게 살 수밖에 없는 운명이에요. 난 틀렸어요."

나는 더 이상 이야기를 들을 수가 없었다. 가슴속에서는 뭐라고 설명할 수 없는 분노가 점점 요동치기 시작하는데 시간이 갈수록 견디기가 힘들었다. 마음속에서는 '하나님, 도대체 왜 저 사람에게 그런 일이 일어나도록 그냥 내버려두셨습니까? 당신은 그때 뭘 하셨습니까? 저 사람을 미워하셨습니까? 사람을 이렇게 비참하게 만들어도 되는 겁니까? 뭘 위해서요?' 이런 말들만 되풀이되고 있었다.

고통 속에 내재된 하나님의 뜻이 있을 거라는 둥, 고난이 축복의 열쇠라는 둥 귀에 못이 박히도록 들어왔던 해석들도 이 순간엔 전혀 가슴에 와 닿지 않았다. 답답했다. 그런 심정을 말로 표현하지 못한 채 참고 있자니 가슴을 죄어오는 통증이 느껴졌다. 점점 더 가슴이 답답해지면서 속이 타 들어가는 듯했다. 가슴이 아프고 시리다 못해 전기 고문을 받는 것처럼 짜르르한 통증이 계속되었다. 나는 가슴을 두 손으로 정신없이 쥐어뜯으며 데굴데굴 굴렀다. 그리고 소리를 질러대기 시작했다. 생전 입 밖에 내본 적이 없는 쌍욕을 해댔다. 그것도 하나님을 향해서. 어릴 때부터 워낙 엄격하고 보수적인 신앙 교육을 받고 자란 탓에 설사 상상이나 꿈속이라고 해도 그런 욕을 할 수는 없었다.

사지가 점점 굳어갔다. 온몸이 퉁퉁 붓고 뻣뻣해지고 이빨을 뿌드득뿌드득 갈았다. 턱을 덜덜거리며 금방이라도 부서질 것처럼 위아래로 흔들면서 데굴데굴 구르고 머리를 벽에다 찧었다. 어찌나 시끌벅적하게 소란을 피웠는지 다른 그룹에 있던 참석자들이 모두 나와 쳐다보며 나름대로 내 증상에 대해 판단을 해댔다.

참석자 중 한 사람이던 정신과 의사는 "증세를 보니 영락없는 간질병 환자다. 당장 응급차를 불러야 한다. 이 사람은 병원 치료를 받아야 할 사람인데 이 프로그램에 잘못 들어온 것 같다"고 했다. 또 목사인 한 참석자는 내가 하나님을 부르면서 쌍욕을 하자 "이 사람은 미쳤다. 사탄이 들어가서 이러는 거다. 내가 기도로 고치겠다"라고 했다.

신기하게도 나는 그런 광경을 모두 다 지켜볼 수 있었다. 다만 내 몸을 제어할 수 없을 뿐이었다. 보면서도 이를 갈고 턱을 흔들어 부딪치는 내 몸이 대체 왜 이러는 것인지 또 어떻게 해야 잠잠해질 수 있는지 도대체 알 수 없었다. 사실 내 마음속 깊은 곳에서 하나님을 향한 분노와 답답함이 극도로 차올랐기 때문에 도무지 나를 제어할 수가 없었다. 그때 바다가 나섰다.

"이 사람에게는 그런 것들이 필요 없으니 모두들 자기 그룹으로 돌아가세요. 그리고 새벽을 저쪽 방에 조용히 눕혀주세요."

다른 사람들은 모두 방에서 나갔다. 바다와 나만 남았다.

바다는 내게 가까이 오더니 나를 부드럽게 껴안고 속삭였다.

"새벽, 화났어?"

그는 아주 정확히 나의 마음속 깊은 곳에 있는 분노를 본 것 같았다. "맞아요. 화가 났어요. 그것도 아주 많이"라고 말하고 싶었지만, 턱과 입이 제대로 움직이지 않아서 말을 정확히 할 수 없었다. 그저 '맞다'는 뜻으로 고개를 끄덕였다.

"그래, 새벽이 화났구나. 그런데 누구한테 화가 났어? 바위한테 화가 났어?"

바위는 프로그램이 시작될 때부터 나하고 티격태격하던 사람이었다. 나는 아니라고 온몸을 휘저었다.

"그럼 구름한테 화났어?"

나는 또다시 온몸을 흔들었다. 바다는 참가자들의 별칭을 하나씩 불러가면서 일일이 확인을 했다. 나는 하늘이 있는 천장을 가리키기 위해 내가 할 수 있는 모든 동작과 몸짓을 해보았다. 몸부림 끝에 바다가 드디어 알아차렸다.

"하나님한테 화가 난 거야?"

그랬다. 나는 하나님께 화가 나 있었다. 나는 온몸을 흔들어대며 벽에 머리를 부딪치고 나의 속상함과 답답함, 그리고 그렇게도 믿었던 하나님에 대한 참을 수 없는 실망과 분노를 드러내며 사자처럼 포효했다.

"그러니까 새벽은 호수에게 화가 난 게 아니라, 호수의 고통을 그대로 내버려두신 하나님께 화가 난 거란 말이지?"

아마 내 일생에 이렇게 가슴속을 시원하게 해주는 말은 다시 없을 것 같았다.

"아, 네가 그래서 그렇게 화가 났구나. 새벽, 나도 하나님한테 화가 나. 나도 하나님한테 화가 나서 죽겠어. 어떻게 하나님이 아무것도 모르는 어린 호수에게 그렇게 참혹한 경험을 하도록 내버려두셨는지…… 나도 이 세상에서 일어나는 못되고 안타까운 일들을 보면 정말 화가 나서 미치겠어. 내가 새벽 마음 알아. 내가 알아. 새벽 마음을……"

그 말을 듣는 동안 나의 굳은 몸과 마음이 조금씩 녹아내리는 것 같았다. 바다는 나에게 "이제 그만 화 풀어. 내가 네 맘 잘 알아. 이제 됐어?"라고 했다. 하지만 내가 계속 고개를 좌우로 흔들며 "아니"라고 하자, 바다는 "아직도 화가 난 상대가 또 있어?"라고 물었다. 나는 "그렇다"고 고개를 끄덕였다.

그 대상은 바로 바다였다. 나를 껴안고 있는 그 사람. 이 세상에서 나의 답답함을 알아준 유일한 사람에게 나는 화가 나 있었다. 그는 내가 온몸으로 자신을 가리키자 눈이 휘둥그레졌다.

"왜 나한테 화가 나? 내가 뭘 잘못했어?"

내가 인도자인 바다에게 화가 난 것은 이런 이유 때문이었다. 호수가 성폭행당한 이야기를 하자 호수를 바라보면서, "나를 똑바로 바라봐. 그리고 나를 오빠라고 생각하고 나를 향해서 소리를 질러봐! 욕을 해보라구! 왜 그랬냐고 따져! 너 때문에 내 인생 망가졌다고 해봐. 그래서 내가 남자를 사랑할 수 없게 되었다고, 내 인생 돌려달라고 힘껏 소리를 질러봐!"라고 요구했다. 나는 '가뜩이나 호수가 불쌍해 죽겠는데, 그 여자를 부둥켜안고 함께 울어줘도 시원찮을 판에, 그 아픈 사람한테 왜 저렇게 소리를 지르는 거야? 도대체 호수가 뭘 잘못했다고?' 하고 생각했다. 호수는 아무 말도 못하고 벌벌 떨고만 있는데, 그러면 그럴수록 바다는 "왜 말을 못해? '오빠, 도대체 그때 왜 그랬어?' 하고 한마디라도 해야 호수가 살 수 있단 말이야!" 하면서 호수를 더 닦달해 댔다.

그런 심리 치료의 과정을 이해할 수 없던 나로서는 인도자가 호수를 더 괴롭히고 힘들게 하는 것으로만 보였다. 그의 가슴은 얼음장같이 차갑고 인정이라고는 털끝만큼도 없으며, 남의 고통을 더 후벼 파는 아주 못된 사람으로 보였다. 바다는 자신에게 화가 난 이유를 계속 물었고, 마침내 그 이유를 알게 되었다.

"내가 너무 차가워서?"

나는 "그렇다"는 뜻으로 온몸을 흔들었다. 그때 만약 바다가 "그건 네가 상담이 뭔지를 몰라서 그래" 이렇게 말했다면 나는 지금과 전혀 다른 길을 가고 있지 않았을까 싶다. 그런데 바다가 갑자기 나를 붙들고 통곡을 하는 것이 아닌가.

"새벽, 미안해. 내가 잘못했어. 호수의 고통을 내가 함께 나눠주지 못하니까 내 대신 네가 아팠구나. 미안해. 나를 용서해 줘. 내가 잘못했어."

그 눈물 한 방울 한 방울이 떨어질 때마다 신기하게도 마음이 풀어지면서 나는 깊은 잠에 빠져들었다. 한참 뒤 깨어나니 퉁퉁 부었던 몸은 정상으로 돌아왔고, 언제 그랬냐는 듯 마음도 가뿐해졌다. 불과 몇 시간 동안이었지만, 마치 기나긴 터널을 지나온 것도 같고, 아주 높은 산봉우리를 넘어온 것도 같고, 다른 세상에 긴 여행을 다녀온 것도 같았다. 아주 깊고 편안한 잠이었다.

일어났을 땐 저녁 식사 시간이었다. 식당에 들어서니 모두가 깜짝 놀라며 내 주위에 모여들었다. 다들 어찌된 일인지 궁금해하는 표정이었다. 그런데 나를 신기한 듯 바라보는 그들 모두가 그렇게 사랑스러워 보일 수가 없었다. 오랫동안 그리워하던 사람을 만난 것 같은 느낌이었다. 마음 깊은 곳에서 뭐라고 설명할 수 없는 감사의 마음이 일렁였고, 놀라운 평안이 느껴지면서 나도 모르게 한마디 말이 불쑥 터져 나왔다.

"하나님, 사랑해요. 하나님, 감사해요."

이런 프로그램에서는 참석자들의 개인적인 신상에 대해서는 서로 물어보지 않게 되어 있다. 그런데 "도저히 궁금해서 견딜 수가 없다"며 바다가 내게 다가왔다.

"새벽, 도대체 뭐 하는 사람이야? 이런 거 안 물어보게 되어 있는데 궁금해 죽겠어. 도대체 직업이 뭐야?"

내가 "목사입니다" 하자 그는 파안대소하면서, "그래서 네가 그렇게 아파했구나. 넌 아무래도 상처를 치유하는 치유자로 살 수밖에 없겠다. 너는 지금부터라도 상담을 공부하는 게 좋겠다."

그 한마디가 내 인생을 바꿔놓았다. 그저 나는 내 자신이 사는 게 너무 버거워서 그런 상담 프로그램을 찾아다닌 것뿐이었다. 하지만 그 한마디를 듣는 순간 내가 상담 사역을 할 운명이라는 것을 '그냥' 알 수 있었다. 나는 그 뒤 상담으로 전공을 바꿨다.

당신은 얼마짜리입니까?

 한국에서 상담 교수직 제안이 들어왔지만 아직 돌아가겠다는 생각을 굳히지 못하고 있을 무렵, 샌프란시스코에서 열리는 영성과 심리 치료를 주제로 하는 컨퍼런스 소식을 접했다. 참여자들의 면면이 화려할 뿐 아니라 기독교, 불교, 뉴에이지, 동양철학 등을 공부한 다양한 분야의 사람들이 모여 함께 영성과 심리 치료 등에 관한 전반적인 토론을 벌인다고 하니 흥미가 일었다.

아니나 다를까, 컨퍼런스 현장에 가보니 이름만 듣고 책에서나 봤던 사람들이 모두 참여해 세미나를 한껏 풍성하게 하고 있었다. 그런 세미나들이 대개 그렇듯이, 강연장에서보다 휴식 시간에 삼삼오오 모여 인사하고 사담을 풀어나가는 것이 또 재미있는지라, 나는 세미나 시간이고 휴식 시간이고 간에 여기저기 기웃거리면서 명함을 받고 메일 주소를 교환하느라 바빴다.

이틀째 되는 날 점심 시간이었다. 뷔페 식당에서 음식을 담고 있는데 옆에 어떤 분이 서 있었다. 음식을 담으며 흘끔 보니 나이도 짐작하기 어려운 데다 어깨가 넓고 풍채가 좋기는 하지만 얼굴선이 고와 남자인지 여자인지 잘 알아볼 수가 없었다. 동양인인 것은 알겠는데 한국 사람인지, 중국 사람인지, 혹은 베트남 사람인지 영 헷갈렸다. 궁금해진 내가 말을 걸고 싶어서 안달을 하는데 그분은 그걸 아는지 모르는지 천천히 먹을거리를 챙겨서 식탁으로 걸어가 앉았다.

슬금슬금 나도 식판을 들고 그 앞에 가서 앉았다. 내게는 신경도 쓰지 않고 식사를 하는 그분에게 "베트남에서 오셨나요?" 하고 영어로 여쭈었다. 아무런 대답이 없었다. 이런 프로그램에 참여하다 보면 자기 신상을 밝히기 꺼려하는 사람을 종종 만나기 때문에, 나는 '이 사람도 무슨 사연이 있는 게로구나' 하고는 금방 호기심을 접었다.

그런데 그분이 고개를 살짝 들어 내 이름표를 보더니 입을 열었다. 그것도 한국말로.

"한국 사람이세요?"

나는 반가운 마음에 "예!" 하고 큰소리로 대답했다. 목소리를 들어보니 여성이었다. 그분은 부드러운 표정으로 반갑다고 하더니 다시 고개를 숙여 식사를 계속했다. 내 할 인사는 다 했다는 투였다. 나는 간신히 연 말문을 이어가기 위해 바로 질문을 던졌다.

"선생님, 어디에 계십니까?"

"예…… 여기저기 다닙니다."

"여기저기요?"

대답하는 풍모가 보통 사람은 아니었다. '잘하면 오늘 도사를 만나겠네' 하는 생각이 머리를 스쳤다.

"그럼, 한국에 계십니까, 미국에 계십니까?"

그분은 여전히 무심하고 느릿한 어조로 답했다.

"한국도 가고, 미국도 갑니다."

내가 머쓱해져서 아무 말도 하지 않고 밥을 먹기 시작하자 그분이 말을 걸었다.

"아까 보니 참 바쁘시데요."

반가운 마음에 나는 고개를 번쩍 들고 큰 제스처와 함께 대답했다.

"아하, 보셨습니까? 제가 아까 인사드린 그분이 굉장히 유명한 분인데요, 재작년에 보스턴에서……"

컨퍼런스에 참여한 사람들에 관해 궁금해하는 줄 알고 나는 내가 아는 사람들에 관해 열심히 떠벌렸다. 그런데 이분은 다시 아무 말도 하지 않고 별다른 반응도 없이 천천히 음식을 뜨는 게 아닌가. 무안하기도 하고, 때마침 사진으로만 만나던 몇몇 학자들이 식당에 들어오는 바람에 어물어물 이야기를 마치고 그들을 쳐다보느라 관심이 흩어지고 말았다.

"선생님, 선생님은 자신이 얼마나 가치가 있다고 생각하세요?"

그분 목소리가 들렸다.

"예에?"

밥을 후딱 먹어치우고 방금 들어온 교수들에게 다가갈 방법을 궁리하던 나는 갑자기 던져진 뚱딴지 같은 질문에 당황했다.

"죄송하지만 한 번만 더 말씀해 주시겠습니까?"

"선생님은 자신이 돈으로 따지면 얼마나 된다고 생각해요? 몇 푼이나 되겠냐구요?"

순간 기분이 파 상했다. 나를 낮추어 보고 한수 가르쳐주겠다는 것 같기도 하고, 어쩐지 비아냥거리는 것 같기도 하고, 따져보면 자기나 나나 똑같은 참가자인데 무슨 선생인 양하는 것도 그렇고 아무튼 유쾌하지 않았다.

"질문이 좀……"

"왜요, 기분 나빠요?"

그분의 목소리는 내가 더 당황할 만큼 아무런 변화가 없었다.

"예, 질문이 조금 그렇네요."

"그래요? 그럼 할 수 없죠."

그분은 다시 식사를 했다. 내가 좀 예민했나 하는 생각도 들고 재미있다는 생각도 들고 해서 다시 말을 붙였다.

"지금 저보고 값이 얼마나 되겠냐고 말씀하셨습니까?"

"예, 돈으로 따지면 얼마나 될 것 같아요?"

"예수님께서는 한 생명이 온 우주보다 소중하다고 하셨습니다."

나는 기독교인답게 에프엠으로 대답을 시작해서는 이런저런 성경 구절을 끌어와 "그래서 저는 제가 귀한 존재라고 생각합니다"로 마무리를 지었다.

그분은 아무 소리 않고 듣더니 "아, 그래요? 그게 기독교에서 하는 얘깁니까? 아니면 선생님 이야긴가요?" 했다. 긴장하게 만드는 어법이었다.

"예, 뭐…… 제 체험이기도 하고요. 제 믿음이 그렇습니다."

"아, 사실은 안 그런가 보지요?"

"사실이죠, 뭐."

"왜 확신이 없습니까?"

기분이 나쁘면서도 나는 묘하게 이야기에 끌려들고 있었다. 결국 내가 먼저 두 손을 들었다.

"저는 이런 대화를 하는 것도 재미있습니다만, 그보다 제가 얼마 전에 참석했던 한 세미나에서 말이죠……"

나는 화제를 바꾸기 위해 두어 달 전에 있었던 다른 컨퍼런스에 관해 이야기하기 시작했다. 그분은 혼자 천천히 음식을 먹으며 이야기를 듣고 있다가, "그런데 아까 선생님 값어치가 얼마나 된다고 했죠?" 했다. 나는 조금 얼떨떨해져서 "온 우주보다 더 귀하다고 했죠" 라고 대답했다.

"온 우주보다 더 귀중하다…… 예, 참 좋은 표현이네요. 대단합니다. 굉장히 좋아요."

그분은 혼자서 무엇이 그리 감탄스러운지 연신 고개를 끄덕였다. 감탄을 받자 나도 어쩐지 으쓱한 기분이 들어서 미소가 절로 나오는데, 그분이 입을 열었다.

"그런데 왜 그렇게 반 푼어치도 안 되게 굴어요?"

난데없이 날아든 돌멩이에 얻어맞는 느낌이었다. 그래도 온갖 수난과 질곡과 기적 같은 체험을 거쳐 이만큼이나마 깨달음에 이르렀다고 생각하고 있었는데, 어디서 굴러먹다 왔는지 모르는 생면부지의 사람한테 완전히 한방 먹은 기분이었다.

'지금 해보자는 거냐? 그래, 한번 해보자.'

나는 젓가락을 딱 소리가 나게 식탁에 내려놓았다. 흥분이 되어 말까지 빨라졌다.

"지금 저보고 반 푼어치도 안 된다고 하셨습니까?"

"예, 그렇지 않나요?"

"저를 아십니까?"

"아뇨."

"아니, 알지도 못하시면서 언제 보셨다고 근거도 없이 내가 반 푼어치도 안 된다고 말씀하십니까? 좀 심한 거 아닌가요?"

"아니면 됐지, 무슨 상관입니까? 나한테 왜 따집니까?"

그분은 싱긋 웃었다. 묘한 화술이었다. 그분의 말이 맞는 것 같은데 약은 오르고 헷갈렸다.

"화났습니까?"

"예, 좀 화가 나네요."

"왜 화가 납니까? 아닌 게 아닌가 보죠?"

나는 한풀 꺾어서 "그게, 제 말은……" 하고 있는데 내 지도 교수가 식당 안으로 들어섰다. 그는 먼발치에서 나와 얘기 나누던 분을 알아보고는 한걸음에 달려왔다. 둘은 서로 부둥켜안고 반가운 악수를 나눴다. 곁에서 어리벙벙해서 서 있는 나에게도 인사를 시켜주었다.

"제이(제이는 나의 영어 이름이다), 내가 예전에 자네한테 꼭 소개해주고 싶다던 그분이시네. 인사하게."

"아, 이분이 그분이십니까?"

교수님이 깍듯이 인사를 하고 사라진 뒤 나는 그분에게 고개를 조아렸다.

"결례를 했습니다."

그분은 빙긋 웃고는 차나 한잔 하자고 했다. 차 향처럼 은은하게 배어나오는 그 느긋함이란! 그분은 반 푼어치도 안 되게 군다는 말에는 더 이상 설명을 하지 않았다. 나 역시 여쭙지 않았다. 우리는 컨퍼런스 기간 내내 살아있는 만남과 대화를 나눴다. 그리고 그 후로도 나는 그분을 종종 만나 이야기 나눌 기회를 가졌다. 대화는 늘 선문답 같았지만 더 많은 말이 필요한 것도 아니었다. 진리에 가까울수록 더 단순해지지 않던가.

내가 그날 "천하보다도 귀하다"라고 대답했지만, 허둥지둥 유명인들을 쫓아다니는 내 모습은 자신을 천하보다 귀하게 대하는 것이기는커녕 여전히 수많은 조건들을 가지고 자신과 사람들을 판단하고 있음을 보여주는 증거였다. 그날 나는 스스로를 향해 깊이 사과를 했다. 너를 '천하보다도 귀하게 대하지 못해 미안하다'고. 그분이 내게 물었던 "자신이 얼마나 가치가 있다고 생각하세요?"라는 물음은 그 후로도 나에게 좋은 화두가 되었다.

괜찮아, 네 잘못이 아니야

캐나다에서 한참 자살 충동에 시달릴 때의 일이다. 그 당시 나는 무엇을 어떻게 해야 할지 아무 생각도 떠오르지 않았다. 스스로의 늪에 빠져서 마음의 빗장을 닫아걸었다. 먹고 싶지도 않고, 무엇을 하고 싶지도 않고, 누구를 보고 싶지도 않았다. 몇 달이 그렇게 갔다.

몸엔 기름기가 모두 빠지고 머리카락만 덥수룩했다. 수업 받으러 학교에 갈 때에도 최대한 빨리 집으로 돌아오기 위해 애를 썼다. 검은 머리의 동양 사람만 보여도 고개를 돌렸다. 혹시라도 나를 아는 사람을 만날까 두려웠다. 대인기피증이 생겼다. 아르바이트도 차로 두 시간이나 걸리는 먼 곳까지 가서 밤새 일을 했다. 카페, 식당, 호텔, 주유소 같은 데는 물론이고 병원 영안실에서 죽은 시체를 장례 치르기 전에 나프탈렌으로 깨끗하게 소독하는 일도 했다. 다음 달 방세를 단 한 번도 미리 손에 쥐고 있어본 적이 없었다. 한겨울에 전기와 난방이 모두 끊겼을 때 방주인이 이 사실을 알고 와서 당장 방을 빼라고 고래고래 소리를 치기도 했다.

그렇게 서너 달이 흐른 어느 날 아침, 침대에서 일어나는데 뭔가 이상했다. 입안이 얼얼하고 시린 느낌이 들었다. 혀로 입을 훑었다. 어금니가 쓰윽 하고 뒤로 밀리는 듯했다. 중얼거리며 어금니를 만져보는 순간, 이게 웬일인가? 손가락에 잡힌 어금니가 아무렇지도 않게 뽑히는 게 아닌가? 어금니 하나를 손에 쥐고 멍하니 바라보았다. 온

몸에 소름이 돋았다. 피도 많이 나지 않았고 별다른 고통도 없었다. 마치 마른 흙에서 죽은 잡초를 뽑아내듯 했다. 다른 건 괜찮은가 싶어 옆의 것을 건드리자 그 역시 힘없이 뽑혔다. 다른 쪽도 마찬가지였다. 누르기만 하면 이빨이 빠졌다. 그렇게 생니 몇 개를 입에서 뱉어내고 나자 정신도 빠져나가는 것 같았다. 치과 의사는 도대체 원인을 알 수 없다고 했다. 여러 전문의를 찾아다니며 온갖 진단을 받아봤지만 특별한 병명조차 찾지 못한 채 '신경성 스트레스'라는 결론이 내려졌다. 죽으려고 작정을 한 것이 원인이라면 원인이었다.

나는 침몰하고 있었다. 내 자신이 쓸모없고 을씨년스러운 폐허와 같이 느껴졌다. 내 마음은 찬바람에 쓰레기만 날리는 음산한 뒷골목 같았다. 살아있지만 죽은 몸이었다.

그런 내게도 소원이 딱 하나 생겼다. 보고 싶은 사람 딱 한 명만 있으면 좋겠다는…… 그리고 내 마음을 알아주는 사람이 단 한 명이라도 있어서 그에게 내 억울함과 슬픔을 털어놓는다면 숨은 쉴 수 있을 것 같았다. 어머니 얼굴이 떠올랐지만 어머니에게 이런 고백을 했다간 어머니가 먼저 숨이 넘어가실 판국이니 그럴 수는 없었다. 주위에 친구도 많고 목사 선후배도 많은 줄 알았는데 시련이 닥치고 보니 그게 아니었다.

외로웠다. 그리고 억울했다. 분노가 나를 짓눌러 호흡이 가빴다. 진통제를 먹어도 가슴의 통증은 가실 줄 몰랐다. 끊임없는 자살 충동에 시달렸다.

나는 심리 치료 프로그램 같은 것을 좇아 다니기 시작했다. 기독교문화에 길들여진 나로선 경험해 보지 못했던 새로운 느낌의 프로그램들을 많이 접하면서 신선한 충격을 받기도 했지만, 자살의 충동만은 잠재워지지 않았다. '그냥 끝내버리자. 그만두자. 어차피 갈 인생이 아닌가. 차라리 내가 때를 선택할 수 있을 때 끝내버리자.' 내 마음 깊은 곳에서 죽음을 부르고 있었다. 차를 몰고 호숫가에 나갔다. "내가 당장 뛰어든다고 해도 아쉬워할 사람 하나도 없어. 왜 빠져 죽지도 못하는 거야!" 전속력으로 내달렸다가 낭떠러지 바로 앞에서 나도 모르게 브레이크를 밟으며 핸들에 머리를 박고 통곡을 했다.

레오나르도 디카프리오 주연의 영화 〈타이타닉〉을 보면 인상적인 대목이 있다. 여인이 뱃전에서 바다에 뛰어들어 자살하려고 하자 남자가 그녀를 말리며 소리치는 장면이다. "당신이 뛰어내린다면 나도 같이 뛰어내리겠소!" 여인은 그 말을 듣고 뱃전에서 내려와 남자의 손을 잡는다. 지금 이 순간 "만약 네가 죽으면 나도 같이 죽는다"며 내 손을 꼭 잡아줄 사람이 한 사람만 있다면 더 이상 절망하지 않을 수 있을 것 같았다.

그날 집으로 돌아오면서 나는 럼주와 진토닉 몇 병을 사들고 왔다. "어차피 끝난 거야. 이봐요, 하나님. 두 눈 똑바로 뜨고 잘 봐요. 당신 앞에서 인생을 아주 비참하게 끝내줄 테니까. 이게 당신이 원한 게 아니었나요? 아주 비참하게, 죽어가는 꼴을 보시라구요. 이번엔 날 절대로 막지 못할 겁니다."

하나님을 욕하면서 난 아버지를 떠올렸다. 내 인생을 망가뜨린 책임을 나는 아버지한테 묻고 싶었는지도 모르겠다.

아파트는 안에서든 밖에서든 열쇠로 자물쇠를 열어야만 문을 열 수 있게 되어 있었다. 열쇠가 없으면 제 집이라도 들락거릴 수가 없어서 주민들은 항상 열쇠를 지니고 다녔다. 나는 술병을 방에 들여놓고는 문을 안과 밖으로 잠근 뒤 홀가분한 마음으로 열쇠를 창문 밖으로 집어던졌다. 바깥 세계와 영영 안녕을 고한 것이다. 문을 부수기 전에는 누구도 만날 수 없을 터였다. 내 마음이 혹시라도 약해질까봐 미리 전화선도 빼놓았고 냉장고의 음식도 다 내다버린 상태였다.

술은 하룻밤 만에 동이 났다. 이튿날부터는 물만 조금 마시고 자다 깨다 하면서 정신을 놓고 지냈다. 사나흘이 지나자 낮과 밤이 구분되질 않았다. 의식이 혼미해지고 있었다. 환각과 환청 증세가 보였다. 운동장에서 공 차는 소리도 들리고, 등산할 때 보던 풍경도 나타나고, 한편에서는 밥 짓는 냄새와 차 소리, 사람들 얼굴도 어른거렸다. 하지만 모두 시간이 흐르면서 어둠 속으로 사라졌다.

칠흑 같은 어둠이었다. 나는 까무룩 정신을 잃고 잠에 빠져 있었다. 아무것도 분간이 되지 않는 어둠 속 어디선가 나를 깨우는 소리가 들렸다. 저 멀리, 의식 저편에서 들리는 듯한 소리였다. 소리는 점점 가깝게 들렸다. 어쩌면 내가 정신을 차리면서 소리가 더 잘 들리게 된 건지도 몰랐다. 그 소리는 클 뿐만 아니라 온몸에 전율이 느껴질 만큼 울림이 있었다. 언젠가 나이아가라 폭포에 갔다가 폭포수 떨어지는 소리가 마치 "콰광" 하는 폭발음처럼 들려 깜짝 놀란 기억이 떠올랐다.

한참을 귀 기울여 듣다보니 그 소리는 슬픔에 가득 차 있는, 그 누구도 울음을 멈추게 할 수 없을 것 같은 통곡의 소리였다. '도대체 누가 이렇게 우는 걸까?' 통곡 소리가 엄청나게 크고 기이하긴 했지만 무섭다는 느낌은 들지 않았다. 어쩐지 고향에 계신 아버지가 울고 계신 게 아닌가 하는 생각이 들었다.

"아버지세요?" 나는 허공에 대고 물었다. 아버지는 자식들 앞에서는 한 번도 눈물을 흘린 적이 없었지만, 기도할 때만은 늘 수건이 젖도록 울곤 하셨다. 엄하딘 아버지의 울음 섞인 기도 소리가 하도 신기해서 슬그머니 눈을 뜨고 몰래 바라본 적도 더러 있었다.

"아버지, 왜 울어요? 뭐 서러울 게 있다고 그렇게 우세요?" 나는 허공에 대고 묻고는 한참 동안 반응을 기다렸다. 답변이 없었다.

'아버지가 아닌가?' 반쯤 몽환 상태에 빠져 있던 나에겐 이 상황이, 그러니까 허공에 대고 이야기를 하고 있는 것이 하나도 이상하지 않았다. 그러는 사이 울음소리는 더욱 커지고 더욱 서러워졌다.

"혹시…… 하나님이세요?" 묻고 보니 바로 그렇다는 느낌이 왔다. "하나님이셨군요. 그런데 왜 우시는 거예요, 하나님이?…… 나 때문에요?…… 에이, 이제 와서 운들 무슨 소용이 있어요. 울지 마세요."

통곡 소리가 멎은 지 한참 뒤에 이런 대답이 조용히 들렸다.

"내가 너를 얼마나 사랑하는데…… 그런 네가 너 스스로를 학대하고 저주하니 내가 슬퍼서 견딜 수가 없다." 슬프고 부드러운 음성이었다. 나는 코웃음을 치며 대꾸했다.

"참 내, 그럼 내가 이렇게 되지 않도록 도와주셨어야죠. 이 지경이 될 때까지 신경도 안 쓰다가 이제 와서 무슨 소리예요? 내 멱살 잡은

놈 손목을 비틀어버리든지, 마누라가 떠나가기 전에 무슨 수를 내쳤어야죠. 이빨도 다 뽑히게 해놓고…… 이젠 다 필요 없어요. 난 살고 싶은 생각이 하나도 없다구요. 난 인생 셔터 문을 내렸어요. 다 끝났다구요."

하나님이 뒤에서 날 부둥켜안는 것 같았다. 그때마다 나는 뿌리치기를 반복하면서 소리를 쳤다.

"난 싫어요. 그런 하나님이 싫다구요. 도대체 왜 우리 아버지는 그 잘 나가던 사업 망하게 하고, 큰형은 다리가 잘라지게 만들었냐구요. 착하디 착한 작은형은 또 왜 죽게 만들고. 난 이대로 죽어버릴 거예요. 난 절대로 당신을 받아들이지 않을 거라고. 당신은 절대 날 설득시킬 수 없어. 이거 봐! 이거 놓으란 말야!"

말하다보니 흥분이 되어 핏대를 세우고 쏘아붙였다. 통곡 소리는 더 서러워졌다. 어찌나 슬프게 우는지 조금 안됐다는 생각마저 들었다. "울지 마세요. 나 하나 사라진다고 세상이 어떻게 되겠어요? 걱정 마세요. 세상 돌아가는 덴 끄떡도 없다구요. 날 신경 쓰는 사람은 아무도 없으니까."

통곡 소리 가운데 다시 음성이 들렸다. "내가 너를 사랑한다. 제은아, 네가 기쁘면 나도 기쁘고, 네가 슬프면 나도 슬프다. 네가 어떤 생각을 하고 어떤 삶을 살더라도, 나는 너를 정말로 사랑한다."

나는 잠시 허공만 물끄러미 바라보다가 물었다. "난 목회에도 실패했어요. 그래도 괜찮다고요?"

"괜찮아. 그런 건 아무 문제도 아니야."

한참 있다가 다시 물었다.

"저는 가정도 흔들리고 있어요. 그래도 좋아요?"

"그래. 괜찮아. 그러면 어때? 나는 네가 그냥 좋아. 너만 행복할 수 있다면 네가 하고 싶은 대로 뭐든지 해. 난 그게 좋아."

"나 목회 안 할래요. 그냥 어디 캐나다 시골에 들어가서 이름도 바꾸고 구멍가게나 하겠어요. 그래도 좋으세요?"

"그래. 네가 하기 싫은 일을 억지로 하지 마. 너 하고 싶은 대로 하고 살아라. 네가 좋으면 나도 좋아."

나는 점점 더 많은 질문을 해댔다. 이래도 좋으냐, 저래도 좋으냐 따져 묻듯이 묻는 내 말에 대답은 한결같았다.

"그럼. 나는 네가 너인 것이 그냥 좋아. 무슨 일을 하든, 어디에 있든 상관없이…… 괜찮아. 그러니 네가 하고 싶은 걸 해. 못해도 괜찮아. 싫으면 안 해도 돼. 너만 행복하면 돼. 내가 바라는 것은 너의 행복뿐이야. 네 가슴이 뛸 때 내 가슴도 뛴단다."

나는 나 스스로 만들어놓은 규제 속에 갇혀 살았었다. 금욕해야 하고, 절제해야 하고, 엄숙해야 하고, 정직해야 하고, 친절해야 하고…… 그래야만 하나님이 "너 괜찮다" 하실 거라고 생각해 왔다. 그 잣대에 맞추어 나를 감시하고 억압하고, 그것이 안 될 때는 스스로 부끄러워하고 자책하는 것이 참된 신앙인의 자세라고 믿고 있었다. 그렇게 좋아하던 커피도 안 마시고 듣고 싶은 유행가도 안 부르고 안 들었다. 보고 싶은 영화를 보고 나면 왠지 부끄러운 마음까지 생겼다.

그런데 이게 웬일인가. 죽음의 문턱에 이르러 하나님은 내게 "네가 하고 싶은 대로 하고 사는 것 그게 내가 원하는 거야"라고 말하고 있는 게 아닌가.

"나는 네가 어떻게 해야만 사랑하는 게 아냐. 아무 조건도 필요 없어. 네 그대로가 좋아. 그냥 다 괜찮아."

나한테 아무것도 요구하지 않고 있었다. 어떤 조건도, 어떤 규칙도 강요하고 있지 않은 것이다. 내가 가장 듣고 싶은 말이었다. 인간적인, 그저 너무나 인간적인 한마디. "괜찮아. 네 잘못이 아냐. 너한테는 아무 문제도 없어. 넌 있는 그대로 백 점이야. 그러니까 점수 따려고 애쓸 필요 없어."

내가 쓸모없고 무익한 쓰레기 같은 존재가 아니라는 위로, 내게는 그 한마디를 해주는 사람이 필요했었다. 현재의 내가 아닌 다른 어떤 모습의 '누구'가 되려고 애쓸 필요가 없다는 그 한마디. 하나님이 그 말을 내게 건넨 것이다. 나 자신이 느끼는 것보다 나를 더 불쌍히 여기고 내 고통 때문에 폭포수처럼 울면서 하나님이 슬퍼하고 있었다.

'내가 괜찮대. 실수해도 괜찮대. 비난받아도 괜찮대. 왜 내가 나를 감시하고 못살게 굴어? 하나님도 내가 괜찮다는데……'

내가 슬프면 하나님도 슬퍼하고 내가 기쁘면 하나님도 기뻐한다는 말 한마디에 내 인생은 완전히 바뀌었다. 이 한마디가 나를 위로하고, 나에게 다시 살아갈 힘을 주었다. 어쩌면 하나님은 늘 내 곁에서 한결같은 목소리로 그렇게 얘기하고 있었는지도 모를 일이다. 가장 절실한 순간에 내가 귀를 열고 그 소리를 들었을 뿐.

나는 일어나 방문을 두드리기 시작했다. 며칠 동안 굶은 몸에서 어떻게 그런 힘이 나오는지, 복도가 다 울리도록 문을 쾅쾅 두드리며 "헬프 미!"를 외쳤다. 어이없게도, 몇 시간을 두드렸지만 아무도 내게 대꾸를 하지 않았다. 이튿날이 되어서야 관리인이 듣고 열쇠 수리공을 불러다준 덕에 살아날 수 있었다.

　바로 며칠 전만 하더라도 자살을 꿈꾸었던 온타리오 호숫가에 서서, 나는 찬란한 햇볕을 쬐며 감격해하고 있었다. 길고 어두운 터널을 지나온 심정이었다. 나는 '괜찮아, 내 잘못이 아니야' 하고 미친 사람처럼 중얼거리며 마음껏 햇살을 누렸다. 어제는 죽고 싶어 견딜 수 없어 하고, 오늘은 찬란한 햇살 앞에서 인생의 기쁨과 축복을 만끽하고 있었다.

　나는 내가 괜찮은 존재임을 망각하고 있었다. 나는 내가 그냥 나여도 좋다는 사실을 깨어 바라보지 못하고 망각하고 있었던 것이다. 나는 내가 누구인지를 잊고 있었다.

나는 내가 나인 것이 그냥 좋다

　나는 누구인가? 나는 몇 점짜리인가? 바로 그 대답에 나의 운명이 달려 있다. 내가 허락하지 않는 한 그 누구도 나에게 상처를 줄 수 없다. 이러한 사실도 모르는 채 그동안 나는 사람들의 기대와 잣대에 맞추어서 나를 잃어버리고 사람들의 장단에 맞춰 춤을 추며 어릿광대처럼 살아온 것이다. 그러나 내 삶의 절체절

명의 순간, 내가 나를 완전히 포기하고 놓아버린 그 순간에, 나는 하나님과 가장 인격적으로 대면할 수 있었고, 그분은 '있는 그대로'의 나를 좋다고, 내가 100점짜리라고 말씀하셨다.

나는 나 자신을 어떻게 대하고 있는가? 당신의 아내는, 남편은, 자녀는 몇 점짜리인가? 무슨 조건이 더 필요한가? 당신이 분명히 알아야만 할 것은 우리는 모두 100점짜리라는 사실이다.

우리 모두는 영적 존재이며 영원히 사는 신의 자녀들이다. 어떤 상처에도 불구하고 우리의 내면에 깃들인 신적 아름다움은 사라지지 않는다. 힘든 역경을 딛고 승리한 사람들은 한결같이 자신의 소중함과 아름다움을 발견하고, 자신을 신뢰하고 사랑한 사람들이었음을 우리는 이미 알고 있지 않은가.

우리의 목표는 자신을 변화시키는 것이 아니라 자신이 누구인지 기억해 내는 데 있다. 나는 내가 나인 것이 그냥 좋다.

아름다운 것은 바로 당신

 캐나다의 온타리오 호숫가 맨 끝자락에 위치한 카가왕 Kagawang 섬의 깜깜한 밤에 하늘로부터 쏟아져 내리던 그 수많은 별들을 나는 두고두고 잊을 수가 없다. 태초의 원시적 영성이 아직도 살아서 꿈틀거리고 있음을 온 몸과 가슴으로 느끼게 해 주었던 그 아름다운 경험을 떠올릴 때마다 나는 눈시울이 뜨거워지며 마음이 설렌다. 내가 아직 살아있다는 것에 대한 감사로 가슴이 벅차오르곤 한다.

지금까지 살아오는 동안에 가장 아름다웠던 경험은 과연 무엇인가? 예쁜 꽃, 붉게 물든 저녁 노을, 새벽 안개, 촉촉이 내리는 가을비, 파릇파릇 피어나는 봄 아지랑이, 겨울 산장, 은은한 음악의 선율, 새벽 교회 종소리, 감동적인 영화 속의 장면, 어린아이의 천진난만한 웃음, 남녀가 서로 사랑하는 모습, 아이를 안고 있는 어머니, 땀 흘려 일하는 노동자의 모습, 기도하는 손, 감격하며 기뻐 흘리는 눈물……

그러나 이 우주에서 가장 아름다운 것은 다른 무엇이 아닌 바로 당신이다. 목숨을 걸고 다시 한번 진지하게 말한다. 이 우주에서 가장 아름다운 것은 바로 당신 자신이다. 자기 자신에게서 진정한 아름다움을 발견하는 것이 바로 당신이 이 세상에 온 목적이며, 그것이 영성 수련과 치유와 상담의 궁극적인 목표이기도 하다.

나는 당신 자신이 얼마나 아름다운지를 스스로 알게 되길 간절히 바란다. 이 사실을 가슴 깊이 진정으로 느낀다면, 당신은 참으로 축복받은 사람이다. 지나온 과거의 고통과 상처와 아픔은 우리 자신에게 깃들어 있는 진정한 아름다움을 보지 못하게 방해한다. 그러나 우리 자신의 내면에서 진정한 아름다움을 발견할 수 있을 때까지 문제는 계속 더해질 뿐이다. 자기 자신에게서 아름다움을 발견하지 못한 사람은 자신의 내면이 아닌 외부에서 그 아름다움을 찾기 위해 발버둥 치게 되지만 그것은 헛된 노력일 뿐 진정한 내면의 평화는 결코 얻을 수 없다. 스스로를 아름답게 느끼지 못하는 사람은 그 어떤 것도 아름답다고 느낄 수 없는 법이다. 내가 내 자신을 존경하지 않는 한 외부의 그 어떤 사람도 나를 존경하지 않는다.

만약 당신이 당신의 어떠한 상처와 장애물에도 불구하고 당신 스스로에게서 신의 형상을 바라볼 수 있다면, 하나님께서 당신을 얼마나 사랑하는지 가슴이 터지도록 느끼게 될 것이다. 그리고 당신 자신을 깊이 사랑하게 될 것이다. 스스로에게서 진정한 아름다움과 가치를 발견하고 자신을 깊이 사랑할 수 있게 된 사람만이 또한 "내 몸같이 내 이웃을 사랑"할 수 있다. 그러므로 지금 이 순간부터 자신을 더욱 많이 사랑하겠다고 결정하자.

바로 이것이 하나님이 우리를 이 세상에 있게 한 목적, 우리가 이 우주에 온 목적이다. 우리 모두가 자기 자신에게서 그리고 다른 사람에게서 하나님의 형상을 바라볼 수 있는 상태가 바로 '하나님의 나라'이다. 자신과 남에게서 하나님의 형상의 아름다움을 보지 못한 채로 내뱉은 말과 행동은 또 다른 상처와 아픔과 문제의 씨앗이 될 뿐이다.

아름다움을 외부에서 찾으려던 지금까지의 모든 헛된 발걸음을 멈추고, 당신 자신의 내면의 세계에 진지하게 귀 기울이며 집중해 보라. 그리고 하나님이 당신에게 이미 주신 온 우주보다도 귀하고 소중한 당신 자신의 아름다움을 느껴보라. 오늘 하루 가장 아름답고 멋있게 당신 자신을 표현해 보라. 당당하고 씩씩하게 행동하고, 멋있고 아름답게 생각하며 말해보라. 하나님의 형상인 당신이 여기 있는 것이 온 우주의 축복일 수 있도록. 자기 자신을 존중할 때 우주가 돕는다.

상처받은 내면아이 치료

우리 자신의 내면아이inner child를 발견하고 부둥켜안도록 도와주는 내면아이 치료 프로그램은 지금까지 실시되어 온 심리 치료나 내면 치료 프로그램 중에서도 가장 빠르고 강력하며 치료와 성장에 결정적인 효과를 가져옵니다.

상처받은 내면아이the wounded inner child는 우리가 갖고 있는 믿음 체계의 핵심에 자리 잡고 있습니다. 각각의 발달 시기와 단계로 돌아가 ① 그 당시 상처받은 내면아이의 모습을 발견하며, ② 막혔던 슬픔을 쏟아내고, ③ 함께 대화하며, ④ 부둥켜안는 '상처받은 내면아이 치료'는 그 사람의 신뢰 체계의 핵심을 직접적으로 치료함으로써 가장 빠른 변화를 가져오게 합니다. 이 같은 내면아이 치료법은 과거의 어떤 심리 치료와도 다른, 새롭고 중요한 치료 방법입니다.

내면아이 치료 작업은 어린 시절에 '미처 해결(표현)하지 못했던 슬픔'을 표현할 수 있도록 돕는 데 그 초점을 맞추고 있습니다. 이 슬픔들은 누군가에게 버림받은 기억으로부터 비롯되었거나, 다른 종류의 온갖 학대들(신체적·정신적·성적·영적 학대 등)이 원인이거나, 또는 어린 시절에 각 연령적 시기와 단계에서 자신들의 성장과 발전을 위해서 당연히 받아들여져야 했던 욕구들이 무시되고 거절당함으로써 초래되었거나, 역기능적인 가족 체계로부터 말미암은 얽히고설킨 복잡한 장애물들이 그 원인일 수 있습니다.

내면아이 치료 과정에서 많은 시간을 쏟아 가장 중요하게 다뤄야 할 핵심적인 일은 '어린 시절의 발전적이며 의존적인 욕구들이 거절된 것을 슬퍼하는 일'입니다. 이러한 단계적 접근 방법은 우리의 감정적 상처들을 치료하는 데 가장 효과적인 방법입니다. 그러므로 각 단계와 시기를 구체적으로 되돌아보며 적절한 치료를 경험하는 것이 내면아이 치료 작업의 독특성이자 그 목표가 됩니다.

우리는 모두 어린 시절의 각 시기에 따라 단계적으로 받아들여져야 했던 지극히 정상적이고 당연한, 의존적인 욕구들을 가지고 있었습니다. 그러나 이러한 의존적인 욕구들이 충분히 채워지지 못했을 때, 불행하게도 대부분의 사람들은 '상처받은 아이'를 품은 채로 어른이 됩니다. 이렇게 어린 시절 아이로서 당연히 경험하고 받아보았어야 할 무조건적인 사랑과 따듯한 관심을 제대로 받지 못하고 상처받은 내면아이를 가슴에 품은 채로 겉만 성장한 성인을 가리켜서 '성인아이 adult child'라고 부릅니다.

상처받은 내면아이를 품은 채 숨기면 숨길수록, 자신을 알아주지 않고 받아들여 주지 않는 데 대항하여 온갖 발작을 하며 울어대거나, 어떤 것에 대해 과민 반응하고 반항하거나, 다른 사람과의 관계에서 계속 고통과 상처를 주고받는 관계를 형성하게 됩니다. 예를 들어 가족 관계(부모, 형제와 자매, 부부, 자녀와의 관계 등)에서 극단적이고 고집이 센 병적인 부모 역할을 한다거나, 사람 의존 중독이나 다른 종류의 중독(알코올, 섹스, 일, 종교, 스포츠, 인터넷, 도박, 분노 중독 등) 증세 등을 나타내게 됩니다.

나는 여러분 자신이 어린 시절 관심과 사랑을 받지 못한 데서 생긴 슬픔을 가슴 깊이 슬퍼할 수 있기를 바랍니다. 억눌려온 슬픔을 진정으로 슬퍼하게 되면 오랫동안 얼음처럼 얼어붙어 있던 슬픔이 녹아내리게 됩니다. 중요한 사실은 바로 이 슬픔의 양과 질이 치유의 과정 속에 있는 여러분의 위치와 직접 연관되어 있다는 것입니다. 내면아이 치료의 성패는 참석자 자신이 그 치료 과정을 통해서 얼마만큼 내면아이의 슬픔을 진정으로 슬퍼하였는가 하는 '내면아이의 슬픔과의 동일성 여부'에 달려 있습니다.

내면아이 치료 작업의 마지막 단계에서 참석자에게 기대되는 것은 참석자 자신이 스스로 자신의 '내면아이를 끌어안게 되는 것'입니다. 나는 여러분이 하루 중 얼마의 시간을 내어 '내면아이와의 대화'를 계속히게 되기를 바랍니다. 상처받은 내면아이를 발견하고, 억눌려왔던 슬픔을 걸어내고 부둥켜안을 수 있게 되면, 하나님께서 본래 우리에게 주셨던 놀라운 창조 에너지가 생성됩니다. 즉 내면아이와의 만남과 통합을 통해서 새로운 삶이 펼쳐지게 되는데, 칼 융은 이러한 '본래의 아이the natural child'를 가리켜 '놀라운 아이wonder child'라고 불렀습니다.

어렸을 때의 갈등이 해결되지 않으면 그 갈등을 계속해서 반복하게 되며, 그 결과로서 신경성 질환 등 치명적인 정신 질환을 초래한다는 것을 최초로 밝혀낸 사람은 프로이트G. Freud입니다. 프로이트는 '상처받은 내면을 치료하는 일'은 참석자로 하여금 얼마만큼 '안심할 수 있는 환경을 제공해 줄 수 있느냐'가 관건이라고 보았습니다.

즉 치료란 치료사가 '안전한 환경'을 내담자에게 제공함으로써 내담자가 자신의 '상처받은 내면아이'를 드러내고, 채워지지 않았던 욕구들이 받아들여지게 되는 것을 의미했습니다. 그러므로 치료사의 역할이란 이 상처받은 내면아이의 '새로운 부모의 역할'을 맡는 것을 의미했으며, 내면아이가 끝내지 못했던 작업unfinished business을 끝낼 수 있게 해줌으로써 상처받은 내면아이의 치료가 이루어진다고 할 수 있습니다.

그러나 이러한 치료 방법은 치료사가 내담자의 치료를 위해 애쓰고 도운 내용이 결정적이고 중요하면 할수록, 내담자는 더욱더 애절하게 치료사에게 매달리고 의존하게 되는 결과를 가져올 수 있다는 한계와 약점이 있습니다.

따라서 우리가 기대하는 '진정한 의미의 치료'란, 내담자 스스로가 자기 자신의 성숙한 힘을 사용하여 자신의 내면아이를 돌보고 치유할 수 있도록 돕는 것입니다. 다시 말해서 내 자신이 나의 내면아이를 직접 접촉하고, 발견하고, 돌보며, 양육시킬 최고의 치료사인 것입니다. 진정한 변화와 치유를 원한다면 나 스스로 해야만 합니다. 그러므로 치료의 성공 여부는 온전히 나 자신에게 달려 있습니다.

내 속에 있는 '성인 부분adult self'을 일깨우며, 이 부분을 십분 활용하여 내가 지금 어디에 있으며 무엇을 하고 있는지 확실하게 알아야만 합니다. 내 자신 속에 있는 성인 자신으로 하여금 나의 내면아이가 끝내지 못했던 중요한 작업을 마칠 수 있도록 돕고, 보호해 주고, 후원해 주는 일은 나의 치유 과정에서 결정적인 것입니다.

그러므로

(1) 자신의 어린 시절의 발달 단계에 있어서 건강하게 성장하기 위해 필요했던 것이 무엇인지 먼저 이해해야 합니다.
(2) 그 특정 시기와 단계에 있어서 당신의 내면아이의 욕구가 얼마만큼 만족되었는지 발견해야 합니다. 즉 각 연령별 시기와 발달 단계에서 상처받은 아이였던 당신을 발견해야 합니다.
(3) 구체적이고 정확하며 실제적인 방법으로 당신의 내면아이가 성장하

고 양육되도록 도와야 합니다.

(4) 당신의 내면아이의 욕구를 들어주기 위한 건강한 방법들을 배워야
    합니다.

(5) 또한 내면아이를 보호해 줄 수 있는 울타리boundary를 세워야 합니다.

이 시점에서 당신은 당신의 어린 시절 한번도 경험해 보지 못했던 부모 역할을 시도하게 됩니다. 당신이 이 새로운 부모 역할을 배우게 되면, 이제 어린 시절 부모가 당신에게 해주지 못했던 부모의 역할을 다른 사람들로부터 기대하고 바라며 그 대리 욕구를 채우려 했던 모든 행위들을 중단하게 될 것입니다.

내면아이 치료 과정의 마지막은 상처받은 아이가 치유됨으로써 당신 안의 놀라운 아이가 자리 잡게 되는 것입니다. 이 놀라운 아이는 인간의 가장 창조적이며 변혁적인 에너지의 근원입니다. 바로 이 모습이 하나님의 형상으로서의 자신의 독창적 존재를 발견해 낸 모습이며, 동시에 우리의 궁극적이고 가장 깊은 단계의 치유인 것입니다.

여러분 모두가 자신의 내면아이를 발견하고, 함께 대화하며, 공동 작업을 통해 영적 여정에서 자신의 내면아이의 안내자가 되고 승리자가 되는 놀라운 영적 여행을 이루기를 바랍니다.

"너희가 이 어린아이와 같지 아니하면 하나님의 나라에 갈 수 없다."

(마태복음 18: 2)

자기이미지

❀ 당신은 얼마만 한 가치가 있는 사람입니까? 만약 돈으로 환산
한다면 얼마의 값어치가 있습니까?

❀ 당신은 당신의 부모님께, 또는 배우자와 자녀에게 얼마만 한
값어치가 있는 사람입니까? 그 이유는 무엇입니까?

❀ 당신은 몇 점짜리입니까? 그리고 그 이유는 무엇입니까?

✽ 당신이 보기에 당신의 부모님, 또는 배우자(남편, 아내)와 자녀는
   몇 점짜리입니까? 그리고 그 이유는 무엇입니까?

자신에게 미안했던 일을 사과하고, 용서를 구하며, 앞으로 소중하게 대하기로 결단하기

당신이 자기 자신을 대하는 데 있어서 가장 미안했던 일은 무엇입니까?
자신을 소중하게 대하지 못하고 잘못 대했거나 미안하게 대했던 것, 자
신을 야단치거나 함부로 대했던 것에 대해서 진심으로 자신에게 사과하
고 용서를 구하는 글을 써보세요. 그리고 앞으로는 소중하게 잘 대하겠
다는 다짐도 해주세요.

| 예 |

○○야! 미안해. 그동안 넌 너무 힘들게 해서. 그리고 넌 잘 돌봐주지 못해
서. 정말 미안해. 날 용서해 줘. 내가 넌 소중하게 대하지 못했던 것을. 내가
정말 잘못했어. 이제부터는 더 이상 넌 야단치지 않을게. 그리고 함부로 아
무렇거나 대하지 않을게. 그리고 다 네 탓이라고 하지 않을게. 이젠 정말 넌

잘 대해줄게. 앞으로는 너를 이 세상에서 가장 소중한 사람으로 대할게.

_____

_____

_____

_____

_____

자신에게 고마움을 표현하고 상을 수여하기

자기 자신에게 진심으로 고마워해 본 적이 있나요? 그렇다면 자신의 어떤 점, 어떤 일이 가장 고마운가요? 만약 자신에게 고마워해 본 적이 없다면, 잠시 눈을 감고 호흡을 편안하게 한 다음, 나지막한 목소리로 "○○야! 정말 고마워! 내가 너에게 고마운 것은 네가 ~하기 때문이야"라고 문장을 완성해 보세요. 지금까지 살아온 날들을 돌이켜볼 때, 정말 자신이 대견스럽고 고맙고 기특한, 어쩌면 나밖에는 아무도 모르는 나만의 비밀, 자신에게 상이라도 주고 싶은 그런 일들을 여기에 기록해 보세요.

| 예 |

○○야! 정말 고마워~ 그렇게 힘든데도 지금까지 잘 참고 견뎌줘서 너무 고마워. 그렇지만 나는 정작 너에게 제대로 고마워해 본 적이 없었어. 어려운 때가 참 많았지만 그래도 날 포기하지 않고 지금까지 함께 있어줘서 정말 고마워. 그래서 난 너에게 '불굴의 의지' 상을 주고 싶어.

불굴의 의지상

ㅇㅇㅇ

위 ㅇㅇㅇ은 누구나 포기할 수밖에 없는 그런 최악의 상황이었음에도 끝까지 자신을 포기하지 않았을 뿐만 아니라 어려운 여건 속에서 누구도 자신의 진심을 알아주지 않았음에도 불구하고 끝까지 믿음과 사랑을 선택하였으며, 특히 많은 사람들의 오해와 불신을 받았을 때도 뜨거운 열정과 불굴의 의지로 지금까지 꿋꿋하게 걸어온 그 발자취를 높이 기려 이 상을 드립니다.

위와 같이 자기 자신에게 줄 상을 작성하고 드려보세요.

자기 자신을 칭찬하기. 가장 듣고 싶었던 말을 해주기. 자신에게 박수를 보내기

양손 엄지손가락을 치켜들면서 "야! ○○○! (이름을 부르고 환호하면서) 멋쟁이! 정말 예뻐! 참 잘했어! 수고했어!"하고, 박수를 보내면서 맘껏 축하해 주세요.

자신을 기쁘게 해주기

만약 당신이 어떠한 일이든 할 수 있다고 가정한다면, 당신은 당신 자신을 기쁘게 하기 위해 어떻게 해주고 싶습니까?

나는 나, ○○○에게 _____

_____

_____

_____ 해주고 싶다.

그것을 당신이 지금 스스로에게 해주십시오. 가능한 모든 것을 말입니다. 중요한 것은 무엇을 그리고 어떤 것을 해주었는가가 아닙니다. 자기 자신을 이 세상에서 가장 소중한 사람으로 대하고자 하는 당신의 태도입니다. 즉 당신이 진심으로 당신 자신을 어떻게 대하느냐에 따라 다른 사람도 그리고 온 우주도 꼭 그만큼 당신을 대접할 것이기 때문입니다.

나 하고 싶은 대로
하고 살아라

하루를 살아도 행복한 삶을 택하십시오

이 길은 나 혼자 가는 길입니다.
나 홀로 당당히 서십시오. 부모님도,
남편도, 아내도 그 누구에게도 의지하지 마십시오.
어떤 사람의 의견이라도 참고만 할 뿐
마지막 결정은 당신 자신이 하십시오.
홀로 설 수 있는 그 힘이 이미 여러분에게 주어져 있습니다.
두려워하지 마십시오. 당신을 막는 것은 아무것도 없습니다.
당신만이 할 수 있습니다.
당신이 정말 하고 싶은 일이 무엇인지 그것을 찾으십시오.
세상이 나를 막으려고 하면, 웃으면서 "아니오!"라고 말하십시오.
잘못되었으면 실수를 인정하고 당당하게 다시 시작하세요.
하루를 살아도 행복한 길을 택하십시오.
자신을 위해, 하나님이 좀 이렇게 말해주셨으면 하는
그런 말을 자신에게 건네고
나의 부모님이 좀 이렇게 해주셨더라면 하는
그런 행동을 자신에게 해주십시오.

네가 거기 있는지 몰랐어

 모든 인간 관계에서 벌어지는 문제의 원인은 '상처 입은 내면아이'를 내버려두었기 때문이다. 내면아이는 우리 안에 있는 상처받은 어린아이이다.

부모로부터 지지받고 후원받고 싶어하는 그 사랑의 목마름, 배고픔, 공허가 내면을 차지하고 있다. 몸은 성장해서 성인이 되었지만 그 내면의 공허함은 아직 그대로 남아 있다. 어린아이의 성장이 저지되거나 감정이 억제된 채로, 특히 화가 나거나 상처받았을 때의 감정들을 그대로 가진 채로 자라서 성인이 된다면, 상처 입은 그 아이는 어른이 된 뒤에도 계속해서 그의 내면에 자리 잡게 된다. 즉, 겉은 성인이지만 속은 아이의 상태인 성인 아이로 살아가게 된다. 이처럼 과거의 상처를 고스란히 간직한 채로 있는 내면아이가 바로 사람들이 겪는 불행의 가장 큰 원인이라고 할 수 있다. 그리고 우리가 그 아이를 돌보고 그 아이의 편이 되어주지 않는다면, 그 아이는 성인이 된 우리의 인생에 계속 영향을 끼치면서 모든 걸 엉망으로 만들어버리고 말 것이다.

'영성과 내면아이 치유'에 참가한 40대 후반의 한 여성은 아침 묵상 중에 자기 안의 '울고 있는 아이'를 만났다. 그녀가 다섯 살 때 엄마는 어린 딸을 이모 집에 맡겨둔 채 어디론가 떠나버렸다. "엄마 가지 마! 엄마 나도 데려가 줘!" 엉엉 울며 매달리는 어린 딸을 떼어놓고 엄마는 사흘 후에 데리러 오겠다며 도망치듯이 대문 밖으로 사라저버렸다. 하루가 지나고 이틀이 지나고 사흘째가 되던 날, 대문 앞에 쭈그리고 앉아 엄마를 기다리는 어린아이. 어느새 해는 뉘엿뉘엿 넘어가고 깜깜한 밤이 되었지만 엄마는 돌아오지 않았다. 다음 날도, 그다음 날도…… 울고 있는 내면아이를 가슴에 지닌 채 지금까지 살아온 이 여성은 자신이 왜 그렇게 슬픈지 몰랐다고 한다. 남편은 자신에게 참으로 자상하고 자녀들과의 관계 또한 좋은데 왜 늘 자신의 삶에 슬픔이 깊게 배어 있는지, 왜 그토록 외로운지, 왜 이유 없이 그렇게 화가 나는지 모른 채 살아왔다는 것이다.

이런 슬픔은 누군가에게 버림받았던 기억으로부터 비롯되었거나 신체적·정신적·영적으로 학대를 받았거나, 어린 시절에 받아야만 했던 관심과 사랑을 받지 못했을 때 비롯된다. 이 여성에게 필요한 치유의 과정은 자신 안의 울고 있는 내면아이를 만나 다섯 살 먹은 어린아이가 표현하지 못했던 그 슬픔을 알아주고, 엄마로부터 받은 거절감과 배신감, 분노, 외로움 등을 마음껏 표현하도록 해주는 일이다. 억눌렸던 감정에 대해 슬퍼하는 그만큼 거기에서 자유로워지기 때문이다.

치유의 핵심은 '내가 나를 잘 돌보는 것'이다. 상처받은 내면아이의 마음을 알아주고 부둥켜안는 것이다. 상담자에게 의존하는 것이 아니라 자신이 스스로 새로운 부모 역할reparenting을 해주는 것이다. 성인인 나와 내면아이가 대화하면서 최고의 파트너, 친구가 되어야 한다는 말이다. 발전적이고 의존적인 시기에 성장을 위해 꼭 필요했던 의존적인 욕구들이 충족되지 않으면 그 사람은 일평생에 걸쳐 의존적으로 된다. 각 단계별 심리 사회적 발달 단계의 당연한 욕구들이 채워지지 못했을 때 의존성, 중독성은 되풀이될 수밖에 없다. 내면이 공허하기 때문에 외부에 있는 무엇인가를 붙들지 않으면 안 되는 상태가 되는 것이다.

내가 내면아이를 돌보고 그 아이의 편이 되어줄 때, 그 아이는 칼 융Carl G. Jung이 말한 내 안의 '놀라운 아이wonderful child'가 된다. 타고난 모습 그대로의 자연스러움을 간직한 이 아이는 우리의 탐험에 대한 타고난 잠재력은 물론 창조적인 모습이 될 수 있는 모든 요소들을 가지고 있다. 우리의 핵심 요소를 즉시 바꿀 수 있는 유일한 길은 내면아이와의 접촉을 시도하는 일이다. 내면아이를 만나는 순간, 그 아이의 존재를 알아주는 순간, 치유가 일어난다.

매 맞고 있는 아이를 만나다

치유에 대한 끝없는 목마름과 열망을 좇아 상담과 영성, 심리 치료와 치유 프로그램을 찾아다니던 시절, '상처받은 내면아이 치료'라는 주제로 열린 3박 4일간의 치유 프로그램에 참여하면서 처음으로 내 안의 '매 맞고 있는 아이'를 만났다. 그 프로그램은 참가자들이 함께 생활하면서 이릴 직 부모와의 관계, 그중에서도 특히 어린 시절 성장 과정에서 부모로부터 반드시 받아야 했지만 받지 못한 것들이 무엇이었는지를 발견하고, 특히 아버지와의

관계를 치유하는 것이 주 내용이었다. 나에게 있어 아버지는 두렵고
도 측은하며 가깝고도 먼 존재이자, 고통과 치유의 내용이요, 영성과
기도의 주제이기도 했다.

둘째 날 밤, 평소 아버지에게 하지 못했던 말을 다 쏟아내는 시간
이 마련되었다.

"자, 지금부터 아버지에게 정말 하고 싶었던 가슴속의 말들을 털어
놓는 시간을 갖도록 하겠습니다. 아버지가 내게 보여준 모습 가운데
받아들일 수 없는 부분들에 대해 비난이든 욕이든 맘껏 해보는 시간
입니다."

나의 아버지는 너무 고지식해서 탈이지, 하나님 말씀대로 살려고
노력해 온 분이기에, 그런 아버지에게 무슨 욕을 한다는 게 도무지
마음이 내키지 않았다.

"단순히 아버지를 비난하고 욕하라는 게 아닙니다. 아버지가 한 행
동 가운데 적절하지 못했던 것, 정의롭지 못한 것을 이야기하라는 거
예요. 그런 것들이 잘못되었다는 걸 당신이 알고 말할 수 있어야 합
니다. 아버지를 극복하지 못하면 아버지와 똑같은 사람밖에 될 수가
없어요. 그러면 당신의 자식도 똑같은 고통을 겪게 됩니다."

수긍할 수 있는 말이었다.

"아버지가 몇 번이나 당신을 안아주었습니까? 언제 안아주었습니
까? 당신이 가장 비참하고 힘들고 아팠을 때 아버지가 당신을 어떻게
위로했습니까? 아버지로부터 사랑과 위로, 감동을 받은 것은 무엇입
니까?"

인도자의 질문에 제각기 눈을 감고 아버지와의 기억을 떠올리는 듯했다. 어떤 이는 한숨을 쉬면서, 어떤 이는 눈물을 흘려가며 마치 아버지가 눈앞에 있기라도 한 것처럼 이야기를 하기 시작했다. 나도 아버지에 대한 기억을 떠올렸다. 항상 심각한 표정이었던 아버지. 손을 잡아준 적도, 눈을 맞추어준 적도, 놀아주거나 안아준 적도 없는 아버지. 그러나 아버지에 대한 구체적인 기억은 잘 떠오르지 않았다.

인도자는 도무지 집중하지 못하는 나를 한쪽 골방으로 데리고 가더니, 눈을 감고 어린 시절의 나를 떠올리며 어떤 느낌이 올 때까지 한국말로 나의 이름을 부르고 아버지를 불러보라고 했다. 그런데 참 신기한 일이 일어났다. 마치 타임머신을 타고 먼 과거로 돌아가기라도 한 것처럼 어린 시절의 나와 아버지의 존재가 생생하게 느껴지는 것이다.

나는 아버지가 바로 내 앞에 있기라도 한 것처럼 소리 내어 이야기하기 시작했다.

"아버지, 왜 저를 한 번도 안아주지 않으셨어요? 교회나 주변 사람들에겐 어떠셨는지 모르지만 저는 아버지께 사랑을 받지 못했어요······"

그렇게 말하는 중에 까맣게 잊고 있던 어린 시절의 한 대목이 마치 영화의 한 장면처럼 떠올랐다. 목침 위에서 아버지한테 매를 맞고 있는 내가 보인 것이다. 내기 느닷없이 엉엉 소리 내어 울자 인도자가 "무슨 장면이 떠오르느냐?"고 물었다. 나는 "아버지가 나를 때리고 있어요"라고 대답했다.

초등학교 4학년 때의 일이다. 할머니는 주일이면 새벽부터 일어나 참빗으로 머리를 곱게 빗어 올리시고는 다림질을 하셨다. 할머니가 다리는 것은 전날 새것으로 바꿔둔 10원짜리 지폐 여섯 장이었다. 하얀 봉투에 빳빳해진 지폐를 한 장씩 넣어두고는 손자 6남매가 "교회 다녀오겠습니다" 하고 인사를 하면 하나씩 나눠주셨다. 주일 헌금이었다. 헌금은커녕 도시락도 제대로 못 싸오는 친구들이 수두룩했던 그 시절에 10원이면 무척 큰돈이었다.

그날도 하얀 봉투를 받아들고 집을 나서는데 옆집 사는 친구 녀석이 기다리고 있었다. 함께 교회로 가던 중 이 친구가 달고나 파는 아주머니 앞에서 발걸음을 멈추더니, "제은아, 달고나 먹어봤냐? 둘이 먹다 하나가 죽어도 모를 만큼 맛있다!"라며 입맛을 다셨다.

"그래? 나는 못 먹어봤는데."

"야, 그 맛있는 걸 못 먹어봤단 말이야? 우리 딱 1원어치만 먹어보자. 너 1원, 나 1원."

설탕을 녹여 베이킹파우더로 부풀린 달고나의 달콤한 향이 우리를 유혹하고 있었다. 그때 나는 아버지의 표현에 따르면 "사탄의 달콤한 유혹에 빠져" 헌금 봉투에서 10원짜리 지폐를 꺼내고 말았다. 그런데 거스름돈을 받는 순간 정신이 번쩍 들었다. 그 당시 주일 학교에서는 선생님이 이름을 부르면 출석을 했다는 대답과 함께 헌금을 갖다 내도록 되어 있었는데 늘 빠스락빠스락 하는 흰 봉투를 갖다 내던 내가 잔돈 봉투를 내면 당장 눈에 띄어 추궁을 들을 게 뻔했다.

나는 걱정이 되어 달고나가 단지 쓴지도 모를 지경이었다. 결국 나는 주일 학교에서 출석을 부르는 도중 도망치고 말았다. 산에서 한참을 놀다가 예배 끝나는 시간에 맞추어 집으로 돌아갔다. 일요일이면 항상 교회 신자들로 시끌벅적하던 집 안이 그날은 쥐 죽은 듯 조용했다. 나는 불안했지만 '설마 나 때문일까' 생각하며 애써 마음을 진정시켰다. 그 순간 부엌문이 열리더니 어머니가 뛰쳐나와 내 등을 두들기면서 말했다.

"아이고 제은아, 어떡하면 좋으냐? 이제, 넌 큰일 났다. 아이고 제은아!"

안방에 들릴세라 애써 낮춘 음성에는 울음이 섞여 있었다.

"왜? 엄마, 무슨 일인데?"

"무조건 빌어라. 아버지께 무조건 잘못했다고 빌어. 그리고 절대 거짓말은 하지 말아라. 아버지 성격 알지? 그냥 무조건 정직하게 말하거라, 응?"

겁에 질린 어머니의 표정을 바라보는 것만으로도 나는 벌써 초죽음이 되어 있었다. 그때 안방에서 "제은이 왔으면 회초리 만들어서 들어오라고 해!" 하는 고함소리가 들렸다.

난 그때까지 아버지께 회초리를 맞아본 적이 없었던지라 처음 당하는 이 상황이 너무나 무섭고 믿을 수가 없어 회초리 한 다발을 만드는 내내 눈물이 그치지 않았다.

아버지는 아무 말 없이 내가 만들어간 회초리를 하나씩 들어서는 손가락으로 튕겨보고 방바닥에 탁탁 내리쳤다. 변명의 기회조차 없는 살벌한 풍경에 나는 숨이 막혔다.

"목침 위에 올라서라. 네가 뭘 잘못했는지 알고 있냐?"

"네. 헌금으로 달고나를⋯⋯"

"달고나가 문제가 아니야. 이놈아. 달고나가⋯⋯ 하나님께 드릴 성전의 예물을 훔친 네 놈은 아나니아와 삽비라처럼 목이 부러져 죽어마땅한 죄를 진 것이야."

아버지는 더 이상 참을 수 없다는 표정으로 몇 대를 맞겠느냐고 물었다. 아무리 겁이 난들 한두 대를 부르기는 자존심이 상하기도 했지만, 그보다 마음속에 '설마 아버지가 가장 믿고 아끼는 나를 때릴까? 한번 때려봐요. 나보다 아버지 마음이 더 아플걸' 하는 생각이 슬그머니 고개를 들었다.

"스무 대요!"

내가 상상할 수 있는 최대한의 수치였다. 아버지 마음을 아프게 하고 싶었던 것 같다. 아니면 "아니 그건 너무 많아" 하는 소리를 듣고 싶었는지도 모르겠다. 그런데 아버지는 조금도 망설이지 않고 회초리를 들었다.

"세어라."

아버지는 힘껏 내리치기 시작했다. 여린 종아리가 터져 피가 흘렀다. 나는 기절할 것만 같았다. 어머니가 뛰어 들어와 아버지를 말려줄 것을 기대했지만, 상황은 내 예상을 완전히 빗나갔다. 어머니는 문 밖에서 문고리를 붙들고 울고 계실 뿐이었다. 계속해서 맞다 보니 '내가 정말 죽을 죄를 지었나 보다. 나는 살 가치가 없는 죄인인가 보다' 하는 생각이 들었다.

몇 대를 맞았는지 숫자를 세다가 나는 그만 입에 거품을 물고 쓰러졌다. 숨이 넘어갈 듯 꺽꺽거리는 나를 붙잡고 아버지는 "무릎 꿇어라. 기도하자" 하고는 눈물을 흘려가며 기도를 시작하셨다. 〈잠언〉에 나오는 온갖 성경 구절들을 인용하면서 "오늘 제은이가 사탄의 꾐에 빠져 하나님 성전의 것을 훔쳤습니다. 아나니아와 삽비라와 같이 목이 떨어져 죽어 마땅한 죄를 지었사오니 차라리 잘못 가르친 저를 벌하여 주시고, 자식을 용서하여 주시어 다시는 사탄의 간계에 빠지지 않도록 인도해 주옵소서!" 하는 내용의 기도가 몇 시간 동안 계속되었다.

거의 반쯤 기절해 있는 가운데서도 나는 한 가지만은 확실하게 가슴에 새겼다. '아버지는 당신 마음에 들지 않으면 나를 죽일 수도 있는 사람이다. 아버지가 원하는 사람이 되어야만 한다.'

그날 내 안에 있던 천방지축 까불이 제은이는 죽고 말았다. 온 예배당을 뛰어다니며 장난을 치던 밝은 소년, 마을 사람 누구에게나 귀여움을 받던 명랑한 소년, 얌전하고 심각한 것만 보면 흩뜨려놓고 싶어 하던 장난꾸러기 소년은 그렇게 사라졌다. 그 뒤로 까불이 제은이는 죽고 아버지가 원하는 나로 살았던 것 같다. 그렇게 나는 내게 주어진 나의 '역할'을 훌륭하게 수행하며 살았다.

새카맣게 잊고 있던 사건이었다. 그런데 20년도 훨씬 지난 지금, 다시 그날의 어린아이가 되어 아버지와 마주한 채 울고 있다니! 나중에야 나는 이것이 '내면아이 치료'라는 심리 치료 과정의 한 단계임을 알게 되었다. 즉 잃어버린 내 안의 아이, 상처 입은 내면의 나를 다시 만나는 과정이었던 것이다.

인도자의 인도에 따라 매를 맞고 있는 어린 나와 대화를 시도했다.

"제은아, 많이 아프지? 어서 도망 가! 도망 가!"

그러자 한참 뒤에 그 아이가 눈물이 뒤범벅이 된 채 숨을 헐떡이며 손가락을 입술에 갖다 대고 "쉬잇! 조용히 해!"라고 말을 했다.

"왜, 아버지가 무서워?"

"지금, 아버지가…… 날…… 죽이려고 해!"

그 말을 듣고 나는 그만 숨이 멎을 뻔했다. 아이였던 내가 진정 두려워했던 것이 무엇인지를 그때서야 알았다. 만일 아버지의 신앙 교육 원칙에서 벗어나면 아버지는 나를 버릴 수도 있고 죽일 수도 있다는, 그런 무서움과 불안감이 어린 내 무의식 깊숙이 박히게 되었다는 것을 알게 된 것이다.

아버지는 성경 내용 중 특히 아브라함이 그토록 사랑하는 아들 이삭을 아낌없이 제단에 바치는 이야기를 자주 인용하셨다. 그런 날 밤이면 나는 어김없이 꿈을 꾸었다. 나는 제단 위에 놓여 있고 아버지가 칼을 들고 나를 내리치려 하고 있었다. 그런데 성경에서는 아브라함이 사랑하는 아들 이삭을 하나님의 명령에 순종해서 바치려 할 때 하나님께서 "잠깐, 내가 이제 너의 믿음을 알았다"고 하시며 미리 준비하신 양을 대신 제물로 바치도록 했는데, 내 꿈속에서는 아버지가 칼로 날 내리치려 하는 찰나인데도 하나님이 "잠깐"을 안 하시는 거다. 난 소스라치듯 놀라서 경기를 일으키며 흥건히 땀에 젖은 채 잠에서 깨어나곤 했다.

그때부터 나는 더 이상 내가 아니라 아버지의 아들로, 아버지가 원하는 틀에 맞춰 살아가지 않으면 안 되는 존재가 되었다. 칭찬을 듣는 모범생이 되어갈수록 내 마음에서는 자발성이나 즐거움은 사라지고, 대신 나는 내가 누군지, 무엇을 원하는지 모르는 아이가 되어갔다.

칼 융이 이야기했던 '내 안의 놀라운 아이'는 죽었고, 그 자리에 아버지의 기준에 맞추어서 내게 요구되는 역할을 하기 위해 거짓 가면을 쓴 '상처 입은 내면아이'가 들어섰다. 나는 그 아이를 품은 채로 몸은 성인이 되었지만 내면은 아이인 '성인 아이'가 되었고, 그렇게 나의 자아 분열이 시작된 것이다. 나의 방황과 끝도 없는 절망은 이미 그 시절부터 쓴 뿌리를 내리고 있었다.

나는 아버지께 매 맞고 쓰러진 그때처럼 엎어져서 "아버지! 아버지!" 하고 울부짖었다.

"아버지가 나를 한 번만 안아줬어도, 그때 나를 안고 헌금은 함부로 쓰는 게 아니란다, 그 돈은 하나님께 드리는 거야, 그렇게 따뜻한 말 한마디만 해주었어도 내가 이렇게 아파하지는 않았을 텐데. 날 포기하고 살지는 않았을 텐데. 그럼 내가 반성하고 아버지를 더 사랑했을 텐데. 아버지는 허구한 날 하나님 사랑한다고만 했지, 이 아들을 사랑하지는 않았어. 아버지가 나한테 사랑을 줬어야 나도 사랑을 하지. 아버지는 바보야. 나는 아버지처럼은 안 될 거야. 안 될 거야. 나는 사랑하면서 살 거야."

그렇게 얼마나 많은 시간이 지났는지, 어렸을 때 아버지에게 하지 못한 온갖 얘기를 속이 시원하도록 하고 나자 마음이 홀가분해졌다.

그러자 갑자기 아버지가 보고 싶어졌다. 그리고 아버지를 사랑한다고 말하고 싶어졌다. 나는 그때까지 그렇게 간절하게 아버지를 목메어 불러본 적도, 아버지가 그토록 그립고 사랑스러웠던 적도 없었다.

"아버지, 용서합니다. 아버지, 사랑합니다."

아버지를 끌어안고 싶었다. 아버지께 당장 달려가고 싶었다. 한국말을 전혀 알아듣지 못하는 참석자들 앞에서 창피함도 잊은 채 "아버지, 우리 아버지"를 밤새 목이 터져라 불렀다.

결국 나는 아버지를 끌어안았다. 내가 가장 사랑하면서도 미워했던 아버지, 이해할 수 없던 아버지, 내 상처의 뿌리였던 아버지와 드디어 화해를 한 것이다. 그것은 내가 가장 미워하고 감시하고 저주했던 또 다른 나의 모습과 화해한 것이기도 했다. 그러고 나자 나는 하나님이라는 이름 또한 가슴 시원하게 맘껏 부를 수 있게 되었다. 이제 나는 다른 누구, 다른 역할을 하는 나일 필요가 없었다. 나는 그냥 나 자신이면 되었다. 이제는 모든 사람을 안을 수 있게 되었다. 어떤 사람이든 이해할 수 있게 된 것이다.

그 순간 인생의 온갖 고뇌와 시름을 다 끌어안은 듯 무겁던 어깨가 가벼워졌다. 어린아이가 춤을 추듯 내 몸이 가볍게 움직이더니 공중을 나는 것 같은 자유로움이 느껴졌다. 그렇게 좋을 수가 없었다. 초등학교 4학년 때의 어린아이로 돌아간 듯 나의 표정이 확 달라졌다. 막혔던 담이 허물어지고 단단한 얼음덩이가 녹아내린 듯했다. 새장에 갇힌 새가 창공을 날듯 나는 두 팔을 펼치고 소리를 내며 훨훨 날아다녔다.

부모는 내 존재의 뿌리다. 부모와의 관계가 풀리지 않은 상태에서는 부부관계와 자녀관계는 물론이고 모든 인간 관계에서 어려움을 겪는다. 아버지와 어머니를 부둥켜안는 순간 내 안의 영성이 살아나고 내 인생이 풀린다. 그때 비로소 자신을 진심으로 사랑할 수 있게 되기 때문이다. 만약 그때 내 안의 상처받은 내면아이를 만나지 않았다면 내 삶이 과연 어땠을지 생각하면 정신이 까마득하다.

아버지도 나 사랑하지?

이 글은 2010년에 KBS <아침마당>에서, 강연했던 내용 중에서 일부를 발췌한 것이다.

 아버지는 파킨슨병으로 누워 계신다. 8년 가까이, 누군가의 도움 없이는 아무것도 하실 수가 없다. 혼자서는 일어나지도 음식을 드시지도 못한다. 그중에서도 가장 곤란한 문제는, 침대에 누워 계신 채로 대소변을 하루에도 몇 번씩 보는데, 언제 그럴지 전혀 예상을 할 수 없다는 점이다. 당시에는 간병인 제도가 아직 실행되기 전이라서, 그 힘든 뒤치다꺼리를 엄마 혼자서 오롯이 감당하고 계셨다. 난 그저 가끔 옆에서 거들어 드릴 뿐이고.

그리고 또 힘든 것 중 하나는, 아버지는 가끔, 거의 20년, 30년 전 기억으로, 현재를 살아가고 계신다는 거다. 그래서 엄마와 나는, 가끔 아버지와의 대화가 잘되지 않아 어려움이 종종 발생하곤 한다.

사실, 난 어릴 때부터 가끔 아버지의 어떤 말들이 계속 귀에 거슬

렸다. 왜 그런 지는 잘 모르겠는데, 아무튼 내 가슴에 잘 와닿지가 않았으니까. 그리고 도대체 아버지가 왜 그런 말을 하시는 건지, 그 말이 무슨 뜻인지, 전혀 이해가 안 되곤 했다.

어느 날 일을 마치고 거의 파김치가 되어 집에 돌아왔는데, 또 집 안에 똥 냄새가 진동을 했다. 아마도 방금 전에 아버지가 대변본 것을 치우느라, 엄마 혼자서, 힘이 장사이신 아버지 몸을, 그 작고 여린 몸으로 일으켜 세우고, 엄마의 깔끔한 성격 탓에, 이리 뒤척 저리 뒤척 수십 번을 닦고 또 닦아내고, 침대에 미리 매어 놓은 비닐을 다 닦아내고, 그걸 밖에 버리러 나가신 것 같았다. 그래서 아버지 혼자 덩그러니 방에 있었다. 냄새는 진동했지만 엄마가 하도 깨끗하게 닦아 드려서 그런지, 아버지는 그 어느 때보다 더 말끔해 보였다.

아버지가 내게 무슨 말을 하고 싶어 하는 것 같아 가까이 다가갔더니, "너 운전하지?"라고 물으셨다.

"네, 아버지. 저 운전한 지 오래됐잖아요."

"그러면… 운전할 때… 양~보를 해라~."

아버지 목소리가 하도 작아서, 뭐라고 하는지 잘 들리지가 않았다.

"네? 뭐라구요?"

"응, 양~보를 하라고….”

아버지가 한 말을 제대로 확인하는 순간, 갑자기 속이 뒤틀렸다! 사실, 난 어렸을 때부터, 아버지의 그런 말들이 계속 거슬렸었다. 왜 그런지 그 이유는 잘 모르겠는데, 아무튼 가슴에 잘 와닿지도 않았고, 도대체 왜 그런 말씀들을 우리 자녀들에게 하시는 건지, 그게 무슨 의미인지 잘 이해가 안 됐다. 난 그저 아버지의 철저한 신앙심에서 비롯되어 설교하듯이 하는, 그런 말이겠지 했다.

그날은 몸도 마음도 지칠 만큼 지친 데다, 집에 돌아와 보니 아버지로 인해 냄새가 진동을 하는 데다, 짜증이 너무 난 나머지, 마치 따지듯이 아버지께 말했다.

"아니 아버지! 그런 말을 도대체 왜 하세요?"

"아버지가 그렇게 양보하면서 살아서… 우리가 얼마나 힘들었는데… 엄마가 얼마나 힘들었는지 아세요? 우리 자식들이 얼마나 고생했는데…, 알기나 하세요? 네?"새벽기도 가다가 그 술 취한 운전사가 아버지 치고 뺑소니친 걸, 겨우겨우 붙잡았는데, 그 사람 말만 그냥 믿고, 그 운전사 아내와 자녀가 불쌍하다고 절대 신고하지 말고, 그렇게 끝까지 고집부려서, 아버지 치료도 제대로 못 받고 돌아가실 뻔하고, 허리까지 심하게 다쳐서 도대체 얼마나 고생을 하셨어요? 네? 그러니까 이제 제발! 그런 얘기 좀 그만 하세요!"

그 당시에 난, 아버지가 왜 그런 말씀을 하는지 도대체 이해를 할 수가 없었다. 그래서 아버지는 뭔가 좀 더 말을 하고 싶어 하는 것 같은데도, 어떤 여지조차 주지 않은 채, 내 상처가 건드려지는 바람에 그냥 도망치듯, 쏜살같이 방문을 꽝 닫아버리고 집 밖으로 휑하고 뛰쳐나와 버렸다.

그런 일이 있은 지 며칠 후에, 친한 친구 아버님의 장례식에 갔다 오면서, 내가 그때 아버지께 그런 말을 했다는 게, 참 철딱서니도 없고 너무 죄송스러운 마음이 들었다. '아버지 연세가 지금 여든아홉

인데, 우리 아버지가 사시면 얼마나 더 사신다고…. 아이구, 내가 지금부터라도 아버지를 더 진심으로 사랑해 드리고 좀 더 잘 모셔야겠다.'는 그런 마음을 먹고, 집에 도착했다.

그렇게 기특하게 달라진 마음을 먹고 집에 돌아왔는데, 아버지는 마치 아버지가 편찮으시기 전에 아주 건강했을 때의 모습처럼, 침대 위에 딱 앉아 계시는 것이다. 엄마가 아버지 침대 뒤쪽을 일으켜 세워드려서, 마치 책상 앞에 앉아 계신 것처럼 아주 반듯해 보였다. 나는 그런 모습이 너무 반가운 나머지, "아버지!"라고 불렀다. 이에 아버지도 "아들!" 하면서 두 손을 번쩍 흔들며 반겨 주셨다.

창문을 통해 들어온 햇빛이 아버지의 얼굴을 비추는데, 아버지의 단정한 머릿 결이 햇빛에 황금빛으로 빛나며, 마치 교황 요한 바오로 2세처럼 보였다. 그 순간 내게 갑자기 어떤 깨달음이 왔다. '아, 우리 아버지가 지금까지… 나를 위해 살아 계시는 거구나! 나를 위해서… 그런 거였구나!'(이 일이 있은 후에, "부모(아버지)는 자식(아들)이 철들 때까지 기다린다. 죽지 못하고… 차마 이 세상을 떠나가지 못하고, 자식이 철이 들 때까지, 자식이 준비될 때까지 기다리고 있는 것이다."라는 그런 말이 떠올라 슬프게 울었다.)

거의 8년 만에, 나는 아버지가 지금까지 살아 계시다는 사실에 펑펑 눈물이 날 정도로 정말 감사한 마음이 들었다. 사실 아버지가 쓰러지지 않으셨다면, 나는 예정대로 미국으로 돌아가, 내가 원하던 그 대학교와 그 상담센터에서, 내가 그토록 꿈꾸었던 그런 일들을 멋지게 하고 있었을 것이다. 그러나 나는 차마 엄마 혼자서 병든 아버지를 돌보게 할 수 없어서, 그 계획을 접어버리게 되면서, 사실 마음 한 구석엔 아버지에 대한 원망도 조금 갖고 있었던 것이다. 평소라면 쑥스러워서 그렇게까진 못했을 텐데, 그날은 아버지께 가까이 다가가서 아버지의 손도 다정하게 잡아 드리고, 얼굴도 비비면서, 내가 그동안 아버지께 하지 못했던 말을 쏟아 내기 시작했다.

"아버지, 정말 사랑해. 아버지도 나 사랑하지? 아버지, 내가 아버지 얼마나 사랑하는지 알지? 아버지! 이렇게 살아 계셔 줘서, 정말 고마워, 아버지!"

"우리 아들, 나도 너를 사랑한다!"

그날 우리 두 부자는 서로 사랑 고백을 했다. 서로의 얼굴과 손등을 사랑스럽게 쓰다듬으면서. 나는 마치 꿈을 꾸는 것만 같았다. 내가 아버지와 이렇게 단둘이서 이런 꿈같은 시간을 갖게 되다니. 아버지가 온전히 다 내 것이 된 것만 같았다. 마치 어렸을 때, "아버지가 나를 조금만 더 다정하게 대해 주셨더라면…" 하고 못내 아쉬워했던 그 숙제(미해결 과제)를 다 끝내 버린 것만 같았다.

오랜만에 아버지의 정신이 온전해진 것 같아서, 난 내가 그동안 궁금해하던 걸 물었다.

"근데 아버지, 지난번에 저에게 운전할 때 양보하라고 하셨잖아요? 왜 자꾸 저에게 '양보해라! 양보해라!' 하시는 거예요?"

"응. 그건 그래야 네가 편하니까… 난, 너 편하라고… 그런 무서운 기계를 타고 다니는데…."

"아니 아버지, 그런데 제가 바쁜 일이 얼마나 많은데, 어떻게 맨날 양보만 해요? 그리고 또 운전하다 보면 막 끼어드는 사람도 있고.. 그런데 그때마다 양보하면 어떡하라는 거예요?"

"양보하면 네가 편하니까…."

"아… 그러니까, 아버지는 내가 편하라고… 그래서 나한테 양보하라고 하는 거예요?"

"응, 왜냐면 함부로 운전하는 사람이 참 많으니까… 그냥 양보해 주면, 네가 좀 더 편하게 갈 수 있잖아. 그러니까, 그냥 다 먼저 가라고 해." 하면서, 빙그레 웃으시는 거다.

"아! 그래서? 아버지는 양보해 주라고 하는 거야? 운전하는 사람들이 급하게 하니까? 나도 혹시 급하게 하다가 내가 사고라도 날까 봐? 맞아?"

"응. 그렇지! 그냥 다 양보해 줘. 허허허!"

나는 그제서야 왜 아버지가 내게 그토록 양보를 하라고 했는지, 그 진짜 이유를 알 수 있게 되었다. 아버지는 가만히 침대에 누워 계시면서, 이 아들이 황급하게 들어오고 바쁘게 나갈 때마다 너무 걱정이 되신 것이다. 혹시라도 당신의 아들이 저렇게 급하게 뛰쳐나가서 운전을 급하게 하다가, 급하게 운전하는 사람들 사이에서 차 사고라도 나면 어쩌나 하고… 그래서 이 아들이 사고도 안 나고 조금이라도 편하게 다녀오게 하려고… 그래서 양보를 하라고 하신 것이다.

아버지의 진짜 마음을 알아차리고 난 나는, 눈물이 핑 돌았다. 그리고 '어릴 때부터 아버지에게 잔소리처럼 늘 들어오던 그 말씀들이, 사실은 모두 나를 위해서 그러셨던 거구나.' 하는 깨달음이 왔다.

난 그날 처음으로 그 사실을 깨닫게 되었다. '나에겐 그런 말씀들이 다 듣기 싫은 잔소리로만 들렸을지 모르지만, 우리 아버지에게는 나름대로 이 아들을 위한 최선이었구나! 그것이 아버지의 진심이었구나. 나를 위해서…'

만약 내가 그때 아버지의 그 설명을 듣지 못 했다면 어땠을까? 만약 내가 아버지에게 그 질문을 하지 않았더라면 어쩔 뻔했을까 생각하니, 참 아찔하다. 마음을 열고, 사랑하는 사람에게 그 사람이 하는 말이 무슨 뜻인지 물어보는 것은 참으로 중요하다. 그리고 그 사람의 대답을 잘 들어주는 것도 매우 중요하다.

당신이 사랑하는 그 사람에게 가까이 다가가라. 그리고 사랑하는 사람의 눈을 따뜻하게 바라보라. 그리고 사랑하는 사람의 손을 다정하게 잡아보라. 그리고 당신의 느낌을 살펴보라. 지금 당신의 느낌이 어떠한가? 사랑하는 사람의 마음을 잘 알아봐 주고, 다정하게 이렇게 물어보라.

"당신, 지금 기분이 어때요? 지금 당신을 가장 힘들게 하는 게 뭐예요? 내가 당신에게 어떻게 해주면, 당신이 좀 더 힘이 날 수 있을까요? 당신의 기분이 좀 더 좋아질 수 있을까요? 그것을 내게 말해줘요."

그리고 이제, 사랑하는 사람이 당신에게 하는 말을 잘 들어주라. 가슴으로! 가슴으로 들으라!

이렇게 하면, 우리 모두 행복해질 수가 있다. 오늘, 당신이 사랑하는 그 사람과 특별한 데이트를 즐기기 바란다. 당신의 남편과, 당신의 아내와, 당신의 자녀와, 당신의 아빠와, 당신의 엄마와 함께….

그리고, 그분께 당신이 그분을 얼마나 사랑하는지, 그리고 그분이 당신에게 얼마나 소중한 사람인지를 직접 이야기하라. 가족이 행복이다. 지금 내 옆에 있는 이 사람이 "이 세상에서 가장 소중한 사람"이다. 가장 가까운 가족, 가장 가까운 동료, 가장 가까운 친구들의 마음을 살펴보라. 그 "관계"를 통해서, 아름답고 따뜻한 사랑의 말을 나누라. 말 한마디라도 더 따뜻하게 못해줘서 안타까워하는… 그런 심정으로… 말이다.

"당신이 내 남편이라서 난 얼마나 행복한지 몰라요! 당신이 내 아내라서 난 얼마나 행복한지 몰라요! 당신이 우리 아이들 엄마라서 난 너무 좋아요! 당신이 우리 아이들 아빠라서 난 너무 좋아요! 네가 내 딸이라서 이 엄마는 너무 좋아! 네가 내 딸이라서 이 아빠는 너무 좋아! 네가 내 아들이라서 이 엄마는 너무 좋아! 네가 내 아들이라서 이 아빠는 너무 좋아! 당신에게 너무 고마워요! 당신이 정말 보고 싶었어요. 나 때문에 마음 많이 아팠죠? 나를 용서해 주세요."

지금 바로 가장 소중한 사람과의 특별한 데이트를 시작하라!

지금 여기를 살아라

 당신이 만일 치유를 원한다면 축복만을 기억하고 그 외의
모든 것은 잊어버려야 한다. 이 순간 하나님의 손길을 붙
잡고 어두운 구름 속을 헤치며 새벽빛을 향해 걸어가는 당신의 모습
을 마음속에 그려보라. 그리고 마음 깊숙이 당신 자신에게 이렇게 말
해보라. "꼭 알아둬라. 새벽이 오면 어둠은 물러간다."

그렇다. 당신의 어둠이 아무리 깊고 깜깜하다 할지라도 새벽이 오
면 언제 그랬냐는 듯이 어둠은 슬그머니 사라지고 만다. 기적의 손길
을 가진 하나님의 손을 붙잡고 함께 걸어갈 때 축복으로 변하지 않는
슬픔은 없다.

많은 사람들이 과거라는 사슬에 묶여서, 또 오지도 않을 미래를 걱
정하다가 죽어간다. 그러나 당신은 지금 여기를 살아라. 과거가 찬란
했든 처절했든 과거는 이미 재처럼 타버리고 없다. 잃어버렸다는 것
은 본질이 아니다. 아무리 멋진 미래를 꿈꾼다 할지라도 그것은 결코
오지 않을 수도 있다.

분명한 것은 우리 중 누구도 자신의 시간이 얼마나 남았는지를 모
른다는 사실이다. 그러므로 유충이 나비가 되기 위해 허물을 벗어버
리듯 과거의 사슬로부터 벗어나 지금 여기를 사는 것이 가장 중요하
다. 당신의 성장을 가로막고 있는 유일한 장애물은 다른 누구도 아닌
바로 당신 자신이다. 모든 걱정, 부정적인 마음, 두려움, 한을 벗어던
지고, 자신은 물론 다른 사람을 용서하는 것이 지금 당장 해야 할 일

이다.

그리고 오직 사랑만을 기억하는 것이다. 하나님의 사랑이 세찬 물줄기처럼 당신의 가슴에 흘러들게 하는 것이다. 그러면 치유의 강물이 메마른 황무지를 적실 것이다. 당신이 할 유일한 일은 꼭 그렇게 될 것을 자신에게 허락하는 일뿐이다. 그리고 당신은 그렇게 할 수 있다. 당신이 사랑을 길잡이로 선택한다면 모든 것은 당신에게 유익한 것으로 바뀐다는 사실을 믿어라. 하나님은 가슴을 열고 치유를 받아들이고자 하는 사람의 부탁을 한 번도 거절한 적이 없다. 그것은 바로 나에게 일어난 일이기도 하였다. 지금 이 순간이 삶이다.

부모님에게 편지 쓰기

아버지와 어머니에게 각각 편지를 쓰고 사랑하는 사람들이나 치유 그룹 앞에서 편지를 낭독해 봅시다.

아버지에게 편지 쓰기

| 예 |

아버지,

아버지가 저에게 얼마나 큰 상처를 주셨는지 아세요?

아버지는 저와 놀아주기보다는 저를 혼낼 때가 더 많았죠.

아버지가 저와 조금만 더 시간을 보내주셨더라면

아버지가 절 그렇게 때리셔도 견뎌낼 수 있었을 텐데……

난 말로는 다 표현할 수 없을 만큼 아버지의 사랑을 원했답니다.

아버지가 나와 조금만이라도 놀아줬더라면……

만약 그때 아버지가 나를 야구 경기에 좀 데려가 주셨더라면……

아버지가 단 한 번이라도 내게 사랑한다고 말해줬더라면……

아버지,

전 아버지가 내게 조금만이라도 관심을 가져주시길 바랐어요.

아버지,

날 창피하게 여기는 당신이 너무 미웠습니다.

아버지는 당신 친구들이 집에 올 때마다

날 아파트 지하 창고에 가뒀죠. 게다가

난 어릴 때 단 한 번도 실컷 먹어본 적이 없었어요.

난 아버지에게 그냥 짐과도 같은 존재였죠.

아버지가 얼마나 날 미워했는지 알아요.

내가 뭔가에 걸려 넘어질 때마다

아버진 날 보고 비웃으며 놀리기까지 했으니까요.

*시각 장애를 가진 30대 남성이 쓴 편지

편지 쓰기

아버지에게

어머니에게 편지 쓰기

| 예 |

어머니,

어머니는 교회 일 때문에 정말 바쁘셨죠.

얼마나 바빴는지 단 한 번도 딸인 나에게

사랑한다고 말해줄 여유조차 없으셨죠.

어머니는 내가 많이 아플 때나

아니면 피아노를 잘 쳐서 엄마를 자랑스럽게 했을 때

그때만 관심을 가져주셨죠.

난 어머니를 기쁘게 해드릴 때만

내 자신이 의미 있는 존재로 느껴졌어요.

어머닌 내가 당신을 기쁘게 했을 때만 중요했던 거예요.

어머니는 나를, 있는 그대로의 나를……

단 한 번도 사랑하신 적이 없었어요.

어머니…… 어머니, 전 너무 외로웠어요!

편지 쓰기

어머니에게

내면아이 만나기

처음으로 내면아이를 만난다면 무엇을 할 수 있을지 상상해 보십시오. 지금 그 아이는 혼란스러워하면서 불안해하고 있습니다. 어떻게 하면 그 아이에게 꼭 필요하면서도 따뜻한 배려를 해줄 수 있을까요? 앉아서 그 아이와 이야기해 보십시오. 아이의 말을 잘 들어주십시오. 무엇이 아이를 힘들게 하는지 알아보고, 아이가 이해할 수 있도록 도와주십시오. 아이를 달래주고 품에 안아주십시오. 얼마 동안 아이와 놀아주기도 하고, 사물에 대해 설명도 해주고, 상황을 알려주고, 이야기를 들려주십시오. 이것이야말로 가장 오래된, 최고의 치료법입니다. 이것은 근거 없는 상상이 아닙니다. 특별히 어려운 일도 아닙니다. 단지 친절함과 인내만 있으면 됩니다.

내면아이와의 첫 번째 만남

✿ 어떤 내면아이를 만나셨나요? (예를 들어, "숨어 있다.""웅크리고 앉아 울고 있다.""화가 나 있다.""수치스러워한다.""답답해한다.""무서워한다.""죽은 듯이 누워 있다.")

✽ 아이와 무슨 대화를 하셨나요? (대화할 때는 판단 없이 아이의 말을 들어주고 공감해 주는 것이 중요합니다. 아이에게 야단을 치는 것은 절대 금물입니다. 아이에게 초점을 맞추고 그 아이를 계속 받아주면 아이는 하고 싶은 말을 다 합니다.)

✽ 아이가 무엇을, 어떻게 해주기를 원했나요? 아이가 가장 원하는 말과 행동은 무엇이었나요? (아이가 원하는 것은 손을 잡아달라든지, 눈을 바라봐 달라든지, 괜찮아라고 말해달라든지, 내 잘못이 아니라고 말해달라는 아주 단순한 것들입니다. 따지듯이 말하는 아이를 만날 수도 있습니다. 어떤 경우든 내면아이에게 집중해서 그의 말을 들어주십시오.)

✿ 아이가 원하는 것을 해줬을 때 아이의 반응은 어떠했나요? (이제 어른인 내가 아이에게 문제를 해결할 수 있다고 자신감을 심어주고 아이를 달래주며 품에 안아주는 것이 중요합니다. 그렇게 하면 죽일 것처럼 덤비던 아이가 장난을 걸어오기도 하고 품에 안겨 새근새근 잠을 자기도 합니다. 이것이 곧 내면아이가 치유되는 과정입니다.)

내면아이와의 두 번째 만남

상처받은 내면아이는 하나만이 아닙니다. 한 아이를 만나 어느 정도 작업을 하면 다른 문제를 가진 내면아이가 튀어나옵니다. 그 아이를 전과 똑같은 방식으로 만나고 대화하고 요구를 들어줍니다. 그와 같은 식으로 내 안의 상처받은 내면아이들을 만납니다.

❋ 어떤 내면아이를 만나셨나요? (예를 들어, "외로워한다." "아무 말도 하지 않는다." "너무 힘들어한다." "애타게 그리워한다.")

❋ 아이와 무슨 대화를 하셨나요?

❋ 아이가 무엇을, 어떻게 해주기를 원했나요? 아이가 가장 원하는 말과 행동은 무엇이었나요?

내면아이를 만나지 못했거나 느낌으로만 만난 경우

내면아이가 뚜렷하게 형상으로 보이지 않거나 느낌이 잘 오지 않아도 당
황하지 마세요. 가장 상처받았던 어린 시절의 자신을 떠올리고 그 아이
의 느낌을 느끼려고 노력해 보세요. 계속 이름을 부르면서 그 아이의 마
음에 들어가 천천히 말을 걸어보세요. 그 아이가 마치 내 앞에 있는 것처
럼 집중하면서 대화를 나눠보세요. 틀림없이 아이의 심정을 느낄 수 있
고, 그 아이의 상처를 느낄 수 있을 겁니다.

　모습이 잘 떠오르지 않아도 좋습니다. 부모님에게서 들었던 이야기나
추측을 통해서도 얼마든지 느껴볼 수 있습니다. 우선 원하는 자기 어린
시절의 나이와 그때의 상황, 그 아이가 고민하던 것, 그 아이가 가장 힘
들어하던 것 등을 떠올려보세요. 눈을 감고 어린 시절의 자신의 모습을
떠올려보세요. 사랑스럽고 안타까운 심정으로 어린 나에게 아주 천천히
조심스럽게 다가가 보세요. 그 아이는 울고 있습니다. 화가 나 있습니다.
무서워하고 있습니다. 억울해하고 있습니다.……

힐링 메시지

긍정적인 메시지와 부정적인 메시지 찾기

우리는 우리도 모르게 자기 자신에게 무의식적으로 메시지를 보내고 있습니다. 마치 머릿속에 계속해서 돌아가는 테이프처럼 이 메시지들은 우리의 생각과 감정과 행동에 영향을 주고 있습니다. 당신의 내면아이에게 필요한 치유 메시지를 찾기 위해서는 먼저 당신에게 있는 긍정적인 메시지와 부정적인 메시지를 찾는 것이 중요합니다. 부정적인 메시지를 찾아서 치유의 메시지로 바꾸어주고, 긍정적인 메시지를 찾아 자신의 치유를 위한 건강한 자원으로 활용해야 합니다.

❀ 나의 마음속에 존재하는 혹은 너무나 숱하게 들어왔던 긍정적인 메시지들과 부정적인 메시지들을 찾아 목록을 만들어보세요.

긍정적인 메시지들	부정적인 메시지들
l 예 l "네가 하는 일이면 무엇이든지 늘 믿음직스럽단다." "못해도 괜찮아! 난 너 그대로 좋아."	"넌 왜 뭘 하나 제대로 하는 게 없니?" "나가서 죽어버려!"

힐링 메시지 찾기

내면아이를 만나는 동안, 당신이 내면아이에게 해줄 수 있는 치유적이고 사랑스런 말들을 적어봅니다. 어떤 방법이든 당신의 아이가 가장 듣기 원하는 말들을 어른인 내가 들려주는 것이 중요합니다. 이것이 바로 힐링 메시지 healing message 입니다.

○○아!

네가 이 세상에 온 걸 환영한다. 넌 오랫동안 기다려왔단다.

네가 여기 있어서 참 좋구나.

난 네가 지낼만한 아주 특별하고 안전한 곳을 마련해 놓았단다.

난 네 모습 그대로를 사랑한단다.

무슨 일이 있어도 넌 떠나지 않을 거야.

네게 필요한 건 무엇이든 다 해줄게.

네가 갖고 싶어 하거나 네게 필요한 건 언제든지 줄게.

네가 여자아이(또는 남자아이)라서 정말 기쁘구나.

넌 보살펴주고 싶구나. 난 그럴 준비가 다 되어 있단다.

넌 먹이고, 목욕시키고, 옷을 갈아입히고, 너와 시간을 보내는 게 참 좋단다.

이 세상에서, 너와 같은 아이는 없단다. 넌 특별하단다.

네가 태어났을 때, 하나님도 웃으셨단다.

　　　　　　　　　　　　　—어른 ○○가 내면아이 ○○에게

내가 나의 내면아이에게 들려주고 싶은 나의 힐링 메시지

○○아
___

— 어른 ○○가 내면아이 ○○에게

내면아이에게 편지 쓰기

내면아이와 만나는 가장 좋은 방법은 어린 시절 가장 크게 상처받았던 아이를 떠올리고 그 아이에게 편지를 쓰는 일입니다. 편지는 한두 문장 정도면 충분합니다. 편지를 쓸 때는 그 당시의 상황과 그 상황 속에 놓여 있는 아이를 떠올리는 것이 중요하고, 아울러 되도록이면 아주 어린 시절로 거슬러 올라가는 것이 좋습니다. 8세 미만일수록 더 좋습니다.

어른인 내가 내면의 아이에게 편지 쓰기

그 아이가 필요로 하는 것이 무엇인지 당신이 이미 알고 있고, 그것을 줄 것이라는 확신을 주세요. 그리고 그 아이를 유일하고 소중한 존재로 보기 위해 당신의 모든 노력을 다하겠다는 확신을 심어주세요.

편지를 다 쓴 다음 당신이 쓴 그 편지를 천천히, 큰 소리로 읽으면서 당신의 느낌이 어떤지 살펴보세요. 울고 싶거나 슬픈 느낌이 든다면 느껴지는 대로 해도 좋습니다.

| 예 |

사랑하는 어린 ○○에게

네가 태어나서 정말 기쁘다. 널 정말로 사랑하고, 네가 언제나 나와 함께 있기를 바란다. 네가 남자/여자아이라서 얼마나 기쁜지 모르겠다. 네가 성장하는 데 내가 많이 도와줄게. 네가 나에게 얼마나 소중한 존재인지 네가 알았으면 좋겠구나.

– 너를 사랑하는 어른 ○○로부터

| 예 |

사랑하는 어린 ○○에게

난 네가 몹시 외롭다는 걸 알고 있단다. 네가 한 번도 네 자신이 되어 보지 못한 것도 알고 있단다. 화를 내면 혼날까 봐 화내지도 못했지. 약한 애처럼 보일까 봐 울거나 무서워할 수도 없었지. 아무도 네가 얼마나 놀라운 작은 아이인지, 네가 정말로 무엇을 느끼는지를 모르는구나. 나는 미래에서 왔단다. 그리고 네가 아는 어떤 사람보다 너를 잘 알고 있단다. 너를 사랑하고, 언제나 네가 나와 함께 있기를 바란다. 그냥 네 모습 그대로 있게 해줄게. 내가 너와 항상 함께 있을게.

– 너를 사랑하는 어른 ○○로부터

사랑하는 어린 ○○에게

넌 호기심이 많지? 그건 좋은 일이란다. 물건을 갖고 싶어하거나,
보고, 만지고, 맛보는 것은 모두 괜찮아. 네가 해보고 싶은 대로 할 수
있도록 안전한 환경을 만들어줄게. 네 모습 있는 그대로를 사랑한다.
내가 지금 여기 있는 것은 너에게 필요한 것을 주기 위해서야. 하지만
네가 날 돌봐줄 필요는 없어. 네가 보살핌을 받는 건 아주 당연한
거야. 싫다는 말을 해도 괜찮아. 난 네가 너 자신이 되고 싶어 하는
게 무척 기뻐. 네가 원하는 대로 되지 않을 때 슬퍼해도 괜찮아. 어떤
일이 생겨도 난 절대로 널 떠나지 않을 거야. 넌 언제나 너 자신의
모습을 갖고 있을 수 있고, 내가 언제나 널 위해서 있다는 걸 믿어도
돼. 널 사랑해. 네가 나에게 얼마나 소중한 존재인지 네가 알았으면
좋겠구나.

– 너를 사랑하는 어른 ○○로부터

편지 쓰기

사랑하는 어린 ○○에게

— 너를 사랑하는 어른 ○○로 부터

내면아이가 어른인 나에게 쓰는 편지

이번에는 당신의 내면아이가 어른인 당신에게 편지를 쓸 것입니다. 이 편지를 쓸 때는 당신이 주로 쓰는 손이 아닌 다른 손을 사용해야 합니다. 즉 오른손잡이라면 왼손으로 편지를 써야 하고, 왼손잡이라면 그 반대입니다. 이 방법은 당신의 내면아이의 감정과 더 쉽게 만나도록 이끌어줍니다. 기억할 점은 그 아이가 편지를 쓰더라도 많이는 쓰지 못할 것입니다. 아마도 간단한 한두 문장 정도일 테죠.

| 예 |

어른 OO에게

당신이 나를 데리러 와줬으면 좋겠어.

나도 누군가에게 소중한 사람이 되고 싶어.

난 혼자 있기 싫어.

─어린 OO로부터

편지 쓰기

어른○○에게

어린○○로부터

내면아이와의 대화

내가 누군가를 사랑한다면 당신의 시간을 그 사람을 위해 투자하는 것은 당연합니다. 이 방법은 당신의 내면아이와 매일 대화하기 위해 사용될 수 있습니다. 아이가 지치고, 허기지고, 낙담하고, 슬프거나 외로워할 때는 아이와 대화해야 합니다. 아침에 일어나면 그날 내면아이와 보낼 시간을 정하십시오. 물론 아이는 외롭거나 혹은 심심할 때 불쑥 나타나기도 합니다.

어른인 나와 내면아이가 나누는 대화의 예

어른인 나: 안녕! 어린 ○○야, 지금 몇 살이니?

어린 나: 여섯 살이에요.

어른인 나: 어린 ○○야, 지금 기분이 어때?

어린 나: 심심해요. 놀고 싶어. 계속 책상에만 앉아 있으니까 어깨가 뻐근해요.

어른인 나: 미안해, 내가 그렇게 무리했는지 몰랐구나. 지금 뭐 하고 싶니?

어린 나: 누나가 가져온 아이스크림을 먹고 싶어요.

어른인 나: 이런, 내가 깜빡 잊고 있었구나. 우리 당장 내려가서 먹어볼까.

내면아이가 가장 듣고 싶어하는 말을 해주세요

눈을 감아보세요. 그리고 아이였던 여러분을 떠올려 보세요. 마음 깊숙이 간절하게 아이의 이름을 불러보세요. 느낌이 올 때까지 계속해서 아주 사랑스럽고 부드럽게 아이의 이름을 불러보세요. 울고 있는 아이, 화가 난 아이, 무서워하는 아이, 외로운 아이, 울지도 못하는 아이, 수치심에 떨고 있는 아이…… 그 아이를 위해 모든 것을 다 줄 것 같은 심정으로, 아이가 다가올 수 있도록 두 팔을 벌리고 마음을 활짝 여세요. 그렇게 아이에게만 집중하세요.

소리를 내어서 계속해서 이름을 불러보세요. 그리고 그 아이의 마음을 알아주는 말을 해보세요. 느낌이 오는 대로. "그동안 힘들었지?" "너무 외로웠지?" "무서웠지?" 그 아이의 손을 쓰다듬어 주면서 그 마음을 느껴보세요. 그 아이를 가슴에 꼬옥 안아주세요. 이 세상에서 가장 소중한 왕자님, 공주님을 안듯이 부드럽게 안아주세요.

그리고 그 아이가 가장 듣고 싶어 하는 말을 해주세요. "너무 놀랐구나. 화났구나. 이젠 괜찮아. 내가 네 마음 알아줄게. 널 도와줄게. 너랑 함께 있을게. 이제 걱정하지 마. 못해도 괜찮아. 안 해도 괜찮아. 너 하고 싶은 대로 해도 돼. 널 혼자 두지 않을게. 널 떠나지 않을게. 야단치지 않을게. 날 믿어도 돼. 약속을 지킬게."

이름을 계속 부르면서 말하세요. "○○야, 널 사랑해. 난 네가 제일 좋아. 이 세상 사람 다 네 마음을 몰라도 난 네 마음을 알아. 난 네가 나인 게 참 좋아. 네 모습 그대로 사랑해."

그리고 그 아이에게 가장 원하는 것이 무엇인지 물어보세요. "뭘 하고 싶어? 네가 가장 하고 싶은 게 뭐니? 뭐든지 말해봐. 난 널 위해서라면 뭐든지 할 수 있어. 내가 널 도와줄게. 네가 그토록 바랐지만 엄마 아빠가 해주지 못한 것, 널 위해 내가 다 해줄게. 난 아무것도 아깝지 않아.

널 위해서라면. 난 널 위해 여기 있는 거야."

그 아이가 가장 좋아할 일을 상상 속에서 해보세요. 맛있는 것도 사주고 좋아하는 것도 사주고, 그 아이를 깨끗하게 씻어주고, 아이가 무서워하는 사람들을 대신 혼내줍니다. "엄마 아빠를 네가 돌봐주지 않아도 돼. 이제 너 하고 싶은 대로 해. 네가 원하는 것은 뭐든지 말해. 내가 다 해줄게. 난 네 편이야. 나는 네가 좋아. 난 이 세상에서 네가 제일 좋단다. 난 네가 못해도 좋아. 난 그냥 네가 너인 것이 좋아. 널 사랑해. 널 사랑해. 나는 항상 너와 함께 있을 거야. 나는 너를 결코 떠나지 않아. 난 언제나 네 편이야."

그 아이가 가장 듣고 싶어 하는 칭찬을 해주세요. "난 네가 정말 좋아. 넌 멋있단다. 널 사랑해. 난 네가 나인 게 참 좋아. 난 너와 꼭 함께 있을 거야. 널 결코 혼자 내버려두지 않을 거야." 그 아이와 푸른 들판으로, 바다로 뛰어가서 재밌게, 즐겁게 놀아보세요. "그래 같이 가자. 내가 널 행복하게 해줄게. 편히 쉬게 해줄게."

이제 그 아이를 보내줄 시간입니다. 그 아이를 다시 꼭 껴안으면서 사랑의 에너지를 보내주세요. 그리고 그 아이 존재 깊숙이 이런 확신을 심어주세요. "잊지 마, 난 끝까지 네 편이야. 언제든지 네가 날 필요로 하면 또 올게. 걱정하지 마. 네가 하고 싶은 대로 하고 살아." 이제 두 손을 내밀어 아이를 보내주세요. "안녕 잘 가, 우리 또 만나자. 내가 필요하면 언제든지 날 불러. 내가 여기 있을게. 널 사랑해."

내면아이와 대화를 나눠보세요

어른인 나:

_____

_____

어린 나:

_____

어른인 나:

_____

_____

어린 나:

_____

어른인 나:

_____

_____

어린 나:

_____

어른인 나:

_____

_____

어린 나:

_____

어른인 나:

_____

_____

어린 나:

_____

_____

자 기 사 랑 일 곱

나 자신을
감격시켜라

나를 감격시키는 삶

당신은 지금까지 다른 사람을 감격시키기 위해 살았습니다.
어머니, 아버지를 감격시키기 위해 살았고,
다른 사람들에게 칭찬받기 위해 살았으며,
남의 기대에 맞추고 그들이 원하는 역할을 하느라
자신을 잃어버리고 살아왔습니다.
이제, 자신을 감격시키기 위한 삶을 사십시오.
세상 사람이 아무리 손가락질하고 비난을 하더라도
당신 내면의 내가 그렇다고 하면 그렇게 하십시오.
세상 사람이 당신을 향해 아무리 칭찬을 하고 박수를 치더라도
내면에서 아니라고 하면 결코 하지 마십시오.
내면의 나와 대화해서 "하고 싶다"고 하는 일은
세상 사람이 아무리 반대해도 하는 겁니다.
당신의 내면의 나와 의식의 내가 서로 마음이 맞아서
결정한 일은 이 세상 그 무엇도 두려워할 필요가 없습니다.

나에게 무엇을 허락할 것인가?

 내가 아끼는 영화 가운데 하나가 〈패치 아담스〉이다. 로빈 윌리엄스라는 배우가 등장하는 영화인데, 아직 이 영화를 보지 못했다면 지금 잠시 이 책을 접고 그 비디오를 빌려다 보라고 권하고 싶다.

주인공 패치 아담스는 사람들이 가지고 있는 마음의 상처를 어루만지고 웃음을 전함으로써 병을 고치는 의사이다. 그는 어둠 가득한 병실에 환한 빛을 들여오고, 고통에 갇혀 웃지 않던 사람들에게 웃음을 선사한다. 그러나 그가 원래부터 명랑한 사람이었던 건 아니다. 패치는 스스로 정신 병원 문을 열고 들어간 사람이다. 스스로에게 정신병을 선고한 것이다.

'나는 환자야. 난 문제덩어리야.'

그는 계속 이렇게 생각해 왔다. 그러던 그가 정신 병원에서 사람들이 갖고 있는 진짜 문제의 핵심을 깨닫는다. 모든 치유의 시작인 "자신에게 아무 문제도 없다"는 사실을 패치는 아이러니컬하게도 정신 병원에 있던 다른 환자의 고통을 지켜보고 이해하고 나누면서 깨닫게 된다. 다람쥐 환영 때문에 무서워서 화장실에도 못 가는 같은 방 동료 PTSD(post-traumatic stress disorder) 환자를 위해 패치가 그와 하나가 되어 그의 마음을 알아주고 다람쥐 잡는 시늉을 함으로써 동료를 멋지게 도와주는 장면에서 나는 얼마나 가슴이 벅찼는지 모른다.

그날 이후 패치는 정신 병원에서 나가기로 작정한다. 자신이 귀중

하고 사랑할 가치가 있는 사람임을 발견했을 뿐 아니라 자신이 겪은 것과 같은 고통을 겪고 있는 사람들에게 도움이 되고자 새로운 결심을 했기 때문이다. 그런데 패치가 "병원을 나가겠습니다" 하고 말하자 담당 의사는 고개도 들지 않고 대꾸한다.

"다음 카운슬링 때 이야기하지."

패치가 다시 병원을 나가겠다고 하자 그는 "내 허락 없이는 아무도 이 병원을 나갈 수 없어!" 하고 신경질적으로 말한다. 그런 의사에게 패치는 "나는 네 허락이 필요 없어. 난 내 자신이 그렇게 하도록 날 허락했으니까"(I don't need your permission. I admitted myself)라고 말하고 나가버린다. 이 얼마나 멋진 말인가!

세상에는 자신의 행동을 일일이 허락받도록 길들여진 사람들이 많다. 이런 사람들은 자기 인생의 주인이 자신이 아니다. 그런데 패치는 선언하지 않았는가, "내가 내 인생의 주인공이야!"라고. 나는 이 선언이 이 영화의 결정적인 메시지라고 생각한다.

패치는 자신의 결심대로 의과 대학에 진학한다. 그가 대학에서 처음 만난 룸메이트는 자신을 이렇게 소개한다. "나는 칼튼 대학 주최 수학 경시 대회에서 상을 받았어." 나는 이 장면을 보면서 "저런 바보!" 하고 웃었다. 자신만이 가진 고유한 색깔을 고작 대학 주최 경시 대회에서 상 받은 것이라고 생각하다니, 그 친구의 황폐한 정신 세계를 알 만했다. 그런 친구가 나중에 의과 대학에서 떠나려는 패치에게 도움을 청한다.

"너는 의사가 되어야 해. 너는 달라. 의학도라는 점에서만 보면 나만큼 똑똑한 사람은 없겠지. 하지만 너는 사람의 마음을 움직여. 지금 내가 맡고 있는 할머니 환자 한 분이 식사를 전혀 안 하셔. 나는 그 할머니에게 아무것도 먹게 할 수가 없어. 이건 너만이 할 수 있는 일이야."

기술 문명의 한계, 지식의 한계를 드러내는 말이다. 오늘날 컴퓨터로 모든 것을 작동시킬 수 있다고 해도 사람 마음만큼은 하나도 들여다볼 수가 없다. 사람의 마음에 와 닿는 것은 기계로는 할 수 없는 일인 것이다.

앞서 패치에게 퇴원 불가를 이야기했던 정신과 의사를 다시 떠올려보자. 그가 환자를 어떻게 다루는가. 상상 속의 다람쥐 때문에 극도의 흥분에 빠진 환자에게 그는 진정제를 놓고 잠재울 것을 명령한다. 아주 간단하다. 그에게 환자는 화학적·물리적 요법의 대상일 뿐 생각이나 감정을 가진 인간이 아니다. 환자를 부를 때도 병명을 붙여서 부른다. 환자들을 증상 위주로 대하는 것이다. 그러나 이는 비단 영화 속의 의사들에게만 해당되는 것이 아니다. 적지 않은 의사들이 환자와 시선을 맞추지 않은 채 "이런 촬영 해오세요" "저런 검사 해오세요" 이렇게 말한다. 촬영은 기계가 하고, 의사는 차트만 본다. 처방도 이런 식이다. "305호 환자는 세 번째 부위 자르고 네 번째 부위에 약 좀 발라줘요." "306호 ○○환자는 무슨 약 먹이고, 다섯 시간 후에 다시 무슨 약 먹이세요."

내가 아는 외과 의사 친구는 스스로를 재봉사라고 부른다. "수술실에 딱 들어가면 환자 얼굴 볼 일도 없어. 다 가려두고 환부만 열어두니까. 게다가 나는 하루 종일 기계처럼 같은 부위만 다룬다니까. 째고 꿰매고 째고 꿰매고…… 단순 노동이지. 이럴 거면 그 어려운 의학을 왜 공부했나 싶어."

영화 〈패치 아담스〉에서 또 하나 감동적인 것이 바로 환자의 마음을 읽어주고 웃음을 전하는 패치의 모습이다. 패치는 이렇게 말한다. "누구에게나 죽음은 옵니다. 죽음을 두려워하며 삶의 길이만 연장하는 것이 의료의 목적이 아니라, 어떤 삶을 살 수 있도록 돕느냐 하는 것, 얼마나 행복하게 살다 갈 수 있도록 하느냐 하는, 삶의 질에 관해서도 의사는 고민해야 합니다."

그런데 다른 사람을 이해하고 치유하는 따뜻한 손이었던 패치가 갈등에 빠지게 되는데, 그것은 애인 카린의 죽음 때문이었다. 패치가 보살피던 한 환자에 의해 카린이 살해된 것이다. 패치는 카린을 죽게 만든 것이 자기 자신이라고 믿는다. 이것은 문제에 자신의 주인 자리를 내어주고 사는 사람들에게 보이는 공통점이다. 문제가 나 때문이라고 생각하는 것 말이다.

"카린을 죽인 것은 나야. 나를 만나지 않았으면 카린은 죽지 않았을 거야. 내가 문제야. 그래서 떠나는 거야." 패치는 자신이 만든 병원과 자신의 신념을 포기하면서 친구에게 말을 잇는다. "사람이 선하다고? 사람의 선한 면을 도와주면 좋은 사람이 될 거라고? 웃기지 마. 그런 건 없어." 자신의 모든 것을 정면으로 부정하기 시작한다.

패치가 처음 정신 병원에 갔던 이유는 자살 충동 때문이었다. 자신이 밉고 싫어 견딜 수 없었던 것이다. 사람들은 누구나 자신에게 문제라고 여겨지는 어떤 것이 찾아오면 "문제님 오셨습니까? 어서 오세요. 제 마음의 왕좌에 앉으십시오" 하고 문제 그 자체를 자신의 주인으로 받아들인다. 결국 자신은 사라지고 문제덩어리만 남아서 자신을 혐오하게 되고, 급기야는 자신이 없어져야 문제가 사라진다고까지 믿게 된다. 그러던 그가 스스로의 주인이 됨으로써 병원을 벗어났는데, 다시 옛 패턴대로 문제의 노예가 되면서 자기를 미워하기 시작한 것이다.

몇 년 전 시카고의 성폭행방지상담소에서 충격적인 보고서가 나온 적이 있다. 병원 원목이 조사를 해보니 입원한 중증 환자들의 상당수가 가톨릭을 포함한 기독교인이었다는 것이다. 원목이 좀 더 세심하게 조사를 해보니 놀랍게도 그들 중 상당수가 "내가 성폭행 같은 고통을 당하는 데에는 그럴 만한 이유가 있을 것이다. 내가 잘못한 것이 있어서 이런 벌을 받는 것이다"라고 생각하고 있더라는 것이다. 그렇다고 이들이 자신을 성폭행한 사람을 용서했을까?

제대로 된 상황 판단과 정당한 분노를 할 줄 모르면서 무조건 자기 잘못이라고 생각하고 자책하는 사람들에게 자신을 사랑하는 마음이 있기나 한 걸까? 자신에 대한 사랑이 바탕에 깔리지 않은 채 잘못을 자기에게로만 돌리는 것은 자기를 버리는 행위와 같다. 문제 자체가 나의 주인이 되어버리면 나는 할 수 있는 게 아무것도 없게 된다. 문제인 자신만 잊으면, 자신만 죽어버리면 모든 게 해결된다고 생각하게 되기 때문이다.

자신을 사랑하지 못하는 사람이 타인을 사랑하지 못하듯, 자신을 용서하고 받아들이지 못하는 사람은 타인도 용서하지 못한다. 자신을 향해 '괜찮은 사람'이라고 말하지 못하는 사람은 타인에게도 '괜찮은 사람'이라고 말하지 못한다. 내 중심에 무엇을 두느냐, 나의 주인을 무엇으로 삼느냐에 따라 세상을 보는 모든 시각이 바뀌는 것이다.

기독교에서 말하는 '원죄' 의식에 매여 하나님의 진정한 사랑, 내가 기뻐야 하나님이 진정으로 기쁠 수 있다는 사실은 받아들이지 못하고 만다.

패치는 카린이 가장 기뻐할 수 있는 일이 바로 자신이 기쁘게 생활하는 일임을 깨달으면서, 자신이 가장 기쁘게 생활하는 일은 또한 남들의 얼굴에 기쁨의 미소가 떠오르는 일임을 받아들이면서 다시 웃음으로의 진료를 시작한다. 다시 한번 자신에게 그 즐거운 삶을 '허락'한 것이다.

자신에게 무엇을 허락할 것인가? 그것을 선택하는 것은 바로 자신이다. 문제투성이로서의 자신의 이미지를 허락할 것인가? 고통 속에서 허우적대고만 있을 것을 허락할 것인가? 아무것도 의미 없다고 생각하며 자포자기하는 자기를 허락할 것인가? 아니면 문제가 있지만, 그것 자체가 내가 아님을 알고 다시 일어나 즐거운 삶을 위해 힘차게 '파이팅'이라도 외쳐볼 것을 선택할 것인가? 어제까지의 나는 이제 잊겠다, 오늘부터 내 삶은 새로워질 수 있다고 믿으며 거울을 보고 씩 웃어줄 수 있는 자신을 허락할 것인가?

패치가 있던 정신 병원의 상황은 변화된 것이 없지만, 그 안에서 패치는 변화를 선택했다. 지금, 나는 나에게 무엇을 허락할 것인가?

영화 〈패치 아담스〉의 패치는 실존 인물로서, 그가 오랫동안 꿈꿔왔던 대로 미국 버지니아 주에서 '게준트하이트Gesundheit' 무료 병원을 운영하며 웃음을 통해 환자들을 치료하고 있다.

나를 감격시키는 일

초등학교 4학년 때, 아버지에게 심하게 매를 맞은 뒤로 나는 내 마음의 장단을 잃었다. 신학생이 된 건 내 가슴이 원하는 일이 아니라 아버지의 장단에 맞춘 내 어설픈 몸짓일 뿐이었다. 그러니 전혀 기쁘지도 즐겁지도 않은 신학교를 다니는 둥 마는 둥 하고 바깥으로만 나도는 건 그 당시 나에게 너무도 당연한 일이었다. 내가 내 삶에 감격하고 나와 함께 기뻐하시는 하나님을 만난 건 신학교가 아니라 그후로도 훨씬 더 많은 세월과 고통을 겪고 난 후 내 마음의 장단을 찾고서야 비로소 가능한 일이었다.

많은 사람들이 관계 속에서, 특히 부모나 배우자, 혹은 자녀나 애인처럼 가까운 사이일수록 구체적인 행동을 결정해야 할 때 어떻게 해야 할지 몰라 당황해한다. 자신의 입장을 고려하자니 너무 이기적인 것 같고, 상대방 위주로 결정하자니 그도 썩 마음에 내키지 않으니 말이다.

나와 상담했던 42세의 독신 여성은, 부모님이 자신의 이성 교제와 집 밖 활동에 아주 못마땅해 했는데, 그 이유는 부모의 부부관계에 심각한 문제가 생길 때마다 딸인 이 여성이 중재자 역할을 해왔기 때문이었다. 이 여성 자신도 자기가 집을 떠나 독립하면 부모님의 관계에 심각한 어려움이 올 거라 생각하고 있었고, 부모 역시 딸의 독립을 원하지 않고 오히려 두려워하고 있었다.

상담 중에 "당신 자신이 가장 기뻐할 수 있는 일이 무엇이냐?"고 묻자, 그녀는 당황해하더니 곧 주체할 수 없는 눈물을 흘렸다. 엉엉 울면서 하는 말이 "단 한 번도 그런 생각을 해본 적이 없고, 어느 누구한테도 그런 질문을 받아본 적이 없다"는 것이었다. 자기 자신을 위해서 살지 못하고, 단지 부모의 잘못된 결혼 관계의 중재자라는 희생자 역할만 감당하고 살아온 이 여성으로 하여금 어떤 죄책감이나 망설임 없이 자신의 삶을 위해 한 발자국을 떼어놓도록 하는 작업은 참 어렵고 힘든 상담 과정을 통해 이루어졌다. 기독교인인 이 여성이 받아들이기 어려웠던 것은, 다른 누가 아닌 자신이 가장 기뻐하고 감격할 수 있는 삶이 결국 자신과 부모님, 또 하나님께서도 기뻐하실 일이라는 신앙적 확신이었다.

이 세상 모든 사람이 다 잘했다고 박수를 치고 기뻐한다 해도 내 마음속, 내면 깊은 곳에서 '아니, 이건 틀렸어'라고 느낀다면 그것은 적어도 자신한테는 아무런 의미도 없는 일일 것이다. 거꾸로 세상 사람 모두가 잘못한 일이라며 고개를 설레설레 흔들어댄다 해도 마음 깊은 곳에서 엄지손가락 두 개를 앞으로 힘껏 치켜들면서 '야, 정말 잘했다. 참 멋졌어. 자랑스럽다'라고 자신에게 말할 수 있다면, 바로 그런 일이 자신을 감격시키는 일이며, 곧 하나님을 감격시킬 일일 것이다.

내 자신에게 동의를 구하는 일, 내가 나를 감격시킬 수 있는 일이 우선되어야 한다는 사실을 나는 이제 너무나 잘 안다. 하지만 신학대학교에 들어갈 그 당시만 해도 나는 아버지 장단으로부터 과감히 벗어나 내 마음의 장단을 찾을 용기도 없었고, 내가 진정으로 원하는 일, 내 가슴이 뛰는 일이 무엇인지도 모르고 있었다. 내가 감격하지 못한 채 이루어진 신학대학교 생활 속에서, 기뻐하시는 하나님을 만날 수 없었던 건 그러니 너무나 당연한 일일 수밖에 없었다.

내가 인생을 다시 산다면

나는 사랑을 선택했다. 내 삶에 사랑이 들어오도록 허락한 것이다. 물론 정확히 말하면 사랑이 나를 존재하게끔 허락한 것이겠지만, 나 역시 내 삶에 사랑이 흐르도록 허락했다고 말하고 싶다.

집단 상담을 하면서 나는 사람들에게 묻는다. "사랑이 있습니까?" 의외로 이 질문에 흔쾌히 혹은 당연한 목소리로 "그렇다"고, "사랑이 있다"고 대답하지 못하는 사람들이 아주 많다. 그렇지만 "사랑이 어디 있습니까?" 하고 되물으면 고개를 갸우뚱하는 사람들이 많다. 의외로 답은 간단하다. 사랑은 사랑이 있다고 믿는 사람에게만 있다. 하나님이 있다고 믿는 사람에겐 하나님이 있고, 없다고 믿는 사람에겐 하나님이 없는 것과 같은 이치이다. 물론 사랑도, 하나님도 그런 것과 무관하게 존재하지만 말이다.

믿음의 세계는 무엇을 선택할 것인가 하는 결단을 요구한다. 자신의 인생 스토리를 만들어가면서 어떤 결말을 만들고 싶은가? 누구나 희망의 결말, 행복의 결말을 원할 것이다. 막연히 원하는 것이 아니라 그렇게 될 것을 완전히 믿는 사람에겐 그 믿음이 이루어진다. 그것이 이 우주의 법칙이다. 우주는 주문한 대로 배달하기 때문이다.

85세에 하늘나라로 돌아간 미국 켄터키주의 한 노인이 쓴 시 〈내가 인생을 다시 산다면〉을 소개하고 싶다. '내가 다시 인생을 산다면' 하고 아쉬움을 담아 말하지 않을 수 있도록, 가슴 뛰는 그 일을, 살고 싶었던 그 삶을, 나를 감격시킬 수 있는 그 일을 지금 찾으라는 말과 함께……

내가 인생을 다시 산다면
다음번에는 더 많은 실수를 저지르고
긴장을 풀고 몸을 부드럽게 하리라.

내가 만약 인생을 다시 살 수만 있다면
지난번 살았던 인생보다 좀더 우둔해지며
가능한 심각해지지 않고
더욱 즐거운 기회를 잡으리라.

여행도 더 자주 다니고
혼자서 석양을 더 오래도록 바라보리라.

산에도 더 자주 가고
강에서 수영도 해야지.
아이스크림도 많이 먹고
먹고 싶은 것은 참지 않고 먹으리라.

그리고 이루어지지도 않는 과거와 미래의
상상 속 고통은 가능한 한 피하리라.

내가 인생을 다시 산다면
나는 한 순간 한 순간, 하루하루를 깨어 있으리라.

아! 나는 지금까지 많은 순간들을 맞이했지만
그러나 내가 인생을 다시 살 수만 있다면
의미 있고 중요하며 깨어 있는 순간들 외엔
의미 없는 순간은 갖지 않으리라.

그리고 아주 간단한 복장을 하고 자주 여행길에 오르리라.
춤추는 장소에 자주 가고
회전목마도 자주 타리라.

이것이 진리의 길이다. 가슴이 살아있고, 사랑의 심장이 뛰는 삶 말이다. 우리의 삶에 문제가 있었던 것은 가슴으로 살지 못했기 때문이다. 사랑으로 살지 못했기 때문이다. 끝까지 사랑을 선택할 때에만 인생은 승리할 수 있다. 우리는 이 세상에 사랑을 경험하러 왔기 때문이다.

내 가슴에서 들리는 소리

 여러 가지 문제로 상담을 청해오는 사람들에게 "문제가 뭡니까?" "돈이 문젭니까?" "남편이 문젭니까?" "자녀만 달라지면 모든 문제가 해결됩니까?"라고 물으면 결국엔 자신의 문제가 무엇인지조차 모르고 있었다는 사실을 깨닫고 놀라곤 한다. 진짜 문제는 문제가 무엇인지를 모르고 있다는 데 있다.

문제가 뭔지 안다면 그것은 더 이상 문제가 아니다. 그런데 대부분 문제들의 근본 원인은 "머리와 가슴 사이의 차이에 있다"고 말할 수 있다. 안타깝게도 머리로는 이미 다 이해할 수 있었던 것들이 가슴까지 전달되는 데 실로 장구한 세월이 지난 다음에야 가능한 경우가 많기 때문이다.

무슨 말을 어떻게 하느냐가 중요한 것이 아니다. 무슨 일을 어떻게 얼마나 많이 했느냐가 중요한 것도 아니다. 중요한 것은 "나의 가슴이 그것을 어떻게 느끼느냐"이다. 오늘날 모든 인간 관계의 공통적이고 근본적인 문제의 원인은 바로 마음을 전달할 수 없다는 데에 있다.

상담하러 온 사람들에게서 가장 많이 듣는 이야기는 의사소통으로부터 비롯된 문제들이다. "그 사람은 내 마음을 너무 몰라줘요.""내 가슴속을 확 열어 보여줄 수만 있다면 좋겠어요. 정말 답답해 죽겠어요.""단 한 번만이라도 그 사람이 내 마음을 알아주고 나눈다는 느낌을 가질 수만 있다면 얼마나 좋을까요?""저는 전혀 그런 의도가 아니었다니까요!" 이렇게 의사소통이 안 되고 마음과 마음이 닿지 못하니까 서로 간에 벽이 생기게 되는 것이다. 결국 고통이 커질 수밖에 없다.

듣는 사람의 마음에 와 닿지 못한다면 무슨 말을 해도 소용이 없을 것이다. 아무리 큰 소리를 지른다 한들 공허한 메아리가 되고 말 것이다. 왜 어떤 말은 듣기에 매우 그럴듯한데, 나쁜 의도라곤 전혀 없어 보이는데 사람의 마음을 상하게 하고 깊은 상처를 남기는 것일까? 심지어는 삶을 망치게 하는 씨앗이 되기도 할까? 그런가 하면 어떤 말은 어눌하기 짝이 없고 듣기에도 대단한 말이 아닌 것 같은데 아픈 상처를 치유하는 힘이 느껴지는 걸까? 과연 그 차이는 어디에 있을까?

그 차이는 우리가 얼마만큼이나 진심으로 마음을 나누고 있느냐에 있다. 상대방의 마음의 소리를 들을 수 있어야만 그 사람을 움직일 수 있다. 마음과 마음으로 통하지 않고는 서로가 진실로 맞닿을 수 없다. 그러므로 온 정신과 마음을 모아서 사랑하는 사람의 마음의 소리를 들을 수 있도록 훈련할 필요가 있다.

그러나 그보다 더 중요한 것은 내 가슴의 소리를 듣는 일이다. 다른 사람을 기쁘게 하기 위해서는 물불 안 가리고 온 정열을 다 바쳐 바삐 뛰어다니지만 정작 자기 가슴의 소리를 놓치고 사는 데 문제의 원인이 있기 때문이다. 일이 잘되고 못되고는 내가 얼마만큼 내 가슴의 소리를 듣고 따르느냐에 달려 있다. 남들이 알아주는 엄청난 일을 해냈다 하더라도 나의 가슴 깊은 곳에서 하찮게 느끼고 있다면 세상에 그보다 허망한 일도 없을 것이다. 그러나 누구 한 사람 알아주지 않는다 하더라도 내 가슴이 깊이 기뻐하고 감격해한다면 그보다 잘된 일이 어디 있겠는가? 가슴이 진정으로 바라는 일을 하고 있다면 그 일이 남들이 보기에 하찮은 일이라 할지라도 사실은 가장 위대한 일을 하고 있는 것이다. 그러므로 가슴이 기뻐하지 않는다면 그것은 결코 자신에게 좋은 일이 아니다. 그러나 가슴이 벅차오르고 기뻐한다면 바로 그것이 우리가 해야 할 일이다.

지금 우리가 할 일은 가슴의 소리를 듣는 일이다. 바삐 서두르던 일을 잠시 멈추고 서서 두 손을 가슴 위에 얹어보라. 가슴의 고동소리를 들어보라. 그리고 자신에게 이렇게 물어보라. "내가 가장 원하는 일이 무엇인지 나에게 말해줄 수 있겠니? 그러면 내가 원하는 그 일을 위해 내가 최선을 다할게."

나의 선언문

긍정적이고 확신에 찬 말은 우리의 존재를 강하게 해줄 뿐 아니라 내면의
상처도 치유되도록 해줍니다. 긍정적인 메시지를 반복하는 것은 정서적
인 영양제와도 같습니다. 아이에게 긍정적인 메시지를 반복적으로 들려
주세요. 당신이 내면아이를 성장시키고자 한다면, 내면아이는 매일 그 선
언문을 들을 필요가 있습니다. 그린 짐에서 발날 단계에 따른 각각의 내
면아이에게 필요한 선언문을 사용하는 것이 중요합니다. 특별히 당신에
게 가장 강력한 선언문이 무엇인지 찾아 '나의 선언문'을 만들어보세요.

갓난아이 시기의 예

세상에 온 것을 환영한다.…… 네가 딸/아들이라 기쁘구나.……
너의 욕구들이 충족되는 데 필요한 시간을 모두 가질 수 있단다.

유아기의 예

'아니'라고 말해도 괜찮아.…… 화를 내도 괜찮아.…… 네가 화를
내도 난 널 떠나지 않고 여전히 여기에 있을 거야.…… 호기심을 갖
거나, 사물을 보고 만져도 좋고 맛봐도 괜찮아.…… 네가 안전하게
탐험할 수 있는 장소를 만들어줄게.

유치원 시기의 예

성적인 호기심을 가져도 괜찮아.…… 혼자 생각하는 것도 괜찮아.
…… 다른 사람들이랑 달라도 괜찮아.…… 네가 원하는 걸 요구할
수도 있어.…… 그리고 궁금한게 있다면 언제든지 질문해도 돼.

학령기의 예

실수해도 괜찮아.…… 너는 어떤 일이든 할 수 있고, 특별하지 않아
도 돼. 항상 완벽하거나 똑바로 할 필요는 없어. 왜냐하면…… 나는
있는 그대로의 너를 사랑하니까.

당신도 이런 식으로 당신만의 선언문을 만들 수 있습니다. 선언문을
작성한 후 거울을 보며 내가 나에게 이 선언문을 들려줄 수 있습니다.

당신의 선언문을 작성한 후 크게 낭독해 보세요.

나의 선언문

내면아이의 욕구 충족시키기

당신 안의 갓난아기의 욕구 충족을 위한 훈련들

갓난아기 시절에는 단지 나 자신이 될 수 있도록 충분히 보호받을 필요가 있습니다. 아무것도 하지 않고도 나 자신이 되는 법을 배워봅시다. 다음의 훈련들은 당신에게 주어진 어느 순간에, 그냥 있는 그대로의 당신 자신의 모습이 되도록 도와줄 것입니다. 가장 마음에 드는 목록을 골라서 실행해 보세요.

- 따뜻한 목욕탕 안에 들어가 자신의 신체 감각에 관심을 가지면서 시간을 보내기. 그냥 그 안에서 시간 보내기.
- 정기적으로 마사지를 받아보기.
- 손톱 손질을 받아보고, 머리 모양도 바꿔보기.
- 친구에게 당신을 대접할 기회를 주기. 예를 들면 당신을 위해 음식을 해준다거나 저녁 식사를 사게 한다.
- 사랑하는 사람과 함께 신체적인 접촉을 하면서 시간을 보내기.
- 사랑하는 사람에게 아주 부드럽게 목욕을 시켜달라고 하기.
- 거품 목욕을 하거나 따뜻한 물과 목욕용 오일을 탄 목욕탕에서 한가롭게 시간을 보내보기.
- 아무 계획이나 약속도 만들지 않고 아무것도 하지 않으면서 그냥 시간 보내기.
- 무더운 여름 날 30분에서 한 시간 정도를 수영장에서 한가로이 수영하

며 보내기.

- 나무 그늘에 누워서 오랜 시간을 보내기.
- 아주 부드럽고 조용한 음악을 듣기.
- 일을 할 때 가끔 한 모금씩 마실 수 있는 음료를 준비해 놓기.
- 새로운 일을 시작하거나 처음으로 무엇인가를 시도할 때 민트향 사탕 이나 달콤한 것을 먹기.
- 식습관을 바꿔보기. 정확하게 하루 세 끼를 먹는 대신 영양분이 많은 음식을 조금씩 자주 먹기.
- 당신을 얼마간의 시간 동안 안아주거나 지지해 줄 수 있는 특별한 후 원자들을 찾기. 이성이든 동성이든 괜찮다.
- 휴일을 골라 하루 동안 충분한 낮잠을 즐기기.
- 새로운 일을 시작하기 전에 충분한 휴식을 취하기.
- '믿음의 걷기trust walks'를 친구와 연습하기. 눈을 가리고 친구의 안내 에 따라 여기저기 다녀본다.
- 담요나 두꺼운 이불로 온몸을 감싸고 그냥 조용히 앉아 있어보기. 겨울 에는 따뜻한 불 앞에서 군고구마를 먹으면서 몸을 감싼 채 앉아 있기.
- 느낌이 좋은 친구를 믿어보는 모험을 해보기. 그 친구에게 당신과 같 이 할 수 있는 계획을 짜보도록 요청한다.
- 파트너를 구해서 약 9분 동안 서로를 뚫어지게 쳐다보기. 큰 소리로 웃어도 되고, 낄낄거리고 웃어도 되고, 당신에게 필요한 건 무엇이든 해볼 수 있다. 단 반드시 자리를 지키면서 말은 하지 않고 그저 서로를 바라만 본다.
- 무無에 대해서 명상하기. 무에 대한 명상은 자신의 존재에 대해서 명상

하는 것이다. 갓난아기 시기는 존재의 힘에 기초를 둔 시기이다. 순수한 존재나 무에 대해서 명상하는 많은 접근들이 있다. 그런 명상들은 흔히 '침묵'이라고 불리는 무심함의 단계를 목표로 한다. 가장 심오한 방식으로 성인과 내면아이를 연결시킴으로써 무심함을 배워본다.

당신 안의 유아기의 욕구 충족을 위한 훈련들

유아기는 '기어가기와 감각적인 탐구'의 단계입니다. 여기에 당신의 유아기의 탐구적인 욕구들을 다시 자극할 수 있는 몇 가지 방법을 소개해 봅니다.

- 벼룩시장이나 대형 백화점에 가서 당신의 관심을 끄는 모든 물건들을 만져보고 관찰해 보기.
- 카페테리아나 뷔페 음식점에 가서 여러 가지 다양한 음식들을 고르기. 한번도 먹어보지 않은 음식들을 맛본다.
- 식료품점에 가서 보통 때는 잘 요리해 먹지 않는 식품들을 사기. 그리고 그 식품들을 집에 가져와 직접 요리해서 먹어보기. 요리하면서 얼마든지 어질러보기.
- 바삭바삭한 음식을 씹어 먹으면서 시간을 보내보기.
- 당신이 자주 가는 식료품점에 가서 다양한 종류의 과일들이나 야채들의 냄새 맡아보기.
- 당신이 한번도 가보지 않은 장소에 가기. 가능한 한 새로운 환경들을 세심하게 관찰해 보라.

- 운동장에 나가서 아이들이랑 어울리기. 그네나 미끄럼틀을 타보고, 정글짐에도 올라가 보라.
- 해변에 가서 모래와 물속에서 놀면서 시간을 보내기. 모래로 뭔가를 만들어보라.
- 찰흙을 가지고 놀아보기. 다양한 모양이나 형태들을 만드는 실험을 해보라.
- 그림물감을 구해서 손가락으로 그림을 그리며 오후를 보내기. 가능한 한 다양한 색들을 사용한다.
- 새롭고 재미있는 공간에 가서 그 환경 속에 자신을 그냥 놔두어보기. 그곳에서 당신의 관심을 끄는 것은 무엇이든 시도해 보라.
- 당신이 가진 옷 중에서 가장 밝은 색깔의 옷으로 잘 차려입고 어디든 가보기.
- 집 안에 있는 물건들을 가지고 하나씩 소리를 내면서 그것들이 어떤 소리를 만들어내는지 들어보기. 병이나 냄비, 그릇 등으로 시도해 본다.
- 놀이동산에 가서 여기저기 돌아다니거나 놀이 기구를 타면서 시간을 보내기.
- 아름다운 공원이나 정원을 걸어 다니면서 최대한 많은 냄새를 맡아보기. 한 가지 냄새만이 아니라 여러 가지 냄새들을 바꿔가며 맡아본다.
- 미술관에 가서 다양한 그림들의 화려한 색채들을 감상하기.
- 친구나 연인과 함께 오랫동안 산책하기. 손을 잡고 걸으면서 당신들의 감각에 따라 어느 방향이든 가보라.
- 친구와 공원에 가서 먼저 친구의 눈을 감게 하고 손을 잡고는 잎사귀들과 나무줄기 그리고 야생화가 있는 곳으로 데리고 간다. 당신이 친구의

손을 꼭 쥐는 순간에 친구에게 마치 카메라의 셔터처럼 눈을 떠보게 한다. 이번에는 바꾸어서 친구가 당신의 손을 꼭 쥘 때 당신의 눈을 떠본다. 그리고 당신 앞에 펼쳐진 장면들의 순수한 실체를 바라본다.

- 들판이나 집 주위를 맨발로 걸어 다니기. 잔디, 먼지, 부드러운 털, 판지, 신문, 융단, 베개, 수건, 나무, 금속, 타일 등 다른 재질의 물건들을 느껴보라.

- 말하지 않고 몸짓이나 스킨십으로 파트너와 대화해 보기.

- 감정어들을 적어보고 그 단어들을 하나씩 큰 소리로 말할 때 마음에 무엇이 느껴지는지 보기. 예를 들어 '울퉁불퉁한' '따끔따끔하게 아픈' '설레는' '가벼운' '미끄러운' '딱딱한' '부드러운' '가는' '뚱뚱한' '어두운' '밝은' 등등.

- 물건들을 응시하면서 눈으로 확인하기. 예를 들어 당신 자신을 사진기라고 생각하고 사진을 찍는 것처럼 버스 정류장을 지나가면서 거기 있는 사람들을 바라본다. 그러고 나서 앉아서 당신이 본 장면을 자세히 묘사하며 적어보라.

- 꽃이나 나무 또는 사과 앞에 앉아서 명상 상태로 들어가기. 그 사물과 하나가 되어본다. 경이로움으로 그 사물을 바라본다. 눈이 보는 대로 당신의 손이 따라가면서 보고 있는 것을 그려보라.

- 친구와 함께 횡설수설하는 대화를 해보기. 상대가 무슨 말을 하는지 알아내 보라.

- 친구와 함께 '소리 알아맞히기' 게임을 해보기. 한 사람이 눈을 가린 채 돌아앉아 있으면, 나머지 사람은 물을 따르거나, 드럼을 치거나, 연필을 두드리는 등의 소리를 낸다. 바꾸어서도 해보라.

- 여러 사람들이 함께 노래를 불러보기. 이때 노래는 이어 부르기 식으로 가사를 자유롭게 만들어낸다. 예를 들면 "나는 나무 위에 달린 사과였으면 좋겠네"라고 한 사람이 시작하면, 다른 사람이 새로운 절을 이어나가는 식으로 노래를 한다. 그리고 아이들의 노래나 민요도 함께 들어본다.

  (위 내용은 존 브래드쇼 지음, 오제은 옮김, 《상처받은 내면아이 치유》에서 발췌, 인용한 것임.)

이 외에도 나의 내면아이가 가장 기뻐할 일을 곰곰이 생각해 보고 작성한 후에 그것을 실천해 봅니다. 내면아이가 가장 기뻐할 일들을 적어봅니다.

_____

_____

_____

_____

_____

_____

_____

_____

_____

_____

울타리 선언문

울타리boundary는 우리 삶의 모든 영역에서 경계선을 정해줍니다. 울타리는 어떤 것이 나의 것이고 어떤 것이 남의 것인지를 경계지어 줍니다. 울타리는 나를 지켜주는 내면의 힘입니다. 울타리를 만드는 이유는 이제 만난 내면아이를 잘 치유하고 성장시키는 것은 물론, 다른 사람들과의 관계에서도 상처를 주거나 받지 않기 위해서입니다.

- 신체적인 울타리physical boundary는 어떤 환경에서 누가 우리와 신체적으로 접촉할지를 결정하도록 도와줍니다.
- 정신적인 울타리mental boundary는 우리 자신의 생각과 의견을 가질 수 있는 자유를 줍니다.
- 정서적 울타리emotional boundary는 우리 자신의 감정을 다루고, 다른 사람들의 해롭고 통제적인 감정들에서 벗어나도록 도와줍니다.
- 영적 울타리spiritual boundary는 우리 자신의 뜻과 신의 뜻을 분별하도록 돕고 신에 대한 새로운 경외심을 줍니다.

당신은 각 영역에서 어떤 울타리를 가지고 있습니까? 흐릿하고 불분명한 울타리를 가지고 있습니까? 아니면 지나치게 경직되고 경계하는 울타리를 가지고 있습니까?

울타리에는 다음과 같은 세 종류가 있습니다. 이 중 당신의 울타리는 어떤 모양인가요? 우리에게 필요한 것은 말할 것도 없이 건강한 울타리입니다.

건강한 울타리		내부에 손잡이를 가진 문과 같음	신뢰(희망) 자율성(의지력) 독창력(의도) 근면(능력)
허약한 울타리		외부에 손잡이가 있는 문과 같음	불신 수치 죄의식 열등감
해체된 울타리		문이라고는 없는 집과 같음	혼란 무기력 무력감

　마음의 원리를 설명하기 위한 수많은 해석들이 있지만 그 원리를 이해하기가 결코 쉽지 않습니다. 그런데 울타리 그림을 통하면 마음의 원리를 쉽게 설명할 수 있습니다.

　마음에는 문이 있고, 이 마음의 문에는 문고리가 달려 있습니다. 그런데 마음의 문에는 문고리가 밖에 달려 있지 않고 안에 달려 있습니다. 그래서 밖에서는 이 문을 열 수가 없습니다. 아무리 밖에서 문을 쾅쾅 두드리고 큰소리를 치며 협박을 해도 안에서 열어주지 않는 한 도저히 열 수가 없습니다. 내가 허락하지 않는 한 누구도 나에게 상처를 줄 수 없는 이치와도 같습니다.

　그러므로 다른 사람이 내 마음의 문을 열어주기를 기다리지 말아야 합니다. 내가 마음의 문을 열지 않는 한 누구도 열 수 없기 때문입니다. 마음의 문은 오직 나만 열 수 있습니다. 아무리 처절한 상처를 받았다 하더라도 우리 각자의 내면 깊숙한 곳에 있는 참된 나, 즉 '하나님의 형상'에는 터럭만큼의 손상도 가하지 못합니다. 이것이 예수가 우리의 마음의 문을 노크하시는 진짜 이유입니다. 그래서 기도를 할 때는 "내가 마음의 문을 엽니다. 들어오세요"라고 초청하는 기도를 드려야 하는 것입니다.

울타리 선언문

울타리는 나를 지켜주는 힘입니다. 내 안에 허용과 거절을 선택할 수 있도록 분명한 계기판이 있어야 합니다. 내 마음 깊은 곳에서 '예스' 할 때만 '예스' 하고, '노우'라고 하면 그 문제에 대해서는 '노우'라고 할 수 있어야 합니다. 여기까지는 허용했지만 그 이상은 내가 원하는 게 아니라고 분명하게 거절할 수 있어야 합니다.

　분명한 사실은 내가 허락하지 않는 한 그 어떤 것도 나에게 상처를 입힐 수 없다는 점입니다. 내가 허락하지 않는 한 남들이 나에게 상처를 줄 수 없습니다. 이제 자신만의 선언문을 만드는 것이 중요합니다. 특별히 당신에게 가장 강력한 선언문이 무엇인지 찾아 나만의 선언문을 만들어 보세요.

　울타리 선언문을 낭독할 때는 좋은 이미지나 메시지에 대해서는 오른손을 가슴에 대고 예스라고 말하면서 수용합니다. 나쁜 이미지나 메시지에 대해서는 왼손을 앞으로 내밀고 노우라고 말하고 거부합니다.

울타리 선언문 만드는 법

1. 내가 '예스' 라고 해야 할 것을 '예스' 라고 하지 못하고 '노우' 라고 한 것을 생각하고 적어봅니다. (예: 사실은 내가 원했지만 그냥 괜찮다고 했던 것은 ~입니다.)

2. '노우' 라고 해야 할 것을 '노우' 라고 하지 못하고 '예스' 라고 한 것을 생각하고 적어봅니다. (예: 사실은 나는 싫지만 그냥 좋다고 했던 것은 ~입니다.)

3. 앞으로 나는 ~에 대해 '예스' 할 것이고 ~에 대해 '노우' 하겠다는 울타리 선언문을 작성합니다. (예스 문장의 예: "내가 원하는 것은 ~입니다." 노우 문장의 예: "나는 ~이 싫습니다.")

울타리 선언문의 예

"사실 나는 음식을 더 먹고 싶었지만 다른 사람들 앞이라 그냥 괜찮다고 했습니다. 내가 정말 원하는 것은 음식을 다른 사람 눈치를 보지 않고 내가 먹고 싶은 만큼 맘껏 먹는 것입니다. 사실 나는 설거지하기가 죽기보다 싫었지만 체면상 좋다고 말했고 그냥 설거지를 했습니다. 나는 설거지가 정말 싫습니다."

나의 울타리 선언문

내가 웃어야
세상도 웃는다

세상에 웃지 못할 일이란 없습니다

이 세상에 웃지 못할 일이란 없습니다.
하나님을 아는 자는 진심으로 웃을 줄 아는 사람입니다.
상처가 치유되면 웃음이 저절로 나옵니다.
영혼이 무거운 사람일수록 심각하며
웃을수록 가슴이 가벼워집니다.
아무리 괴로운 일이 있더라도
가슴의 창을 열고 삶을 새롭게 바라보면
나도 모르게 빙그레 입가에 웃음이 생깁니다.
웃음은 고통스런 세상을 고치는 특효약입니다.
웃는 사람들이 더 오래 살고 더 멋진 삶을 삽니다.
사는 동안 즐기십시오.
하나님은 우리가 행복해지는 것 외엔 아무것도 바라지 않습니다.
우리에게 필요한 것은 진정한 웃음입니다.
삶 속에서 유머를 발견하십시오.
자기 자신과 남에 대해서 맘껏 웃으십시오.
엄숙함과 무거움을 벗어버리고 마음을 밝게 하십시오.

고통을 나눌 단 한 사람

보스턴의 메모리얼 병원은 하버드 대학 교수인 마크라는 유명한 의사가 일하는 곳으로 하버드 대학의 많은 학생들이 이곳에서 임상 경험을 쌓았다. 나 역시 그곳에서 전문 치료 과정을 밟을 기회를 가졌다. 이 병원은 특히 베트남전에 참전했던 군인들이 환자로 많이 찾아오는 곳이었는데, 그들은 대부분 PTSD 증세로 고생하고 있었다.

PTSD는 심리적으로나 신체적으로 극도의 충격적인 사건을 겪은 뒤 나타나는 정신 신체적 후유 증세를 가리키는 의학 용어이다. 물론 누구나 큰 사건을 겪고 나면 6개월 정도는 순간순간 노이로제 같은 증세를 일으킬 수 있지만, PTSD 환자들은 그 이상의 기간이 지난 후에도 극심한 불면증과 대인공포증, 불안 증세로 시달린다. 시체가 나뒹구는 전쟁터에서 돌아온 사람들이나 신체적 학대나 성폭행 피해자들 또한 이런 증세를 보이기 쉬운데, 마크 교수는 이 방면의 전문 치료가로 알려져 있었다.

대학 신문에 난 인턴십 광고를 보고 지원한 내가 처음 만나게 된 환자는 60대의 스미스였다. 그 역시 참전 군인으로 전형적인 PTSD 환자였다. 지도 교수인 마크는 그 환자를 나에게 맡기기를 많이 망설였다. 스미스가 의료진은 물론이고 자기 가족조차 다루기 힘든 환자로 알려져 있기 때문이었다. 알코올 중독에다 성질도 괴팍하고 폭력적이기까지 해서 다들 반쯤 포기한 상태였다. 그는 수차례 입원과 퇴

원을 반복하면서 상태가 더 악화되고 있었다.

교수에게 건네받은, 스미스에 관한 파일 첫 장에는 자신감과 환희에 가득 찬 잘생긴 젊은 장교의 사진이 붙어 있었다. 그러나 그 밑에는 "전쟁 중 부상으로 두 다리를 절단했으며, 후방으로 돌아온 뒤 심한 PTSD 증상에 시달리고 있음. 현재 정상적인 생활이 이뤄지지 않고 있으며, 심한 알코올 중독이고, 자실 기도를 수차례 시도했음"이라고 적혀 있었다.

PTSD 환자들이 가장 쉽게 빠져드는 알코올 중독에 그 역시 깊이 빠져 있었고 자살도 네 차례나 기도했다. 병원 창문을 깨고 밖으로 뛰어내리려 한 적도 있어서 담당 의사와 간호사가 한시도 긴장을 풀 수 없다고 했다.

나는 스미스와의 첫 대면을 위해 상담실에 앉아 그를 기다렸다. 약속 시간이 되자 상담실 문이 열리더니 간호사가 휠체어에 한 늙은 남자를 태우고 들어왔다. 스미스였다. 양 다리 모두 절단되어 바짓가랑이는 텅 비어 있었고, 술에 찌든 얼굴은 우울해 보였다. 사진 속의 잘생긴 젊은 장교는 온데간데없었다.

그러나 실망을 더 크게 한 건 스미스 쪽이었다. 그는 나를 보자마자 재수 없다는 듯 침을 뱉고는 뭐라고 중얼거렸다. 제대로 알아듣지는 못했지만, 동양인에 대한 지독한 욕이라는 것은 알 수 있었다. 그는 미국 육군사관학교 웨스트포인트 출신으로 한때 잘 나가는 육군 장교였으나, 이제는 아내와 자식조차 찾아오기를 포기한 술주정뱅이에 두 다리가 절단된 장애자, PTSD 말기 환자였고, 매달 정부가 주는 연금에 의지해 겨우겨우 살아가고 있었다. 그런데 그 연금을 받기 위해서는 상담 치료를 꼬박꼬박 받아야만 하는 규정이 있었다.

그의 태도는 '내가 여기 오고 싶어 온 줄 아느냐. 어쩌다 내가 이런 신세가 되었나. 그것도 하필 저런 동양 놈한테 상담 치료를 받지 않으면 연금조차 못 받는 신세가!' 하는 투였다. 어떤 이야기를 해도 스미스는 귀 기울이지 않았고, 자신의 이야기를 풀어놓지도 않았다. 그후 몇 차례 상담이 거듭되었지만 우리의 대화는 단 한 걸음도 더 나아가지 못했다. 나는 무력감에 빠졌다. 내가 아는 모든 상담학 기술과 지식을 동원해 열심히 하면 잘되리라 생각했는데, 전혀 아니었다.

다시 돌아온 스미스와의 상담 날, 오늘은 스미스에게 무슨 이야기를 해야 할까 의기소침해 앉아 있다가, 두 손을 가슴에 대고 기도를 드렸다. '스미스의 고통을 나의 가슴으로 느끼고 이해할 수 있게 해주세요.' 오직 그 한 가지만 기도했다.

기도 도중 큰형이 생각났다. 베트남전에 참전했고, 나중에 다리 하나를 잃어버리고 술에 빠져 살아온 큰형. 나는 어느새 형을 기다리는 기분이 되어 있었다. 그때 스미스가 들어왔다. 스미스는 여느 때와 마찬가지로 신경질적이고 무심한 표정이었다. 나는 그가 듣거나 말거나 큰형 이야기를 시작했다. 얼마나 아름답고 빛나는 사람이었는지, 왜 집안의 반대를 무릅쓰고 베트남전에 참전하게 되었는지, 어떤 표정으로 한국을 떠났는지, 그리고 의족을 달고 집으로 돌아온 날 집안 풍경이 어땠는지, 형이 그로 인해 어떤 고통 속에서 살고 있는지…… 담담히 털어놓았다.

내 이야기가 끝났을 때에는 이미 상담 시간도 끝나 있었다. 나는 그에게 아무런 요구도 하지 않았다. 나의 상처, 그리고 내가 사랑하는 형의 상처에 대한 이야기가 전부였다. 그런데 스미스는 지금까지와는 사뭇 다른 모습으로 나를 대하고 있었다. 표정도 다채로웠지만 "아!" "저런!" "쯧쯧" 같은 감탄사를 내뱉었다. 나는 그와 인사를 나눈 뒤 먼저 상담실을 나왔다. 가슴이 텅 빈 것도 같고, 시원한 것도 같고, 묘한 기분이었다.

그런데 다음 상담 시간부터 스미스의 태도에 변화가 생겼다. 조금씩 자기 이야기를 하기 시작한 것이다. 속을 털어놓는 정도는 아니었지만, 내게 말을 하기 시작했다는 사실만으로도 큰 변화였다.

그러던 어느 날 무척 우울한 얼굴로 스미스가 먼저 이야기를 꺼냈다. "너무 외로워. 아무도 나를 이해하지 못해. 나는 가족을 굉장히 사랑하는데, 자식 놈들은 나를 부끄럽게 여기고, 아내도 나를 버렸어. 내겐 아무도 없어."

나 역시 이 넓은 세상천지에, 끝도 모를 넓이의 공간 속에 혼자 버려진 듯한 느낌을 가졌던 때가 있었다. 아무도 붙잡아주는 사람 없는, 그래서 영원히 버려진 채로 나 홀로 있을 것만 같던 그때가 생각나 나는 스미스의 손을 꽉 움켜쥐었다. "스미스, 당신이 겪고 있는 고통과 외로움을 알 것 같아……"

내 말이 채 끝나기도 전에 그는 내 멱살을 잡고는 소리치기 시작했다. "네가 내 마음을 어떻게 알아? 모두 다 나를 버렸어! 그런 내 심정을 너 따위가 어떻게 안다는 거야? 내 마음을 안다고? 그럼 대답해

봐! 너 같으면 살고 싶겠니? 난 죽고 싶어! 내가 왜 살아야 하지? 내가 살 이유를 대봐! 난 도대체 뭐냐고?"

마음이 찢어질 듯 아팠다. 사람들은 감당하기 힘든 고통에 직면하면 다른 사람을 비난하거나 자기 자신을 학대하다가 결국 치미는 분노를 어떻게도 해소하지 못하고 스미스처럼 자살을 시도하거나 알코올 중독에 빠지게 된다. 나는 뿌리치는 그의 손을 붙잡으려 애쓰며 이야기를 계속했다.

"나도 그랬어요. 나도 당신처럼 죽어버리려고 한 적이 있었어요. 그래서 당신을 조금이나마 이해할 수 있어요. 나도 버림받았었어요. 하나님도 가족도 모두 다 나를 떠나고, 외로워서 견딜 수가 없었어요. 아무도 나를 이해하지 못한다고 생각했어요. 매일 밤 자살을 꿈꿨어요. 호수에 빠져 죽으려고 자동차 액셀러레이터를 밟았다 멈추고 밟았다 멈추고……"

그날 상담실에서 스미스와 나는 엉엉 울며 서로 이야기를 쏟아놓았다.

다음 날부터 우리의 관계는 완전히 달라졌다. 우리의 만남은 서로에게 가장 즐거운 일과가 되어 있었다. 스미스는 아무 내색도 하지 않고 있는데, 담당 간호사가 놀란 표정으로 내게 와서는, 스미스 씨가 이 시간을 꽤나 기다리는 눈치라며, "그 고집불통 영감이 당신을 좋아하나 봐요" 하며 연신 감탄했다. 스미스는 내가 병원에 가는 날이면 어김없이 창가에 붙어서 내가 오는지 내다보기도 하고, 내가 병원에 도착했는지 확인 전화를 하기도 했다.

상담 시간에 우리는 감추어져 있는 서로의 상처를 위로하고 공감하며 손을 맞잡고 기도를 해주기도 했다. 스미스에게 성경에 관해 말한 적이 없는데도, 그는 나에게 "이번 주에 성경 두 장을 읽었다"며 종종 자랑하기도 했다. 아마도 스미스는 나를 감동시키고 싶어 부단히 노력하는 것 같았다.

나는 그의 병상 옆에 놓인, 보무도 당당한 청년, 막 임관했는지 멋진 장교복을 입고 서 있는 사나이가 누구인지 궁금했다. 그의 아들인가 싶었는데, 놀랍게도 스미스 자신이라고 했다. 스무 살의 멋진 청년, 세상을 다 호령할 듯 호랑이 같은 눈썹을 지닌 이 청년은 자신이 이런 모습으로 늙어가리라 상상이나 했을까.

시간이 흘러 인턴십 과정이 끝났다. 스미스와의 상담도 함께 끝났다. 길고 막막하게만 느껴지던 병원 생활이 스미스 덕에 내 인생의 어느 때보다 행복한 때가 되었다. 스미스에게도 그것은 마찬가지였는지 내 손을 잡고는 이렇게 말했다.

"너와 함께 있었으면 좋겠다. 날 이해해 주는 네가 있어서 그동안 사는 것 같고 행복했는데…… 너 없이 어떻게 살아갈지 너무 막막하다. 혹시 너 한국으로 돌아갈 때 나도 데려가면 안 되겠니?"

인턴 상담사와 내담자는 상담 기간이 종료되면 서로에 대한 평가서를 작성하도록 되어 있다. 스미스와 아쉽게 이별을 하고 나는 상담실에 앉아서 그에 대한 평가서를 작성했다. 막 사인을 끝낸 참인데 스미스가 작성한 나에 대한 평가서를 간호사가 가져다주었다. 거기에 스미스는 이렇게 적어놓았다.

"제이는 이 세상에서 나에 관해 가장 많이 알고 있는 유일한 사람이다. 내가 제이를 만난 건 나 자신이 아주 쓸모없고 가치 없는 인간이며 더 이상 살 필요가 없는 인간이라고 느끼고 있을 때였다. 하지만 제이는 나에 대해 어떤 선입견이나 동정이나 의학적 진단에 의해 판단하지 않고, 오직 한 사람의 인간에 대한 예의로서 나를 사랑하고 존경하는 태도로 대해주었다. 그는 지금까지 내가 만난 어떤 의사나 심리학자보나 우수하며 훌륭한 치유자요 상담가라고 확신한다.

추신: 제이가 돌아가는 한국에 미군 참전용사 병원이 있다면 나를 그곳으로 이송해 주기를 간곡히 부탁한다."

기침도 노크도 필요 없다

어느 집단 상담 프로그램에 참가하던 때였다. 그룹의 인도자가 우리에게 한 가지 질문을 던졌다. "이 세상에서 가장 만나고 싶은 사람이 누구입니까? 당신이 가장 괴로울 때, 당신이 어떤 모습을 하고 있어도, 어떤 행동을 하더라도 다 이해해 줄 수 있는 단 한 사람, 그 사람이 누구입니까?"

부끄러운 노릇이지만 단 한 명도 떠오르지 않았다. 아무리 머리를 굴러 봐도 그런 친구나 선후배는 없었다. 낙담한 표정으로 고개를 흔들자 인도자가 요령을 가르쳐주었다.

"지금부터 여행을 갑시다. 가장 좋아하는 장소에 앉아 기다리세요.

당신을 이해해 줄 수 있는 누군가가 나타날 겁니다."

나는 눈을 감았다. 그리고 상상 여행을 시작했다. 나는 과거 한국에 있을 때 평소에 자주 가던 한계령 휴게소 부근 야외 벤치에 앉아 있는 상상을 했다. 신기하게도 꼭 현실처럼 생생하게 느껴졌다. 시간이 얼마나 지났을까. 갑자기 타박타박 하는 소리가 들리더니 누군가가 나타났다. 그런데 놀랍게도 죽은 작은형이 올라오고 있는 게 아닌가. 나는 너무 놀라서 용수철처럼 튀어 일어났다.

"형!"

"제은아, 잘 있었니?"

형은 살아있을 때처럼 여전히 다리를 절며 내게 다가왔다. 나는 상상 세계라는 것도 잊고 반가움에 눈물을 줄줄 흘렸다.

"보고 싶었어, 형."

나는 형의 눈을 똑바로 쳐다보는 게 처음이라는 걸 깨달았다. 어린 시절, 형을 대하면 나는 항상 고개를 모로 돌리거나 시선을 피했었다. 그렇게 외면하던 형이 죽은 건 내가 고등학교 2학년 어느 날이었다. 갑자기 집에서 연락이 왔다. 어머니였다.

"니 작은형이…… 죽었다!"

말을 듣는 순간, 나는 진공 상태에 빠져든 느낌이었다. 귓속이 멍했다. 죽다니? 믿을 수가 없었다.

집이 망한 뒤, 형은 고향을 떠나 서울에서 지내고 있었다. 나와 한 집에 얹혀 지낼 형편이 못 되어, 아는 교회 집사님 댁에 머물면서 그 집안일과 교회 일을 거들었다. 착한 형은 그날도 그 집의 고장 난 트

랜스를 고치다 감전으로 인한 심장마비로 죽었다고 했다. 소아마비로 태어나 좋은 소리 한 번 못 듣고 살았는데, 그렇게도 착하고 잘 웃던 형이었는데, 마지막 길까지 그렇게 허망할 수 있다는 사실이 억울하기만 했다. 그 감정은 자식새끼들 하나 제대로 건사 못 하는 아버지에 대한 분노로 다시 이어졌다.

형은 한쪽 다리가 짧은 소아마비로 태어났다. 가장 좋은 양을 제물로 비치는 구약의 목동과 비슷했던 아버지는, 절름발이 둘째아들은 하나님께 바칠 대상에서 아예 제외시켰다. 이것은 곧 형이 아버지의 관심을 끌지 못하는 찬밥 신세라는 것을 뜻했다. 동시에 가족 가운데서도 있으나마나 한 존재였다. 형은 공부도 그다지 잘하지 못했다. 다만 그림같이 잘생긴 외모만이 유일한 장점이었지만 그것도 별로 인정받지 못했다. 나는 큰형을 무서워하면서도 경외했던 데 비해, 둘째형에게는 별 신경조차 쓰지 않았다. 마음이 따뜻했던 둘째형은 동생들 가운데서도 유독 나를 아끼고 사랑해 주었지만, 나는 형의 짧고 가느다란 다리가 보기 싫고 창피했다.

그런 내 속마음도 모른 채 형은 매일 학교에 갈 시간이면 나랑 같이 가려고 대문 밖에서 기다렸고, 나는 어떻게 하면 형과 같이 가지 않을 수 있을까를 궁리했다. 어쩔 수 없이 형과 함께 학교를 가게 되면, 형은 지나가는 사람마다 붙들고 "얘가 내 동생이다. 제은이는 반장인데 공부도 참 잘한다"면서 자랑을 했다. 나는 절름발이 형이 있다는 사실을 아이들이 기억했다가 놀릴까 봐 두려웠다.

지금 생각하면 형은 나를 자신과 일체화함으로써 위로를 받고 싶었던 듯하다. 형이 나를 자랑스러워할수록, 그리고 더 많은 사람들에게 내 이야기를 할수록 나는 소아마비 형의 존재를 더욱더 감추고 싶었다. 작은형은 그런 나를 단 한순간도 야속하게 생각지 않았던 것 같다.

형은 늘 다정했지만, 내 몸 하나 추스르기도 힘들었던 나는 형을 잘 찾지 않았다. 그저 시간 나면 가겠다고만 했다. 그러다 사고가 있기 바로 며칠 전, 갑자기 무슨 바람이 불었는지 친구와 함께 작은형을 찾아갔었다.

형이 있던 곳은 암사동이었다. 아파트가 막 들어서기 시작한 동네는 공사판에서 쏟아지는 굉음과 흙먼지로 여름의 한낮을 더 숨 막히게 하고 있었다. 아파트만 들어섰을 뿐, 근처에 가게도 하나 없어서 친구와 나는 목마른 것을 참고 앉아 땀을 식히고 있었다. 우리가 왔다는 소식을 듣고 형은 신이 나서 달려왔다. 절룩거리면서.

"어서 와라, 어서 와. 덥지? 잠깐 기다려봐. 시원한 것 좀 사올게. 뭐 마실래?"

형은 어린아이처럼 흥분해서 부산을 떨었다.

"아무거나 먹지 뭐."

형은 잠깐만 기다리라며 꽤나 멀리에 있는 가게를 찾아 절룩거리며 뛰어갔다. 한참 뒤 돌아온 형은 차가운 콜라 두 병을 내밀었다. 평소 잘 먹는 콜라인데, 어쩐 일인지 내 입에서는 "아이, 씨……" 하는 소리가 나왔다.

"나 환타 먹고 싶은데……"

나도 모르게 튀어나온 말인데, 형은 내 친구에게도 환타를 먹겠느냐고 묻고는 곧장 가게 쪽으로 다시 달려갔다. 내 친구는 그런 나에게 "그냥 콜라 먹지, 까다롭게 굴기는!" 하고 편잔을 주었다. 나도 잠시 머쓱해지며 미안한 마음이 들기는 했지만, "우리 형은 내가 이렇게 부탁하는 걸 더 좋아해" 하고 변명을 했다. 다시 뛰어 돌아오는 형은 완전히 땀으로 목욕을 하고 있었다. 짧은 쪽 다리가 땅에 닿을 때마다 몸은 쓰러질 것처럼 기울어졌다. 환타를 받고 나니 형이 안돼 보이기도 하고 미안하기도 하여 좀 과장된 목소리로 말했다.

"형, 고마워. 되게 맛있다!"

이 한마디에 형의 표정은 순식간에 밝아졌다. 돌아오는 내게 용돈도 조금 건네주었던 형. 바로 며칠 전 일이었는데, 그런 형이 죽다니……

장례를 치른 뒤 나는 형의 유품을 정리하러 형이 살던 집사님 댁에 갔다. 조그만 구석방은 정갈했다. 옷가지 몇 개, 책상 하나, 이부자리가 살림의 전부였던 형의 방에서 나는 일기장을 찾아냈다. 몇 년치 분량은 되어 보였다. 표지를 들추자 틈새에서 잘 말린 단풍잎 한 장이 툭 떨어졌다. 내 눈시울은 이내 뜨거워졌다. 일기장 사이사이엔 쪽지 같은 것들이 많이 끼워져 있었는데 그중 하나가 눈길을 끌었다. 그것은 '통신신학교 성서학원 학생증' 이었다.

아버지는 당신 아들 가운데 한 명이 꼭 목사가 되기를 소원하셨다. 처음에는 그 대상이 큰형이었지만, 큰형은 아버지의 소망을 보기 좋게 날려버리고 알코올 중독자가 되어서는 "하나님이 있으면 내 머리를 찢어라!" 하는 사람이 되었다. 작은형은 소아마비라고 제외시

켰고, 누나는 딸이라고 건너뛰고, 넷째인 내가 목사가 되기를 은근히 강요받고 있었는데, 나는 "목사과가 아니에요"로 초지일관하는 중이었다. 그런데 작은형은 그 사이 검정고시로 고등학교를 마치고, 신학대학도 아닌 성서 학원에서 공부를 시작했던 것이다.

"기침도 노크도 필요 없다. 언제든지 와라. 내게 들어와라. 내 마음은 열려 있다. 제은아, 너는 내가 가장 사랑하는 동생이다. 나는 너를 위해서라면 무슨 일이든지 할 것이다. 나는 네가 내 동생이라는 것이 너무나 자랑스럽다. 사랑하는 나의 동생 제은아……"

일기를 읽던 나는 더 이상 참지 못하고 그대로 쓰러져 울었다. 나는 형의 짧은 다리가 부끄러워 친구들 앞에서 아는 척도 하지 않았고, 그렇게 나를 보고 싶어 하는데도 마음자리 한 번 내어준 적이 없었다. 그런 내게 형은 다 베풀지 못한 사랑을 일기장 구석구석에 새기고 있었던 것이다.

그런 대접을 했던 형인데, 바로 그 형이 내 인생의 밑바닥 상태에서 나를 무조건 이해하고 받아들여 줄 수 있는 거의 유일한 사람으로 떠오른 것이다. 형은 내 어깨를 다독였다. "제은아, 넌 어릴 때부터 뭐든지 잘했어. 앞으로도 잘해 나갈 거야."

나는 형의 품에 안겨 엉엉 울었다. 그리고 처음으로 형에게 미안하다는 말을 했다. "형, 미안해. 나는 형이 창피해서 도망 다녔어."

형이 환하게 웃었다. "나는 너같이 똑똑하고 멋있는 동생을 두어서 세상에 부러운 것이 없었어."

나는 조금 망설이다가 말을 이었다. "전에 콜라 대신 환타 사달라고 한 것도 미안해." 그리고 비쩍 마른 형의 한쪽 다리를 부드럽게 어루만지면서 그토록 하고 싶었던 그 한마디를 건넸다.

"형, 그때 뛰어갔다 오느라 얼마나 다리가 아팠어?"

오랫동안 마음의 부담이 된 한마디였다. 내 머리와 가슴을 괴롭히던 한마디…… 나의 고백을 들은 형은 따사로운 미소를 지었다. "형은 하나도 힘들지 않았어. 네가 원했으면 아마 나는 널 업고도 다녔을 기야. 내가 너를 얼마나 좋아하는지 알아? 난 네가 내 동생인 게 정말 좋아."

"나도 형이 내 형인 것이 정말 좋아, 형!" 나는 눈물을 줄줄 흘리며 인도자가 형을 보내주라고 타이르기 전까지 형의 손을 붙잡고 많은 이야기를 나누었다. 형은 밝은 빛에 싸여 멀리 사라졌다. 형을 보내는 내 마음이 한없이 가볍고 따뜻했다.

형은 언제나 내 죄의식의 밑바닥에 짙게 남아 있는 존재였다. 한번도 따뜻하게 대해준 적이 없는 형에 대한 죄책감은 아픈 사람을 보면 뭔가 잘못한 것 같은 느낌으로 나를 시달리게 했다. 그런 형에게 사과와 용서를 구하고 형의 사랑을 확인하는 기회가 주어진 것은 정말 고맙고 감사한 일이었다. 깊게 박힌 죄책감의 뿌리가 시원스레 뽑히는 순간이었다.

그런 형에게 사과와 용서를 구하고 형의 사랑을 확인한 그 일은 오랫동안 내 마음에 봄바람처럼 훈기를 불어 넣어주었다. 만약 당신이 누군가에게 지금 사랑받고 있다면, 그 사랑을 바로 지금, 직접 표현하라고, 그것에 감사하고 또 감사하라고 일러주고 싶다.

그 사람을 가졌는가

 그 사람을 가졌는가? 망망대해 한복판에서 단 하나밖에 없는 생명과도 같은 구명대를 아낌없이 내어줄 그런 사랑을 경험했는가? 그 한 사람이 있음으로 해서 그 사람의 미소와 따뜻한 말 한마디만으로도 그 어떤 고난과 어려움도 견뎌낼 수 있는가? 이 질문에 "예"라고 답할 수 있다면 그 사람은 참 행복한 사람일 것이다. 그러한 삶은 누가 뭐래도 성공한 것이다.

사람들은 "나를 위해 구명대 던져줄 사람이 없어서 불행하다"고 말한다. 그 사랑을 간절히 바라며 여기저기 기웃거리며 사랑을 구걸한다. 어린 시절에 아버지로부터 받지 못한 사랑을 받기 위해서 남자를 찾고, 어머니가 채워주지 않은 부분을 채우기 위해서 여자를 구한다. 그러면서 이렇게 불평한다. "나에게는 그런 사람이 없다. 나는 정말 운이 없는 사람이다. 내 주위를 보라. 어쩌면 이렇게 어두울 수가 있는가. 그래서 나는 정말 불행하다."

결국 우리는 자신의 상처와 비슷한 상처를 갖고 있는 사람을 만나게 된다. 자신이 치유된 만큼 만나게 되기 때문이다. 내가 구명대를 던져줄 수 있는 마음의 공간이 있으면 역시 나에게 구명대를 던져줄 정도의 마음의 공간이 있는 사람이 다가오게 마련이다. 나는 절대 구명대를 던져줄 수 없고 그저 받고만 싶다면 그런 나의 바람과 똑같이 구명대를 자기한테 던져주기만을 간절히 원하는 사람이 내 앞에 나타날 것이다.

사랑은 운이 아니다. 사랑은 과학처럼 분명하다. 내가 준비된 만큼 그 사랑이 다가온다. 나의 상처만큼 만난다. 내가 치유된 만큼 정확히 만나게 되어 있다. 캄캄하다고 불평만 하는 동안에는 빛 한 줄기 발견하기 힘들다. 눈을 감고 있으면서 아무것도 보이지 않는다고 괴로워하는 격이다. 어두우면 촛불 하나만 켜도 된다. 온 세상 다 밝히지 않아도 된다. 내가 앞을 볼 수 있는 정도의 불이면 된다. "나는 그런 촛불 같은 사람이 되고 있는가?" 이런 질문을 스스로에게 던질 수 있어야 한다.

만리 길 나서는 날
처자식 내맡기며 맘 놓고 갈 만한 사람
그 사람을 그대는 가졌는가.

온 세상 나를 버려
마음이 외로울 때에도
'저 맘이야' 하고 믿어지는
그 사람을 그대는 가졌는가.

탔던 배 꺼지는 시간
구명대 서로 사양하며
'너만은 제발 살아다오' 할
그 사람을 그대는 가졌는가.

불의의 사형장에서
'다 죽어도 너희 세상 빛을 위해
저만은 살려두거라' 일러줄
그 사람을 그대는 가졌는가.

잊지 못할 이 세상을 놓고 떠나려 할 때
'저 하나 있으니' 하며 벙긋이 웃고 눈을 감을
그 사람을 그대는 가졌는가.

온 세상의 찬성보다도
'아니' 하고 가만히 머리를 흔들 그 한 얼굴 생각에
알뜰한 유혹을 물리치게 되는
그 사람을 그대는 가졌는가.

이 시는 평화주의자이자 영성가요 시인이셨던 함석헌 선생께서 남긴 〈그 사람을 가졌는가〉라는 시로 내가 애송하는 시이다. "사람이 한 세상을 얼마나 가치 있게 살았는가?"라는 인생의 진정한 성공 여부는 내가 과연 "그런 사람을 가졌는가?"라는 질문에 어떻게 대답할 수 있는가에 달려 있다고 생각될 만큼 이 시는 나에게 중요한 삶의 지표가 되었다. 내가 사람들을 대할 때 가장 궁금한 것은 그 사람의 배경이나 학식, 재물, 외모, 건강이 아니다. 단 한 가지, 그 사람이 사랑했던 사람과 그 사람을 사랑했던 사람들에 관한 것이다. 내가 세상에서 가장 부럽고 존경스러운 사람은 자신도 죽어가는 상황에서조차 서로 구명대를 사양할 그런 사람을 갖고 있는 사람들이다.

우리는 과연 무엇을 위해 살고 있는가? 어디를 향해 가고 있는가? 내 인생의 궁극적인 목표는 무엇이며, 어떻게 사는 것이 진정으로 성공한 삶이라고 말할 수 있을까? 지나간 나의 삶을 돌이켜볼 때 나를 가장 가슴 아프게 한 일들은 무엇이었는가? 무엇이 나를 괴롭게 하고 슬프게 하며 분노하게 하였는가? 또 나를 가슴 설레게 하고 감격하게 만든 일은 어떤 것들이었는가? 무엇이 나에게 인생의 의미를 가져다 주었는가? 무엇이 나로 하여금 살아있다는 것에 감사하게 하였는가?

이러한 비전을 바라보며 살아간다는 것이 정말 지나치게 이상적인, 그래서 현실에서는 불가능한 일일까? 잊지 못할 이 세상을 놓고 떠나가게 될 때 '저 사람 하나 있으니' 하며 빙긋이 웃고 눈감을 수 있는 그런 사람을 나는 떠올릴 수 있을까? 과연 지금 나는 그런 삶을 살고 있으며 그런 만남을 지속하고 있는가? 내가 죽은 후에 사람들은 나를 어떻게 기억하며, 나에 대해 뭐라고 말할까?

모든 순간들은 우리에게 마음의 결단을 요구하고 있다. 인간이 누군가와 관계를 맺는다는 것은 자신을 송두리째 내어줄 준비가 되어 있어야 함을 의미한다.

내가 웃어야 웃을 일이 생긴다

 사람들은 "웃으면 복이 와요. 그러니까 많이 웃으세요"라고 말하면, "아니, 누구는 안 웃고 싶어서 안 웃나요. 웃을 일이 있어야 웃지요"라고 말한다.

초등학교 시절에, 방학만 되면 어머니는 나를 외갓집에 보내셨다. 외할아버지는 "법 없이도 살 분"이라는 소리를 많이 들은 군자와도 같은 분이었다. 내가 기억하는 할아버지는 머리에 항상 망건을 쓰고 계셨다.

늘 재미난 것만 골라서 놀아도 지루해하던 나에게 시골 외갓집은 놀 거리가 아무것도 없는 지루하기 짝이 없는 곳이었다. 이런 나를 안타깝게 여기시던 할아버지가 이런저런 아이디어를 짜서 내게 내밀었는데 거의 대부분 내 관심조차 끌지 못했다. 그나마 내가 재미있어하며 할아버지와 자주 한 놀이가 바로 '말 타기'였다. 내가 할아버지 목에 올라타 두 손으로 할아버지의 양쪽 귀를 잡아당기거나 망건의 위쪽을 양손으로 힘껏 잡아당기면서 "이랴! 이랴! 달려라! 달려"를 외치면, 할아버지는 마치 말처럼 "히이힝!" 하고 말소리를 내며 방바닥을 기어 다니시곤 했다.

그런데 언제부턴가 할아버지 말이 힘이 없어 말 타기 하는 재미가 전 같지가 않았다. 내 덩치는 더 커지고 할아버지는 더 노쇠해져서 말타기가 어려워진 것도 모르고, 나는 철없이 할아버지의 망건을 고삐 삼아 있는 힘껏 잡아당기며 "할아버지! 이랴! 더 빨리 달리란 말야!

더 빨리!"하고 소리를 쳤다. 할아버지는 "이 놈아! 그만 잡아당겨라!"하실 만도 하건만 야단 한 번 안 치고 도리어 "어~ 우리 제은이가 이제 보니 힘이 장사가 됐네! 힘이 장사여!"하고 호탕하게 껄껄껄 웃으셨다.

이렇게 여간해서 화를 내는 법이 없는 할아버지는 나름대로 웃음에 대한 철학을 갖고 계신 분이었다. 한 번은 외할아버지 손을 붙잡고 함께 눈둑을 걸어가는데 갑자기 번개가 내려쳤다. 그때 할아버지가 들려주신 말씀을 나는 아직도 기억한다. "네가 하늘을 보고 손을 흔들며 환하게 웃으며 '안녕!'하면 하늘도 너를 보며 '안녕!'하고 웃는단다. 그런데 네가 하늘을 보고 손가락질 하고 화를 내면 하늘도 너를 보고 '우르릉 쾅쾅!!'하는 거야"라고 하신.

나는 할아버지가 들려준 이야기의 참뜻을 오랜 고통과 눈물, 좌절을 경험한 후에야 겨우 깨닫게 되었다. "웃을 일이 있으면 웃어야지"하면 결코 웃을 일이 생기지 않는다. 하지만 내가 웃으면 웃을 일이 생겨난다. 이 우주는 그렇게 서로 반응하도록 되어 있다. 가만히 있으면서 웃을 일이 생겨나기를 기다려서는 어쩌다 운이 좋은 경우가 아니면 웃을 일이 생길 리 없다. 그러나 내가 먼저 웃으면 이 세상도 나를 향해 웃게 되어 있다. 내가 웃어야 세상도 웃는다는 말이다. 자, 세상을 향해서 먼저 큰소리로 웃으며 "안녕!"해보라. 웃음의 메아리가 돌아오지 않는가. 아하하하하.

그 사람을 가졌는가

누군가에게 지금 사랑받고 있다면 그 사랑에 바로 지금, 감사하고 또 감
사하라고 말하고 싶습니다. 모든 순간들은 우리의 마음의 결단을 요구하
고 있습니다. 인간이 누군가와 관계를 맺는다는 것은 자신을 내어줄 준비
가 되어 있어야 함을 의미하는 것입니다. "그 사람을 가졌는가?" 라는 물
음은 곧 "나는 누구인가?" 라는 존재의 이유 자체를 묻는 질문이 됩니다.

❋ 당신을 위해서 있는 돈을 다 털어 함께 나눌 그 사람은 누구입니
까?

❋ 당신이 가장 절박할 때 도움을 요청할 그 사람은 누구입니까?

❀ 만약 당신과 그 사람이 물에 빠졌고 구명대가 하나밖에 없다면 그 구명대라도 아낌없이 주고 싶은 그 사람은 누구입니까? 열 사람의 명단을 여기에 적어보세요.

1.
3.
5.
7.
9.

2.
4.
6.
8.
10.

❀ 무슨 이유로 그렇습니까?

❀ 당신에게 그 구명대를 줄 사람은 누구입니까? 열 사람의 명단을 여기게 적어보세요.

1.
3.
5.
7.
9.

2.
4.
6.
8.
10.

❀ 무슨 이유로 그렇습니까?

❀ 이런 사람을 진짜 만나고 싶다면, 그리고 이런 한 사람을 갖게 되는 일이 당신 인생의 목표 중 하나라면, 지금부터 그 일을 위해 구체적으로 무엇을 어떻게 하시겠습니까?

❀ 극심한 고통을 받고 있는 사람에게 무슨 말을 해줄 때 그 사람이 가장 큰 힘과 위로를 받을 수 있을까요? 지금 그 말을 당신 자신에게 들려주십시오.

웃는 연습

가장 웃겼던 경험, 장면, 사람을 생각해 보세요. 그리고 기억나는 대로 여기에 적어보세요. 그러다 웃음이 터지면 실컷 웃으세요. 크게 소리를 지르면서, 박수를 치면서, 배꼽을 잡으면서, 발을 동동 구르면서, 만일 친구가 옆에 있으면 친구를 인정사정없이 부둥켜안으면서, 눈물이 나오고 웃다가 턱과 배가 아파올 만큼 웃어보세요. 아하하하하. 으하하하하. 소리 내서 많이 웃으세요. 웃으면 건강에 좋습니다. 스트레스도 사라집니다. 웃으면 일이 더 잘됩니다.

아무도 모르는 자기만의 웃기는 행동을 생각하면서 웃으세요. 혼자 남 모르게 방귀 끼고 웃고, 안 낀 척하고 웃고, 거울에 비친 자기 모습 보면서 웃고, 텔레비전의 웃기는 프로란 프로는 다 녹화해서 보다가 웃고, 싸우다가도 혼자 잠깐 화장실 가서 웃고, 잠자리에서 일어나자마자 웃고, 잠자리에 들면서 웃고, 운동은 빼먹어도 보약은 걸러도 웃는 것은 빼먹지 마세요. 많이 웃으세요. 날마다 웃으세요. 소리를 내면서 웃으세요.

아무 이유 없이 그냥 웃으세요. 내가 웃어야 세상도 웃습니다. 마치 자석처럼 말입니다. 세상이 그렇게 만들어졌어요. 참 이상합니다. 내가 웃으면 세상도 나를 보며 웃습니다. 그러나 내가 세상에 대해 불평하고 신경질내고 "죽어라!" 하면, 세상도 나를 보고 "나도 네가 싫다. 네가 죽어라!" 합니다. 그러니 아무리 힘들어도 웃는 것을 멈춰서는 안 됩니다.

❋ 기억나는 가장 웃기는 경험, 장면, 사람을 적어봅니다.

❋ 나만 알고 있는 나의 웃기는 모습, 행동을 적어봅니다.

자 기 사 랑 아 홉

모든 것은
축복입니다

마지막 고백

수많은 사람들이 도를 찾아, 진리를 찾아 헤매었지만,
이 마지막 깨달음까지는 대부분 이르지 못했습니다.
다 여기에 걸려 넘어집니다. 그러나 당신은 마음의 문을 활짝 열고,
이 마지막 한마디를 자신의 것으로 받아들이기 바랍니다.
눈을 감고 당신이 처음 도착했던 어머니의 자궁 속을
상상해 보세요. 그리고 어머니에게서 나와
아장아장 걷기 시작하고, 자라나 학교에 들어가고,
남자, 여자 짝을 이루고, 늙어 인생을 마치는 마지막까지,
상처와 이별, 고통과 한, 내가 도저히 이해할 수 없는
모든 것들을 향해서 선언하는 마지막 고백이 바로 이것입니다.
온 우주를 향해서 선언하는 마지막 고백은,
"모든 것은 축복입니다" 라는 말입니다.
죽음도 이별도 상처도 그게 무엇이든
결국은 모두 축복일 수밖에 없습니다.

모든 것이 좋다

모든 것은 축복이다. 모든 만남, 모든 관계, 모든 경험이 다 유익한 것이다. 삶도, 죽음도 모두가 축복이다. 역사의 마지막엔 하나님이 계신다. 반드시 진리가 승리한다는 것을 믿으라. 설령 내가 이해할 수 없는 고통과 아픔이 이 세상에 계속된디 하더라도 궁극적인 신뢰와 믿음을 갖고 안심하라. 기억하라. 모든 것이 축복을 위해 움직이고 있다는 사실을.

당신이 이 글을 읽는 것이 나에게 축복이듯이 당신에게도 축복이길 바란다. 모든 것이 축복임을 깨닫고 그러한 사실이 가슴속 깊이 느껴지는 사람에게는 오늘도, 내일도, 시작도, 그리고 끝도 다 축복일 뿐 그 밖의 다른 어떤 것일 수가 없다. 왜냐하면 그 사람에게는 모든 것이 축복이기 때문이다.

아직까지 모든 것이 축복임을 느낄 수 없는 사람은 바로 그 이유 때문에 아직도 모든 것이 축복이 아닌 것이다. 많은 것을 축복으로 느끼지만, 그럼에도 불구하고 아직도 축복으로 여기거나 느낄 수 없는 사건이나 사람을 가슴속 깊이 묻어둔 채 그래서 불행하다고 느끼는 사람은, 바로 그 사람 자신이 그것을 꽉 쥐고서 그것을 아픔으로, 고통으로 붙들고 있는 것이다.

나는 이 글을 읽고 있는 당신이 "모든 것이 축복임"을 고백할 수 있게 되길 기도한다. 만약 당신이 모든 것이 축복임을 깨닫게 된다면, 당신의 앞날엔 축복된 일들이 더욱더 많아질 것이다. 당신이 아직도 축복으로 받아들일 수 없는 그것이 무엇이든 간에―즉 그것이 어떤 사건이든, 인간 관계에 관한 것이든, 혹은 신앙적인 문제이든― 바로 그것을 불행으로 받아들여 움켜쥐고 있는 당신 내면의 사고와 믿음 체계가 바로 당신의 영적 성장과 인생의 여정을 가로막고 있는 장애물이 되고 있음을 알아차려야 한다.

그 일에 대해 누가 잘못을 했고 또 누가 잘했는지 잘잘못을 가리는 일은 사실은 아무런 의미도 없다. 지나간 사건을 해결하려고 하면 할 수록 더욱 복잡하게 될 뿐이다. 중요한 것은 당신이 그 일을 혹은 그 사람을 아직도 미워하고 원망하고 있으며 용서하지 못함으로 인해서 당신 안의 엄청난 양의 에너지가 갇히고 막혀서 당신에게 있어야 할 새로운 경험과 인간 관계를 차단시키고 있다는 사실이다.

바로 이것이 예수가 "원수도 사랑하라"고 한 까닭이며, "일흔 번에 일곱 번씩이라도 무한정 용서하라"고 한 이유이다. 용서와 화해 그리고 이해만이 우리에게 치유의 문을 열어준다. 용서와 이해는 해도 좋고 안 해도 좋은 일이 아니다. 그것은 선택의 여지가 없는 일이다. 당신이 만약 계속해서 불행하기를 원하지 않는다면 말이다.

거듭 말하지만, 불행이라고 느끼고 해석하고 있는 당신의 믿음 체계가 계속적인 불행을 불러들이는 원인이다. 그리고 불행으로부터 도망치기 위해 발버둥을 치면 칠수록 불행은 오히려 당신에게 더욱 달라붙고 당신의 발목을 붙들며 당신을 질질 끌고 다니면서 불행이야말로 "당신의 영원한 동반자"라고 속삭일 것이다. 그것은 실은 당신 스스로가 그렇게 될 수밖에 없도록 불행을 당신의 동반자로 초청

하였기 때문이다. 그것을 선택할 수 있는 힘이 당신 자신에게 있다는 사실을 깨닫게 되기 바란다.

용서와 이해 그리고 관용을 선택하는 것은 당신의 인생에서 매우 중요한 갈림길이 될 것이다. 만약 당신이 용서와 이해를 하기로 결심한다면 온 우주가 당신의 편이 되어줄 것이다. 밝은 치유의 광선이 당신의 온몸을 둘러싸게 될 것이며, 무엇보다도 내면 깊은 곳으로부터 세상이 주는 평화와는 비교할 수도 없는 하나님의 평화가 흘러넘치게 될 것이다. 내면 깊은 곳으로부터 편안함과 관용과 자비가 샘솟듯 밀려오게 되며, 그렇게도 이해할 수 없었던 일들이 거짓말처럼 다 이해가 되면서 용서하는 마음이 흘러넘치게 될 것이다.

용서는 이미 이루어져 있고 내가 그것을 받아들이는 일만 남아 있다. 이해도, 사랑도 다 마찬가지이다. 우리가 그것을 믿음으로 받아들이는 순간 즉시 그 효력이 발효된다. 마치 내 앞으로 이미 지불된 보험금(보상금)이 최종적으로 나의 결재를 기다리듯이. 내가 "그렇다"라고 마음 문을 열고 받아들이는 그 순간, 내게 그 효력이 발생되는 이치와도 같다. 그러므로 어떤 것도 두려워할 필요가 없다. 숨기거나 도망갈 필요도 없다. 이 글을 읽는 이 순간 당신이 아직까지 못다한 용서를 하고 이해를 한다면, 당신을 움켜쥐고 있는 과거의 모든 고통의 기억으로부터 벗어나게 될 것이다.

과거는 그림자일 뿐이다. 그렇지만 그 그림자를 두려워하며 놀라고 도망 다니면서 현재와 미래를 저당 잡힌 채로 산다면, 당신은 끝내 그 그림자의 포로로 살 수밖에 없다. 중요한 것은 지금 내가 여기에서 어떻게 결정할 것인가이다. 지금 여기를 사는 것이 가장 중요하다는 말이다. 당신의 과거가 어떤 것이었든 간에 지금 이 순간 당신이 기쁘지 않으면 기쁜 것이 아니고, 기쁘게 받아들인다면 기쁜 것이 된다. 과거가 얼마나 기뻤는지, 미래가 얼마나 기쁠 것인지가 중요한 것이 아니고, 지금 현재가 기쁜가, 행복한가가 중요하다.

만일 당신이 진정으로 축복을 원한다면 축복 외엔 아무것도 선택해선 안 된다. 만일 우리가 "모든 것이 축복임"을 선언한다면, 불행이 우리에게 다가오다가도 "이 사람은 나의 친구가 될 수도 없음"을 금방 알아차리게 될 것이며, 결국 불행은 우리 곁을 떠나가게 될 것이다. 왜냐하면 당신은 "모든 것을 축복으로 여기는 사람"이기 때문이다. 그렇게 되면 당신의 유일한 파트너는 축복일 수밖에 없다. 축복이 당신에게로 다가와 입을 맞추며, 온몸으로 끌어안고 함빡 웃으면서 절을 할 것이다. 그러고는 말하길, "당신을 사랑합니다. 왜냐하면 당신은 오직 나 축복만을 사랑하기 때문입니다."

이제는 축복만이 당신의 유일한 파트너요 연인이다. 그러므로 내일도, 모레도, 언제까지나 당신에겐 축복된 일만이 그리고 축복된 인간 관계만이 이어질 것이다. 당신에겐 "모든 것이 축복"인 해석 체계 외에는 다른 것이 없기 때문이다.

지금 이 순간 눈을 감고 온몸의 느낌에 가만히 집중하면서, 그리고 우주의 무게로 진지하게 당신의 존재 전체와 온 우주를 향해 이렇게 선언하라. "모든 것이 축복입니다." 그 순간 긴장과 두려움이 녹아내리고, 원망스럽고 미웠던 마음과 걱정하고 고민하던 마음이 다 녹아내릴 것이다. 이제 희망이 생겨나고, 답답하던 마음이 탁 트이게 될 것이다. 계속 그 희망의 느낌에 주목하다 보면 때론 소리 없이 눈물이 흐르기도 하고, 조용한 미소가 머금어지기도 하면서 이내 가슴이 평온해질 것이다. 머리가 맑아지기도 하고, 은은한 기쁨이 솟아나기도 할 것이다. 하루에 10분씩만 이런 방법으로 연습한다면 당신의 느낌과 표정과 말투와 행동에 큰 변화가 생길 것이다.

당신이 가장 원하는 모습과 말과 행동을 지금 당장 하라. 과거도 미래도 몽땅 가져와 지금을 기뻐하는 데 사용하라. 그냥 지금을 살면 된다. 지금을 기뻐하면 된다. 그리고 당신 자신을 사랑하면 된다. 또한 은은한 내면의 기쁨을 당신 인생의 목표로 삼으면 된다. 그렇게 할 때 하늘이 당신의 편에 서서 당신을 도와줄 것이다. 그러므로 하늘과 세상을 향해 가슴을 활짝 펴고 두 손을 내밀며 맘껏 소리치라. "모든 것은 축복입니다."

모든 것이 다 잘 되었다

마음을 활짝 열고 두 손을 번쩍 치켜 올려보라. 손가락이 가리키는 맨 끝은 우리가 처음 어머니의 자궁에 도착했던 바로 그 순간을 가리킨다. 그 손을 아주 천천히 내리면서, 지금까지 즐거웠던 일, 이해할 수 없던 일, 미처 알 수 없는 일, 앞으로 다가올 일, 이 세상에서 일어날 모든 일들을 향해 이렇게 선언한다. "모든 것은 축복입니다."

몸과 마음 깊숙이 그 선언을 들여보낸다. 다시 한번 허리를 펴고 호흡을 들이마시고 멈췄다가 천천히 내쉬면서 자신을 향해 부드러운 미소를 보내며 이렇게 선언한다. "모든 것이 다 잘 되었다."

어디선가 뭐라고 설명할 수 없는 평안이 가슴 깊이 밀려오며 잔잔한 기쁨이 솟아나는 것을 느껴본다. 치유의 광선이 하늘로부터 따스하게 내려오는 것을 느껴본다. 광선이 온몸을 감쌀 때마다 상처들이 치유되는 상상을 한다. 마음을 멍들게 한 상처들이 말끔히 사라지고 새로운 살과 기운이 새싹처럼 새롭게 돋아나는.

당신의 영혼에 봄이 오고 있다. 당신 안에 사랑이 피어나고 있다. 이제 아무 걱정이 없다. 이제 모든 것이 다 잘 되었다. 당신이 온전해짐으로써 세상의 모든 것이 온전해졌다. 모든 존재, 모든 사물을 향해 세상에서 가장 평화로운 미소를 보내라. 그 미소를 그대로 간직한 채 호흡을 들이마신다. 호흡을 멈추고 그 존재들과 사물들을 바라본 뒤 천천히 숨을 내쉬며 이렇게 말한다. "널 다시 보게 되어 반가워. 네가 거기 있어 정말 고마워. 널 사랑해." 그리고 한 번 씨익 웃으라!

감격 리스트

심리학자인 아브라함 매슬로우-Abraham Maslow에 의하면 자기 실현을 한 사람들은 흔히 절정 경험peak experience을 즐긴다고 합니다. 이 경험들은 특정한 동기나 노력 없이 최고의 행복과 충족을 경험하는 환희와 흥분의 무아경 같은 순간을 말합니다. 그때 신체적으로는 흥분과 긴장의 반응과 이완과 평화, 정적 등의 반응이 서로 통합되는 상태가 되고, 심리적으로는 자유와 자발, 자연과 개방성 등 과거나 미래에 구애됨 없이 현재를 최고로 사는 상태가 됩니다.

매슬로우는 이 절정 경험이 약물에 의하지 않는 것으로, 자기 실현 self-actualization에 따른 순수하고 민감한 주체성 경험이라고 생각했습니다. 그는 80명의 개인들을 면담하고 190명의 대학생에게 필기 응답을 받아 이런 결론을 얻었는데, 필기 응답을 얻을 때 그가 요청한 내용은 이런 것이었습니다. "당신의 삶에서 가장 경이로운 경험들을 생각해 보시기 바랍니다. 가장 행복한 순간들, 무아경의 순간들, 환희의 순간들, 누군가를 사랑하고 있을 때라든지 음악을 감상하거나 책이나 그림에서 갑자기 영감이 떠오르던 순간들을 목록으로 만드십시오. 그리고 나서 그 순간들에 당신의 느낌이 어땠는지, 다른 때에 당신이 느낀 방식과 어떻게 달랐는지, 그 순간에 당신이 어떻게 다른 사람이 되었는지 적어주십시오."

이제 여러분이 그 질문에 응답할 차례입니다.

절정 경험: 생애 최고의 순간들

당신의 삶에서 가장 행복했던 순간들, 사랑했던 경험들, 아름다운 자연 앞에서 경이로움을 느꼈을 때, 신적 존재를 느꼈을 때, 음악을 감상하거나 책이나 그림에서 갑자기 영감이 떠오를 때, 혹은 어떤 위대한 창조의 순간들이 바로 그 절정 경험의 순간이었을 수 있습니다.

❋ 당신 자신을 가장 소중하게 느꼈던 경험은 무엇입니까?

_____

_____

_____

_____

❋ 당신이 지금껏 본 것 중 가장 아름답다고 느꼈던 광경은 무엇입니까?

_____

_____

_____

_____

✽ 당신이 기억하는 가장 아름다운 만남은 무엇입니까?

_____

_____

_____

_____

_____

✽ 당신이 들었던 가장 훌륭한 칭찬은 무엇입니까?

_____

_____

_____

_____

_____

✽ 당신에게 눈물 나게 고마운 사람은 누구입니까? 왜 그렇습니까?

_____

_____

_____

_____

_____

✽ 당신이 살아있다는 것에 감격을 느끼게 한 사건은 무엇입니까?

_____

_____

_____

_____

✽ 절정 경험의 순간에 당신이 어떻게 느꼈는지, 다른 때와는 어떻게 달랐는지, 그 순간 당신이 어떻게 다른 사람이 되었는지 당신의 변화된 모습을 적어보십시오.

_____

_____

_____

_____

✽ 당신이 누군가에게 듣고 싶은 말이 있다면 그것은 무엇입니까?

_____

_____

_____

_____

✤ 당신이 가장 사랑하는 것은 무엇입니까?

_____

_____

_____

_____

✤ 당신이 3일 후에 죽는다면 가장 하고 싶은 일은 무엇입니까?

_____

_____

_____

_____

_____

✤ 당신이 3일 후에 죽는다고 가정하고 유언장을 작성해 보십시오. 유언
  장은 구체적으로 작성합니다. 우선 읽을 사람을 정하십시오. 들려주
  고 싶은 말, 재산과 귀하게 여기는 물건 등을 누구에게 줄 것인지도
  정하십시오. 내가 끝내지 못한 일을 부탁할 사람, 혹시 갚지 못한 빚,
  사랑과 우정의 빚 또는 지키지 못한 약속, 미안했으나 사과하지 못한
  말, 부탁할 말 등을 포함해야 합니다.

유 언 장

○○에게

✿ 이번에는 유언장을 다른 사람이 아닌 당신 자신에게 쓰십시오.
  (유언장을 다 작성한 후 자신에게 큰 소리로 읽어주십시오. 이 유언장을
  당신이 힘들 때마다 꺼내어 자신에게 읽어주십시오.)

○○에게

                                                        ○○가

✿ 만약 당신이 다시 살 수 있다면(당신의 생명이 연장된다면) 당신 자신에게 해주고 싶은 일을 쓰고 그 일이 당신에게 이루어질 수 있도록 최선을 다하겠노라고 약속하고 그렇게 하십시오.

감격 리스트 만들기

감격 리스트는 상처받은 내면아이를 치유하고 놀라운 아이로서의 신의 형상을 회복하기 위한 구체적인 실행 리스트입니다. 가장 좋은 방법은 내면아이에게 가장 원하는 것이 무엇인지 물어보는 것입니다. 따라서 내면아이와의 대화를 통해 내면아이가 원하는 것을 구체적으로 알아본 후에 이 리스트들을 하나씩 만들어가는 것이 중요합니다.

❋ 당신이 꼭 하고 싶었거나 지나칠 정도로 지속적으로 끌리는 게 있다면 적어보세요. 그것은 사람이나 물건, 일, 여행일 수도 있습니다. 또는 상상의 여행을 떠나보거나 자유 연상법을 사용할 수도 있습니다. (예를 들어, 당신은 항상 스위스에 가고 싶어 한다고 합시다. 스스로에게 물어보세요. 스위스가 자신에게 무엇을 의미합니까? 동그랗게 원을 그리고, 중앙에다 '스위스'라는 글자를 써보세요. 그러고는 당신의 마음에 떠오르는 단어나 문구들을 자유롭게 연결 지어보세요.)

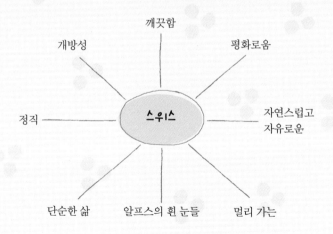

❈ 모든 연상들을 자세히 살펴보고 가장 많이 끌리는 단어 하나를
  선택해 보세요. 그리고 잠시 동안 그 단어에 머물러보세요.

나의 감격 리스트 만들기

삶의 구체적인 영역에서 나를 감격시킬 수 있는 방법들을 찾아봅니다.
구체적인 영역에서 나의 감격 리스트를 작성하는 것입니다. 예를 들면
나는 거의 20년 가까이 분노의 대상이었던 아버지를 포용하는 일이 나
를 감격시키는 최고의 절정 경험이었습니다.

❈ 부모와의 관계

❋ 배우자와의 관계(또는 이성 친구나 애인)

❋ 형제, 자매와의 관계

❋ 자녀와의 관계, 친구와의 관계

✿ 종교 생활, 교회와의 관계 (목사님, 성도, 봉사, 헌금 등)

✿ 학교, 직장, 사회와의 관계

✿ 휴가를 어떻게 즐길 것인가? (휴가 단기, 장기 계획)

❀ 스트레스 해소 방법

❀ 성Sex

❀ 원하는 라이프스타일 (집, 취미 생활 등)

❀ 5년, 10년, 20년 후의 계획, 은퇴 후의 계획

❀ 내가 가장 하고 싶은 일

나 자신을 감격시키기 위해 결단하기

여러분의 내면 깊숙한 곳에서 원하지 않는 일이면 "노우"하십시오. 여러분 내면 깊숙한 곳에서 스스로가 기뻐하는 일이면 "예스"하십시오. 여러분의 내면에서 두 엄지손가락을 치켜올리며 "고맙다. 정말 잘했어. 나는 네가 나인 것이 참 좋아. 온 세상이 나를 비난할지라도 내 가슴이 진정

기뻐하는 일이라면 난 그걸 할 거야'라고 자신에게 약속해 주세요. 지금까지는 세상을 감격시키기 위해 살아왔다면, 이제는 자기 자신을 감격시키기 위해 사십시오.

힐링 이미지

당신의 삶에서 치유의 힘을 강화할 수 있는 열쇠는 '힐링 이미지'입니다. 당신에게 강력한 치유의 효과를 줄 수 있는 치유의 도구들을 모으세요. 치유적인 이미지들을 통해 자신에게 긍정적인 에너지를 불어넣으세요. 다양한 것들을 통해서 나를 기쁘게 해주고 성장시키는 것이라면 무엇이든 좋습니다.

✿ 생각나는 힐링 이미지들과 치유의 도구들을 여기에 적어보세요.
(예를 들어, 어릴 적 사진, 내가 좋아하는 그림, 영화 포스터, 문구, 시구, 이미지 등)

'세상에서 가장 긴 여행'을 마치며

여러분은 저와 함께 내면의 상처받은 아이를 만나고, 그 아이의 슬픔을 함께 슬퍼하고, 나 자신을 감격시키는 삶을 위한 하나의 여정을 마쳤습니다.

그렇다면 지금 당신은 진정 행복하십니까? 만일 그렇지 못하다면 무엇이 진짜 문제라고 생각하십니까? 분명한 것은 자신이 진정으로 원하는 일을 하는 사람은 행복하다는 사실입니다. 바로 지금이 마지막 순간일지라도 자신이 정말로 좋아하는 것을 하다가 죽을 수만 있다면 얼마나 좋을까요? 당신이 능력만 된다면 정말 하고 싶은 일은 무엇입니까?

지금, 당장 그 일을 시작하십시오. 당신이 가장 하고 싶은 그 일을 지금 당신 자신에게 허락하십시오. 잠시 두 눈을 지긋이 감고 오른손을 가슴 위에 얹은 채로 이렇게 스스로에게 말해봅니다. "○○야, 난

오디오 QR 🎧
에필로그

지금 이 순간부터 네가 행복할 것을 허락한다." 자기 자신에게 행복할 것을 허락하십시오.

당신이 마음 모으고 신경 쓸 일은 지금 여기를 사는 것입니다. 자신이 정말 좋아하는 일을 하고, 그리고 가슴을 항상 활짝 열어두는 일입니다. 그리고 시간을 잊어버릴 만큼 자신이 사랑하는 일에 깊이 몰두하는 것입니다.

하루를 살아도 행복할 수 있다면 그 길을 택하십시오. 사람은 자신이 가장 사랑하는 일을 하면서 살아야 합니다. 인간의 의무는 '그냥 존재하는 것'이 아닙니다. 진정 하고 싶은 대로 하며 사는 것입니다. 나는 시간을 멋지게 사용하고 싶습니다. 설령 죽는다 하더라도 내가 가장 사랑하는 일을 후회 없이 마음껏 하다가 떠나고 싶습니다. 조지 버나드쇼는 이렇게 선언했습니다. "내 삶은 타고 남은 초가 아니다. 나는 인생을 완전히 불태운 사람으로 세상을 떠나고 싶다"라고.

당신이 진정으로 무엇을 원하는지 당신 자신에게 물어보십시오. 백 번이고 천 번이고 묻고 또 물으십시오. 그리고 다른 사람이 아닌 당신 자신의 동의를 구하십시오. 그리고 진정으로 당신이 무엇을 원하는지 단호하고 강력하게 온 우주를 향해 선언하십시오. "나는 이것을 원한다. 나는 이렇게 저렇게 구체적으로 사랑하기를 원한다"라고 말입니다. 그리고 믿으십시오. 자신이 진정 원하는 것에 초점을 맞추기 시작하면 결국 모든 사람에게도 좋은 해결책을 찾을 수 있다는 것을. 당신에게 진정으로 중요한 것이 있다면 반드시 그 방향으로 온 우주가 당신을 인도할 것입니다.

이제 당신 자신의 각본을 쓰십시오. 당신 삶의 각본은 아직도 씌어지고 있는 중입니다. 그리고 당신이 바로 그 각본의 지은이입니다. 그러니 당신이 원하는 대로 쓰십시오. 물론 여러 가지 도전이 있겠지요. 그러나 극복할 어려움이 없다면 어떻게 위대해질 수 있겠습니까? 지금 이 순간 당신이 자신의 사망 기사를 쓰고 있다고 상상해 보십시오. 당신은 지금까지 일생의 과업에 대해서 만족하십니까? 만약 만족하지 않는다면 당신의 삶이 아직도 완성되지 않았음을 기억하십시오. 오늘은 바로 당신을 위해 있는 가장 적절한 출발점입니다.

다시 시작하십시오.

당신은 최선의 당신이 될 수 있는 힘을 당신 안에 가지고 있습니다. 어떤 상처라 할지라도 치유될 수 있습니다. 그것을 당신이 진심으로 믿고 당신 가슴에 받아들인다면 당신에게도 그 치유의 힘이 작동하기 시작할 것입니다. 잘못이란 지워질 수 있습니다. 늘 기억하십시오. 결코 늦지 않다는 사실을 말입니다.

지금 이 순간 당신의 맥박을 짚어보십시오. 당신은 아직도 살아있지 않습니까? 당신 앞에 놓인 도전에 대해 감사하십시오. 그리고 전진하십시오.

상처에도 불구하고 여전히 아름다운 진짜 '나'를 만나는 여행을 시작한
당신에게 힘찬 박수를 보내며.

오제은 드림

추천사

심리 치료는 심리학 이론이나 상담 기술을 안다고 되는 것이 아니다. 내담자를 깨끗한 마음으로 바라볼 수 있을 때라야 비로소 내담자의 고통을 담을 수 있다. 이 책은 심리 치료가 진정 무엇인지를 구체적으로 보여주는, 이론과 실제 사례가 생생히 살아있는 훌륭한 안내서다.
- 조벽 (동국대 석좌교수, 전 미시건 공대 교수,《나는 대한민국 교사다》저자)

이 책을 읽던 날, 상담 시간 직전까지 책에서 눈을 뗄 수 없었다. 눈물과 웃음이 담긴, "가슴으로 읽는" 이 책을 내담자와 상담자 모두가 반드시 읽어볼 것을 권한다. 상담 심리 책 대부분이 외국 서적인데, 이 책이 세계 여러 나라 말로 번역돼 전 세계 사람들의 마음을 치유해 줬으면 좋겠다.
- 최성애 (가트맨부부전문가, MBC <행복한 부부, 이혼한 부부> 외 출연)

행복하세요? 행복해지고 싶으세요? 정말로 행복해지고 싶다면 이 책을 꼭 읽어보라고 권하고 싶다. 책을 읽는 내내 '나'를 다시 만나는 기쁨을 누렸다. '나'를 더 사랑하게 되었고, 사랑하는 사람들과 이 책을 나누고 싶어졌다. 이 책을 읽는 것만으로도 이미 당신은 행복의 문으로 들어선 축복받은 사람이다.
- 정애리 (탤런트, SBS <아내의 유혹> 외 출연)

오제은 교수는 자신의 옷을 벗어던지고 자기 상처를 솔직히 드러내며 스스로 경험한 자기 사랑의 길을 열어 보인다. 한 번도 정직하게 자기 직면을 하지 못한 모든 친구들에게, 특히 이웃의 치유를 감당해야 할 소명을 받고 살면서도 그 역할을 다하지 못한다는 죄책감을 지닌 모든 리더들에게 이 책을 추천한다.
- 이동원 (지구촌교회 담임목사, 한국의 대표적인 명 설교가)

이 책은 우리 시대의 진정한 '상처 입은 치유자'인 오제은 교수가 가슴을 불태운 전인적 삶을 통해서 독자들로 하여금 자기 사랑의 길을 찾고 깨닫도록 돕는다. 이 책의 마지막 장을 닫는 순간 우리 모두는 아직 치유되지 않은 상처를 치유할 수 있는 확실한 답을 갖게 될 것이다.
- 최일도 (다일공동체 대표,《밥 짓는 시인, 퍼주는 사랑》저자)

내면아이치료연구소의 〈집단상담 '영성과 내면아이 치유'〉는 오제은 교수가 지금까지 거의 25년 동안 총 300회 이상을 직접 인도해 온 3박 4일간의 집단상담 프로그램이다. 우리 안의 '상처받은 내면아이'를 발견하게 하고, 내면의 심리적인 문제들과 대인관계, 가족적인 문제들과, 여러 종류의 중독적이고 정신신체적인 증상들의 가장 근본적인 원인을 직접 알아차릴 수 있게 도와주며, 가장 빠른 변화를 가져오게 하는 심리치료다. 어린 시절 상처의 치유/ 상처받은 내면아이의 발견과 치유/ 분노와 억압된 핵심감정의 치유/ 가족관계의 치유 (부모, 부부, 자녀와의 관계 등)/ 자연, 세상과의 새로운 만남/ 영성 9마디를 통한 치유 업그레이드 등, 영성과 심리치료의 중요한 치료방법들을 통합적으로 적용하여, 과거의 상처 치유는 물론, 전인적인 성장의 기회를 제공해주는, 인생 최고의 절정 경험이 될 것이다. www.innerchildtherapy.org

내면아이치료연구소의 〈내면아이치료 상담전문가〉과정은 오제은 교수가 직접 지도하며, 내면아이 치료(Inner Child Therapy)를 전문적으로 수련하여, '내면아이치료전문가'를 양성하는 과정이다. (1) 집단상담 '영성과 내면아이 치유', (2) '내면아이 치료이론과 실제' 세미나 참석 후, (3) 임상수련과정 (총 3학기 인턴쉽)과, (4) 내면아이치료 상담실습을 거친 후, (5) 과제를 제출하고, (6) 최종시험에 합격하면, (7) 한국내면아이상담학회로 부터 '내면아이치료전문가' 자격증을 취득하게 된다. www.innerchildtherapy.org

한국부부가족상담센터는 2002년 개인의 온전한 치유를 통해서, 회복된 가정과 건강한 사회 공동체를 만들어가고자 문을 열었다. 지구촌에 살고 있는 우리 모두가 민족과 종교, 연령과 성별의 차이를 뛰어넘어, 한 하늘아래 한 가족으로 살아가기 위해, 지난날 개인과 가족 간에 있었던 모든 아픔과 상처를 털어내고, 자기 치유와 성장을 도모할 수 있도록, 전문적인 상담과 심리치료를 제공해 주고 있다. 개인상담, 부부치료 및 가족치료, 부모-자녀관계 상담과 각종 심리치료, 내면아이치료, 이마고부부치료, 부모교육, 영성수련, 표현예술치료 등, 영성과 심리치료의 다양한 방법들을 통합적으로 상담하고, 치료하는, 국제적 수준의 상담전문센터다. www.familykorea.org

(사)한국부부가족상담협회는 2003년 가족관계의 회복에 기여함으로써 건강한 사회를 열어갈 목적으로 보건복지부의 인가를 받아 설립되어, 현재 여성가족부 소관 비영리 사단법인이다. 가족과 개인의 문제는 시대의 문제이고, 이 문제의 해결도 사회적으로 이루어져야 한다는 문제의식을 가지고, 이 협회를 발족했으며, 현재 약 6천 명의 전문회원과 60개의 전국지부가 활발히 활동 중이며, 가족, 부부, 부모교육 및 자녀양육, 성 상담전문가들의 양성과 함께, 상담센터 설립 및 운영을 지원하며, 매년 국제적 수준의 부부가족상담컨퍼런스를 진행하며, 가족체계적 치유를 위한 제도적 틀을 꾸준히 마련해가고 있다. www.kamft.or.kr

IICFR: International Institute for Couples and Family Relationships
(국제부부가족관계연구소)은 미국 연방정부의 승인을 받아 운영되고 있는 국제적 수준의 부부가족관계연구소다. 〈결혼과 가족치료(MFT)〉 분야에서, 미국 내 최고의 명문대학원으로 손꼽히는 퍼듀대학교(Purdue University)와 오레곤대학교(University of Oregon), 텍사스택대학교(Texas Tech University), 시애틀퍼시픽대학교(Seattle Pacific University), 하와이차미나드대학교(Chaminade University of Honolulu), 데이브레이크대학교(Daybreak University)의 현직 MFT 교수로 재직 중이며 동시에 〈미국 결혼과 가족치료협회 AAMFT〉 공인 수퍼바이저 자격 소지자, 〈국제이마고부부치료수련연구소 IITI〉 국제공인 임상지도교수 자격 소지자, 〈미국 성치료, 성상담, 성교육전문가 협회 AASECT〉 공인 임상수퍼바이저 자격 소지자 등, 가족치료와 부부치료, 성치료 분야에서 전 세계 최고 수준의 협회와 학회로부터 임상 수퍼바이저 자격증을 소지하고 있는 임상지도 교수님들이 공동으로 협력하여, 인턴쉽과 레지던트쉽, 수퍼바이저 과정 등 체계적인 임상수련과 수퍼비전을 실시함으로써, 각 세부 전공 분야의 전문가 자격취득 과정을 제공하고 있다. 또한 세계적 수준의 상담전공 연구학자들에 의한 중장기적인 임상연구들이 실행되고 있다.

1. IITI(국제이마고부부치료전문가수련연구소) 국제공인 임상지도교수들이 직접 지도하는 국제공인 이마고부부치료전문가 자격 취득과정

2. AAMFT(미국 결혼과 가족치료협회) 공인 수퍼바이저들이 직접 지도하는 〈결혼과 가족치료전문가〉 자격 취득과정

3. AASECT(미국 성치료, 성상담, 성교육전문가협회) 공인 수퍼바이저들이 직접 지도하는 〈성치료 전문가〉 자격 취득과정

IICFR의 주관하에
〈국제이마고부부치료전문가수련연구소 IITI〉 공인 임상지도교수가 직접 지도하는 〈국제공인 이마고부부치료전문가(CIT)〉 자격 취득과정은
IITI(국제이마고부부치료수련연구소)의 전문가 수련 매뉴얼에 따라, 부부치료 분야에서 전 세계 최고의 임상효과로 널리 알려진 이마고부부치료의 핵심적인 치료기법들을, 총 3학기(96시간) 동안 심층적으로 수련하게 된다. 아시아인 최초로 오제은 박사가 국제공인 이마고부부치료 트레이너 자격을 취득함으로써, 이제 국내에서도 국제공인 이마고부부치료 전문가 자격취득이 가능하게 되었다. 국내에서 지금까지 국제공인 이마고부부치료전문가 과정(ICT)을 통해 국제공인 자격증을 취득하여 활동하고 있는 이마고 전문가의 수는 거의 200여명에 달하며, ICT 수련과정에 대한 수련생들의 만족도가 거의 최고 수준으로 매우 높은 만족도를 나타내고 있다. www.couplekorea.org

IICFR의 주관하에
〈미국결혼과가족치료협회 AAMFT〉 공인 수퍼바이저들이 직접 지도하는
〈결혼과 가족치료 전문가〉 과정은
국제부부가족관계연구소(IICFR)와 (사)한국부부가족상담협회가 공동으로 주관하며, 현재
미국에서 MFT 분야에서 최고 명문대학원으로 손꼽히는 퍼듀대학교와 오레곤대학교, 텍사
스택대학교, 시애틀퍼시픽대학교, 하와이차미나드대학교, 데이브레이크대학교의 〈결혼과 가
족치료〉 전공 교수이자, AAMFT 공인 수퍼바이저자격을 소지한 임상교수님들이 직접 지도
하는, 국내 최초로 미국의 LMFT(결혼과 가족치료사 자격면허) 취득과정과 동일하게 운영되
고 있으며, 과학적인 임상결과들을 바탕으로 한, 세계 최고 수준의 〈결혼과 가족치료(MFT)〉
전문가과정이다. www.iicfr.institute

IICFR의 주관하에
〈미국 성 교육가, 성 상담가, 성 치료사협회 AASECT〉 공인 수퍼바이저들이
직접 지도하는 〈성 치료 전문가〉 과정은
미국 성 교육가, 성 상담가, 성 치료사협회인 AASECT (American Association of Sexuality
Educators, Counselors and Therapists)의 공식인증 과정으로서, 미국은 물론 전 세계적으
로 성상담, 성교육, 성치료 분야에서 가장 권위 있는 공인 자격증을 발급하는, AASECT의 성
치료 전문교육과정이며, 국내에서는 최초로 진행되는 것으로, 미국 AASECT 자격취득을 위
한 교육시간(160시간, 총 4단계)으로 인정된다. www.iicfr.institute

IICFR을 통해 제공되는 'IITI 국제공인 이마고 커플스 워크숍'은 부부관계 치료
분야에서 가장 탁월한 효과를 인정받은, 전 세계 최고의 부부전문 프로그램이다. 이미 오프
라 윈프리쇼를 통해 널리 알려진 것처럼, 이혼을 결심한 부부 10쌍 중 9쌍이 이 세미나에 참
석한 뒤 부부관계가 극적으로 회복되는 놀라운 임상 결과가 밝혀졌다. 결혼 전 예비커플을
포함한 모든 형태의 커플들의 다양한 부부갈등, 상처와 이슈들을 정서·심리·관계·문화·신
체적·성적 등 다양한 주제로 다루며 부부관계 회복에 통합적으로 접근한다.
www.couplekorea.org

데이브레이크대학교(Daybreak University: DBU)는 한 사람과의 진정한 만남과 치유적인 관계 (One Relationship at a Time))를 통해, 이 세상을 좀 더 아름답고, 따뜻한 세상으로 만들기 위해 꼭 필요한, 〈세계 최고 수준의 상담전문가를 양성한다〉는 목적으로 설립되었으며, 캠퍼스는 미국 캘리포니아 오렌지카운티 애너하임에 있다. www.daybreak.edu

데이브레이크대학교 승인
데이브레이크대학교는 미국 캘리포니아 주정부 교육청 BPPE(사립고등교육국), 캘리포니아 주정부 〈결혼과가족치료사 자격면허(LMFT)〉를 관장하는 BBS, 미국연방정부대학승인기관인 TRACS, 미국 정부 교육부 U.S. Dept. of Education, 미국고등교육위원회 CHEA, 국제고등교육수준보증 기관네트워크 INQAAHE 등 미국 내 대학교를 인증하는 최고 수준의 인증기관들과, 이민국으로 부터 SEVIS(학생 및 교환 방문자 프로그램: SEVP) 승인을 받아 운영되고 있는 비영리대학교로서, 〈임상(상담)-(치료)이론-연구〉의 3가지 통합을 지향하는 최첨단 상담전문가 교육모델(Scientific-Practitioner Education)을 채택하여, 세계 최고 수준의 상담전문가, 상담이론들에 정통한 교육자, 과학적인 연구 결과를 도출하는 연구자들을 배출하고자 한다.

DBU의 교수진은, 세계 최고 수준의 대학교로부터 상담심리 각 전공 분야에서 Ph.D. 학위를 취득한 분으로서, 연구업적이 탁월하며, 〈미국 결혼과 가족치료협회 AAMFT (American Association for Marriage and Family Therapy)〉, 〈국제이마고부부치료전문가 수련연구소 IITI (Imago International Training Institute)〉, 〈미국 성교육자, 성상담사, 성치료사 자격소지자 공인 협회인 AASECT(American Association of Sexuality Educators, Counsellors and Therapists)〉 로부터, 임상수퍼바이저 자격을 소지한 분들을 초빙하였다.

DBU에는 상담학 석사(MA in Counseling), 상담학 박사(Ph.D. in Counseling), 석사후, 박사후 과정이 있으며, 세부전공으로는, (1) 결혼과 가족치료 전공(Marriage and Family Therapy: MFT): MFT과정은 MFT전공분야 세계 최고 수준의 유일한 교육인증기관인 COAMFTE로부터 최종승인을 받은 과정으로, 졸업 후, 캘리포니아 주정부를 비롯한 미국의 다른 모든 49개 주와 캐나다에서 〈결혼과 가족치료사 자격면허(Licensed Marriage & Family Therapist: LMFT)〉 취득에 응시할 수 있다. (2) 이마고부부관계치료 전공(Imago Relationship Therapy: IRT): IRT과정은 〈국제이마고부부치료수련연구소인 IITI(Imago International Training Institute)〉로 부터 국제공인 이마고치료사(CIT)와 워크샵프리젠터(WP) 자격증을 취득하는 과정이다. (3) 인간의 성과 성치료 전공(Human Sexuality and Sex Therapy: HST): HST과정은 〈미국 국가공인 성 교육자, 성 상담사, 성 치료사 자격소지자들의 공인협회인 AASECT(American Association of Sexuality Educators, Counsellors and Therapists)〉으로부터 성 치료사 자격을 취득할 수 있는 과정이다. 따라서, DBU졸업생들은 AAMFT와 IITI, AASECT과 IACFR, 그리고 한국의 (사)한국부부가족상담협회 KAMFT 등을 통해, 상담전문가 자격을 취득할 수 있다.

DBU교육방식

DBU는 학생-중심의 교육방식을 지향하며, 학생의 형편에 따라, (1)온라인수업방식, (2)인텐시브 레지던스 컨퍼런스 수업, (3)전통적인 대면수업, (4)하이브리드 혼합형 수업 등 다양하게 선택할 수 있다. 거의 모든 수업은 영어와 한국어로 진행되며, 영어 수업시에는 순차통역이 제공된다. 전 세계 어디에서든 장소에 구애없이 편리하게 접속하여 수업에 참여할 수 있으며, 학기중 언제든지 24시간 반복적으로 청취가 가능하다.

데이브레이크대학교 아동부부가족상담센터(DBU-CFT Center) 미국/ 한국

데이브레이크대학교 아동부부가족상담센터(DBU-CFT Center)는 기독교정신에 의해 설립된 비영리 상담 전문기관이며, 동시에 데이브레이크대학교 부부가족상담대학원의 석사, 박사과정에 재학 중인 상담전공 대학원생들의 상담전문가 훈련기관이다. 주로 결혼, 이혼, 재혼 등 부부문제와 성 문제, 부모-자녀관계 등 가족관계, 아동과 청소년, 성인의 심리사회 발달문제와 중독문제, 각종 정신신체적 증상 등에 대한 전문적인 상담과 심리치료, 부부상담과 가족치료, 집단상담과 심리검사, 일반 상담교육과 상담전문가 교육 등을 제공하고 있다.

　DBU-CFT Center에서 제공되는 모든 상담서비스는, 데이브레이크대학교 내의 국제공인 수퍼바이저급 교수진들의 전문적인 관리와 지도 아래, 데이브레이크대학교 상담전공 석사, 박사과정생들과 인턴/ 레지던트 상담사들에 대한 전문가 훈련과정이 동시에 제공되고 있다.

　미국과 한국의 DBU-CFT Center는 다문화 사회 속에서 여러가지 복잡하고 다양한 어려움을 겪으며 살아가고 있는 사람들을 위해서, 그들의 심리적인 문제들과 부부갈등, 가족관계, 자녀양육, 그리고 각종 정신신체적인 증상들을 비롯한 여러 중독문제 등을 전문적으로 치료하고, 흔들리는 부부와 가족을 지원하기 위해, 세계적 수준의 아동/ 부부/ 가족/ 중독/ 상담전문가들을 배출하고, 특별히 한국인들이 많이 거주하고 있는 지역에 아동부부가족상담전문센터 설립과 운영을 지원함으로써, 한국인들의 가정 회복과 치유에 최선을 다해 집중하고자 한다.

www.dbucft.center

데이브레이크대학교 아동부부가족상담센터 설립정신

"단 한 사람도, 어떤 부부도, 어느 가정도, 단지 경제적인 이유 때문에,
전문적인 상담서비스를 받지 못하는 일이 없게 하기 위해,
데이브레이크대학교 아동부부가족상담센터를 설립하여 운영하고 있습니다."

데이브레이크대학교 후원안내

데이브레이크대학교는 비영리 학교법인이다. 후원은 개인, 자녀, 가족, 단체, 회사(사업체) 이름으로 할수 있으며, 여러분의 소중한 후원금에 대해서는 영수증을 발급해드리고, 비영리학교법인에 대한 세금혜택이 가능하다. 여러분의 후원금은 경제적으로 어려운 학생들에 대한 장학금과 데이브레이크대학교 아동부부가족상담센터를 통해 경제적으로 어려운 아동과 청소년, 부부와 가정에 대한 전문적인 상담치료를 제공하는 무료상담과 교육에 아주 소중하게 사용될 것이다.

donation@daybreak.edu

데이브레이크의 의미

데이브레이크(Daybreak)는 새벽 여명을 뜻한다. 새벽은 깜깜한 어두움을 헤치고 가느다란 여명, 엷은 오렌지 빛 햇살이, 처음 그 모습을 드러내는 시간이다. 체계적사고(Systemic Thinking)의 선구자인 그레고리 베이트슨 박사(Dr. Gregory Bateson)는, "이 세상의 주요한 문제들은 자연의 이치(작동 방식)와 인간이 생각하는 사고방식과의 차이 때문에 생겨난다."고 했다. 사람들은 모두 그들의 삶 속에서 크든 작든 어두운 부분을 지니고 있다. 우리는 인생의 여정 속에서 때때로 어두운 밤길을 지나게 되고 길을 잃기도 한다. 그 때 우리가 기억해야 할 것은 바로, 자연이 작동하는 방식이다. 즉, 〈아무리 칠흑 같은 밤이 계속된다 할지라도, 새벽은 반드시 온다〉는 것이다. 〈밤이 어두울수록 사실은 새벽이 더 가깝다〉는, 그 자연의 이치 말이다. 언제까지나 계속될 것만 같았던 그 어두움도, 새벽 동이 터 오르는 그 순간, 슬며시 꼬리를 내리고 도망쳐버릴 것이다. 이것이 바로 데이브레이크(새벽 여명) 대학교가 지향하고자 하는 것이다. 데이브레이크대학교는 깜깜한 어두움 속에서 길을 잃어버려 막막한 사람들, 어찌할 바를 몰라 안타까워하는 사람들에게, 따뜻하게 길을 비추어주는, 새벽 여명과 같은 한줄기 희망의 빛이 되어주고자 한다.

데이브레이크대학교의 비전

데이브레이크대학교의 비전은, "한 번에 한 사람과의 관계를 가장 소중하게 여기는, 참 만남을 통해서," '더 아름다운 세상으로의 근본적인 변화를 이끌어내는 것 (Transforming the World through One Relationship at a Time) 이다.

데이브레이크대학교 〈결혼과 가족치료 (Marriage and Family Therapy: MFT) 분야, 세계 최고 수준의 MFT 전문가 훈련교육 인증기관 COAMFTE〉 로부터 최종 승인 획득

미국 캘리포니아의 데이브레이크대학교(DayBreak University, DBU)가 오랫동안 준비하며 기다려왔던, 〈세계 최고 수준의 결혼과 가족치료 MFT 전문가 훈련 교육인증기관인 코엠프티(COAMFTE: The Commission on Accreditation for Marriage and Family Therapy Education)〉로부터 마침내 최종 승인을 받았다. DBU가 〈미국과 캐나다의 유일무이한 MFT 결혼과 가족치료전문가 훈련 교육 프로그램의 인증기관인 COAMFTE〉로부터 공식적으로 최종 승인을 받는다는 것은, 결혼과 가족치료 MFT 분야에서, 미국과 캐나다는 물론, 전 세계적으로 최고 수준의 〈결혼과 가족치료전문가 훈련 교육 프로그램〉임을 공식적으로 확인을 받는 것이다. 이제 DBU의 〈결혼과 가족치료 (MFT) 석사과정〉이 COAMFTE코엠프티로부터 최종 승인을 받게됨에 따라, 지금까지는 캘리포니아 주 정부의 "결혼과 가족치료사 자격증 (LMFT)"을 취득하기 위한 교육과정으로 인정받아오던 것을 뛰어넘어, 앞으로는 캘리포니아 뿐만 아니라 미국의 다른 모든 49개 주와 캐나다에서도, "결혼과 가족치료사 자격증(LMFT)"을 취득하기 위한 교육과정으로 공식적인 인증을 받게 된 것이며, 따라서 데이브레이크대학교가, 〈MFT 결혼과 가족치료 전문가 훈련 및 교육〉 분야에서, 전 세계적으로 최고의 교육기관임을 공식적으로 인정을 받게 된 것이다. 참고로, 지금 현재 캘리포니아 주에서는, 상담과 MFT 전공 프로그램을 제공하고 있는 수많은 대학들 중에서도, 오직 10개의 학교만이 COAMFTE으로부터 최종 승인을 취득하였으며, 뉴저지 주에는 아직 COAMFT 승인을 받은 학교가 단 한군데도 없다. 우리 데이브레이크대학교가 이렇게 〈세계 최고수준의 MFT 결혼과 가족치료전문가 훈련 교육인증기관인 COAMFTE〉로부터 최종 승인을 받게 된 것을 여러분과 함께 진심으로 기쁘게 생각하며, 그동안 이 어려운 일을 위해서, 온 몸과 마음을 다해 헌신해주신 모든 교수님들과 학생 여러분들께 진심으로 감사드린다.

한 사람과의 관계를 가장 소중하게 여기는 데이브레이크대학교

당신이라는 '사람책'을 만나고 싶습니다.

오제은 교수의 자기 사랑 노트 개정판을 출간한 출판사 〈달빛북스〉 대표 박선아입니다.
제 인생의 단 한 권의 책, 《오제은 교수의 자기 사랑 노트》를 독자 여러분에게 소개할 수 있어서
참 감사합니다.

> 내 인생 드라마의 장르는 공포였다. 나는 늘 항변과 포기뿐인 캐릭터였고, 나에게 일어나는 일은
> 억울함과 참음의 반복된 클리셰가 존재했다. 숨 쉬면서 사는 방법을 몰랐다. 그래서 참고 그러다
> 가 또 억울하면 항변했다. 믿을 만한 사람을 찾아다녔다 내 얘길 털어놓으면 다시 들려오는 소
> 리는 "포기해. 그냥 넘어가. 큰일도 아니잖아."라는 것이었다.
> 사람들이 다 이렇게 사는 건가. 아니면 내가 바보라서 겪는 일인가. 온갖 방법과 책을 뒤졌다. 책
> 을 뒤지는 일을 멈추면 나의 인생이 멈출 것 같았다. 그때 《오제은 교수의 자기 사랑 노트》라는
> 제목의 책을 만났다. 그 책에 이렇게 적혀 있었다.
> "머리가 아닌 가슴으로 살아라."
> 무슨 말인지 몰랐지만 "살아라."라는 말에 누군가 내가 살기 바라는 것 같아서 계속 읽어 나갔
> 다. 방법이 있을 것 같아서 읽다가 몇 번의 한숨이 나왔고, 수백 번의 화가 치밀었다. '나처럼 힘
> 든 사람이 있다니, 나보다 더 힘들었다니…' 믿을 수 없었다. 책에서 이끄는 대로 질문에 답을
> 쓰면서 수없이 통곡했다. 그리고 뭔가 해결할 수 있다면 저자를 직접 만나야겠다고 생각했다.
> ―《엄마의 브랜딩 1%》 중에서 ―

제가 쓴 책에도 남겼듯이, 제 삶을 도대체 어떻게 살아야 하는지 몰라서 힘들어할 그때, 《오제
은 교수의 자기 사랑 노트》라는 책을 만났습니다. 대한민국에서 살면서 공부와 직업을 위해 수많
은 책을 읽었지만, 지식을 논하거나 방법을 안내하는 책이 아니라 사람을 만나 대화를 나누는 책
을 만나기 쉽지 않았습니다.

20대, 가장 어둡던 날 만난 한 권의 책은 글자가 아니라 '오제은' 이라는 사람책이었습니다. 상담
실도 가지 못하고 떨고 있던 나를 찾아와 말을 건네는 책, 나처럼 당신이 얼마나 힘들었는지 인생
전체를 모두 적어놓은 책, 오해를 이해로 바꾸는 길이 있다고 안내하는 책이었습니다. 막막한 삶
을 풀어갈 질문을 하고, 인생 전체-과거, 현재, 미래를 찬찬히 써갈 수 있도록 워크시트 페이지를
내어주었습니다.

그래서 지난 10년 동안 《오제은 교수의 자기 사랑 노트》라는 한 권의 책이 당신의 자기 사랑 노
트가 될 수 있도록 돕는 일을 했습니다.

혼자 읽기 힘든 분들을 위해 독서모임을 진행하고, 책방과 출판사를 이어가고 있습니다.

이 책을 통해 독자 여러분들이 자기 자신의 이야기를 읽어갈 수 있기를 소망하며 온라인플랫폼을 제작했습니다. 전 세계 어디에서도 독서모임을 하고, 자기 사랑 노트를 지속적으로 써가실 수 있도록 돕는 〈베스트오브미〉에서 만나 뵙겠습니다.

당신은 이 세상 유일한 빛나는 이야기입니다.
당신의 이야기가 계속해서 써질 수 있도록 베스트오브미가 함께하겠습니다. www.bestofme.kr

"이제 당신 자신의 각본을 쓰십시오.
당신은 최선의 당신이 될 수 있는 힘을 당신 안에 가지고 있습니다"
–《오제은 교수의 자기 사랑 노트》중에서 –

Best of Me
베스트오브미
바로가기